V. Blasco Ibáñez

SONNICA LA CORTESANA

PLAZA & JANES EDITORES, S. A.

Portada de

GS-GRAFICS, S. A.

Primera edición en esta colección: Abril, 1989

© 1976, Herederos de Vicente Blasco Ibáñez
Editado por PLAZA & JANES EDITORES, S. A.
Virgen de Guadalupe, 21-33
Esplugues de Llobregat (Barcelona)

Printed in Spain — Impreso en España

ISBN: 84-01-92102-3 (Col. Gran Reno)
ISBN: 84-01-92949-0 (Vol. 102/9)
Depósito Legal: B. 13.511 - 1989

Impreso en Litografía Rosés, S. A. — Cobalto, 7-9 — Barcelona

AL LECTOR

Esta obra la escribí en 1901, para completar con ella la serie de mis novelas que tienen por escenario la tierra valenciana.

Había publicado ya *Arroz y tartana, Flor de Mayo, La barraca* y *Entre naranjos*, que son la novela de la vida en la ciudad, de la vida en el mar, de la vida en la huerta y de la vida en los naranjales. Tenía entonces el proyecto de escribir *Cañas y barro* y para ello estudiaba la existencia de los habitantes del lago de la Albufera. Pero antes de producir esta última obra sentí la imperiosa necesidad de resucitar el episodio más heroico de la historia de Valencia, sumiéndome para ello en el pasado, hasta llegar a los primeros albores de la vida nacional. Y abandonando la novela de costumbres contemporáneas, la descripción de lo que podía ver directamente con mis ojos, produje una obra de reconstrucción arqueológica más o menos fiel, una novela de remotas evocaciones.

Con esto realicé un deseo de mi adolescencia, cuando empezaba a sentir las primeras tentaciones de la creación novelesca.

Siendo estudiante, en vez de entrar en la Universidad huía de ella las más de las mañanas para vagar por los campos o por la orilla mediterránea, encontrando a esto mayor seducción que al conocimiento de las verdades muchas veces discutibles del Derecho. Al caminar por los senderos de la huerta valenciana se ve siempre en el horizonte, por encima de las arboledas, una colina roja que es la estribación más avanzada de la sierra de Espadán, el último peldaño de las montañas que se escalonan en descenso hasta el mar. Sobre su cumbre, como amarillentas y sutiles pinceladas, se columbran los muros de un vasto castillo. Allí está Sagunto.

También al vagar por la playa, ante la llanura del Mediterráneo, azul a unas horas, verde a otras o de color violeta, pensaba en todos los personajes interesantes que dominaron este mar, saltando sobre él en sus caballos de leño, desde los navegantes homéricos hasta los corsarios cristianos y los piratas berberiscos que sostuvieron una guerra milenaria. Y muchas veces me dije, con mi entusiasmo de novelista aprendiz, que algún día escribiría dos novelas: una sobre Sagunto y su desesperada resistencia; otra que tendría por héroe al Mediterráneo.

Esta última novela tardé muchos años en producirla, y es *Mare nostrum*. Mi novela de Sagunto nació antes. Tal era mi deseo de hacerla, que, como ya he dicho, interrumpí mis novelas valencianas contemporáneas para que pasase delante de *Cañas y barro*.

Al poco tiempo de haber empezado a escribir *Sónnica la Cortesana* casi me arrepentí de este trabajo. Tuve que realizar vastos y monótonos estudios para no desistir de mi empeño. Casi siempre, en libros de esta clase, el éxito responde con parquedad a las grandes labores preparatorias que exigen. Necesité rehacer mis estudios latinos del bachillerato para leer obras antiguas que tratan de la heroica resistencia de Sagunto y su destrucción.

Al llegar aquí considero necesario hacer dos manifestaciones.

Siempre ha existido una crítica ligera, que juzga los libros muchas veces sin leerlos y emite, sin embargo, su juicio con la gravedad del que da una sentencia irrevocable. A esta crítica le basta una semejanza de títulos o una identidad de ambiente entre dos novelas, para declarar que la una procede de la otra, aunque examinadas por alguien que verdaderamente las ha leído no presenten ningún parentesco común.

Como en *Sónnica la Cortesana* uno de los personajes principales, tal vez el de mayor relieve, es Hanníbal, y se habla de la llamada «guerra inexorable» que Cartago sostuvo con sus mercenarios, algunos, cuando apareció la presente novela, hicieron alusiones (pero con timidez) a *Salambó*, la obra inmortal de Flaubert.

No es necesario insistir en esto. Los que hayan leído ambas novelas saben a qué atenerse. Pero yo aprovecho la ocasión para declarar lealmente que *Sónnica* es una novela que debe mucho a otro libro. Para escribirla me inspiré en el poema sobre la Segunda Guerra Púnica del poeta latino Silvio Itálico, autor romano del principio de la decadencia, nacido en España.

Esto no lo ha dicho ningún crítico, y tal vez no lo habría dicho nunca, pues son contados los que se acuerdan de leer el citado poema. Yo, como he manifestado antes, tuve que repasar mi latín para conocer la obra de Silvio Itálico, y algunos de mis personajes secundarios los he sacado de ella, así como determinadas escenas.

Dicho poeta no fue contemporáneo de la trágica resistencia de Sagunto, pero la cantó pocos siglos después, pudo conocer todavía frescas las tradiciones orales del famoso suceso, y por ello le seguí con una preferencia especial sobre otros autores de consulta.

También debo decir que como *Sónnica la Cortesana* se publicó cuando la novela histórica tenía muchos cultivadores, a consecuencia del gran éxito momentáneo de *Quo vadis?*, del polaco Sienkiewicz, y *Afrodita*, de Pierre Louis, algunos creyeron que escribí la presente obra por seguir una moda literaria.

Ya he manifestado que esta novela la pensé en mis años de estudiante. Luego vi en ella un complemento de mi obra sobre la tierra natal.

Había descrito ya la vida valenciana tal como puede verse directamente, y necesité realizar esta excursión por su pasado más remoto.

Las promesas entusiásticas hechas en nuestra juventud nos acompañan siempre como un remordimiento si no las cumplimos. Muchas veces, tendido en la playa a la sombra de una barca o en los cañares que bordean las acequias de la huerta, al ver sobre el azul del horizonte la colina roja de Sagunto y sus baluartes amarillos, prometí a la ciudad heroica que escribiría una novela describiendo su sacrificio... cuando llegase a ser novelista.

Y cumplí mi palabra.

V. B. I.

1923.

Capítulo Primero

EL TEMPLO DE AFRODITA

Cuando la nave de Polyantho, piloto saguntino, llegó frente al puerto de su patria, ya los marineros y pescadores, de vista aguzada por las distancias del mar, habían reconocido su vela teñida de azafrán y la imagen de la Victoria, que con las alas extendidas y una corona en la diestra, llenaba todo el filo de la proa, hasta mojar sus pies en las ondas.

—Es la nave de Polyantho, la *Victoriata*, que vuelve de Gades y Cartago-Nova.

Y para verla mejor se agolpaban en el muelle de piedra que cerraba los tres lagos del puerto de Sagunto, puestos en comunicación con el mar por un largo canal.

Los terrenos bajos y pantanosos, cubiertos de carrizales y enmarañadas plantas acuáticas, extendíanse hasta el golfo Sucronense, que cerraba el horizonte con su curva faja azul, sobre la cual resbalaban, semejantes a moscas, los barquichuelos de los pescadores. La nave avanzaba lentamente hacia la embocadura del puerto. Su vela palpitaba bajo los soplos de la brisa sin lograr hincharse, y la triple fila de remos comenzó a moverse en los flancos de su casco, haciéndola encabritarse sobre las espumas que cerraban la entrada del canal.

Caía la tarde. En una altura inmediata al puerto, el templo de Venus Afrodita reflejaba sobre la pulida superficie de su frontón el fuego del sol poniente. Una **atmósfera de oro envolvía** la columnata y los muros de mármol azul, como si el padre del día, al alejarse, saludase con un beso de luz a la diosa de las aguas. La cadena de montes oscuros, cubiertos de pinos y matorrales, extendíase en gigantesco semicírculo frente al mar, cerrando el fértil valle del agro saguntino, con sus blancas *villas*, sus torres campestres y sus aldeas medio ocultas entre las masas verdes de los campos cultivados. En el otro extremo de la montuosa barrera, esfumada por la distancia y el vapor de la tierra, veíase la ciudad, la antigua Zazintho, con el caserío oprimido en la falda del monte por murallas y torreones, y en lo alto la Acrópolis, los ciclópeos muros, sobre los cuales destacábanse las techumbres de los templos y edificios públicos.

Reinaba en el puerto la agitación del trabajo. Dos naves de Massilia cargaban vino en la laguna grande, una de Liburnia hacía acopio de barros saguntinos y de higos secos para venderlos en Roma, y una galera de Cartago guardaba en sus entrañas grandes barras de plata traídas de las minas de la Celtiberia. Otras naves, con las velas plegadas y las filas de remos caídos en sus costados, permanecían inmóviles junto al malecón, como grandes pájaros dormidos, balanceando dulcemente sus proas de cabeza de cocodrilo o de caballo, usadas por la marina de Alejandría, u ostentando en el tajamar un espantable enano rojo, semejante al que adornaba la nave del fenicio Cadmus en sus asombrosas correrías por los mares.

Los esclavos, encorvados bajo el peso de ánforas,

fardos y lingotes, sin otra vestidura que un cinturón lumbar y una caperuza blanca, al aire la atormentada y sudorosa musculatura, pasaban en incesante rosario por las tablas tendidas del muelle a las naves, trasladando al cóncavo vientre de éstas las mercancías amontonadas en tierra.

En medio del gran lago central alzábase una torre defensora de la entrada del puerto: una robusta fábrica que hundía sus sillares en las aguas más profundas. Amarrada a las anillas que adornaban sus muros balanceábase una nave de guerra, una *libúrnica*, alta de popa, la proa de cabeza de carnero, plegada su vela de grandes cuadros, un castillo almenado junto al mástil, y en las bordas, formando doble fila, los escudos de los *classiari*, soldados destinados a los combates marítimos. Era una nave romana que al amanecer el día siguiente había de llevarse a los embajadores enviados por la gran República para servir de mediadores en las turbulencias que agitaban a Sagunto.

En el segundo lago —una tranquila plaza de agua donde se construían y reparaban las embarcaciones— sonaban los mazos de los calafates sobre la madera. Como monstruos enfermos estaban las galeras desarboladas tendidas de costado en la ribera, mostrando por los rasguños de sus flancos el fuerte costillaje o la embreada negrura de sus entrañas. Y el tercer lago, el más pequeño, de aguas sucias, servía de refugio a las barcas de los pescadores. Revoloteaban en caprichoso tropel las gaviotas, abatiéndose sobre los despojos de la pesca que flotaban a ras del agua, mientras en la orilla se agrupaban mujeres, viejos y niños, esperando la llegada de las barcas con pescado del golfo Sucronense, que era vendido tierra adentro a las tribus más avanzadas de la Celtiberia.

La llegada de la nave saguntina había apartado de sus quehaceres a toda la gente del puerto. Los esclavos trabajaban con lentitud, viendo a sus vigilantes distraídos por la entrada de la nave, y hasta los calmosos ciudadanos que sentados en el malecón, caña en mano, intentaban cautivar las gruesas anguilas del lago olvi-

11

daban su pesca para seguir con la mirada el avance de la *Victoriata*. Ya estaba en el canal. No se veía su casco. El mástil, con la vela inmóvil, pasaba por encima de los altos cañaverales que bordeaban la entrada del puerto.

Reinaba el silencio de la tarde, interrumpido por el monótono canto de las innumerables ranas albergadas en las tierras pantanosas y el parloteo de los pájaros que revoloteaban en los olivares inmediatos al Fano de Afrodita. Los martillazos del arsenal sonaban cada vez más lentos; la gente del puerto callaba, siguiendo la marcha de la nave de Polyantho. Al salvar la *Victoriata* la aguda revuelta del canal, asomó en el puerto la dorada imagen de la proa y los primeros remos, enormes patas rojas, apoyándose en la tersa superficie con una fuerza que levantaba espumas.

La muchedumbre, en la que se agitaban las familias de los tripulantes, lanzó aclamaciones al entrar la nave en el puerto.

—¡Salud, Polyantho...! ¡Bien venido, hijo de Afrodita...! ¡Que Sónnica tu señora te colme de bienes!

Muchachos desnudos, de piel tostada, se arrojaron de cabeza a la laguna, nadando como un tropel de pequeños tritones en torno a la nave.

La gente del puerto alababa a su compatriota Polyantho, encareciendo su habilidad. Nada faltaba en su nave; bien podía estar satisfecha de su liberto la rica Sónnica. En la punta más avanzada del buque, el *proreta*, inmóvil como una estatua, escrutaba el horizonte con ágiles ojos para avisar la presencia de obstáculos; la marinería, desnuda, encorvaba sobre los remos las sudorosas espaldas, que relucían al sol; y en lo alto de la popa, el *gubernator*, el mismo Polyantho, insensible al cansancio, envuelto en una amplia tela roja, tenía en la diestra el gobernalle del timón y en la otra mano un cetro blanco que agitaba acompasadamente, marcando el movimiento a los remeros. Junto al mástil agrupábanse hombres de extraños trajes, mujeres inmóviles arrebujadas en oscuros mantos.

La nave resbaló por el puerto como una libélula enorme, abriendo las aguas silenciosas y muertas con la proa que poco antes atormentaban las olas del golfo.

Al anclar junto al malecón y echar el puente de tablas, los remeros tuvieron que repelar a palos a la multitud, que se empujaba queriendo penetrar en la nave.

El piloto daba órdenes desde la popa. Su roja envoltura iba de un lado a otro, como una mancha inflamada por el sol poniente.

—¡Eh, Polyantho...! Bien venido seas, navegante. ¿Qué es lo que traes?

Vio el piloto en la orilla a dos jóvenes a caballo. El que hablaba iba envuelto en un manto blanco; una de sus puntas le cubría la cabeza, dejando al descubierto la barba en bucles y lustrosa de perfumes. El otro oprimía los lomos del corcel con sus piernas desnudas y fuertes. Vestía el *sagum* de los celtíberos, una corta túnica de lana burda, sobre la cual saltaba su ancha espada suspendida del hombro. Su cabellera desgreñada e hirsuta lo mismo que su barba encuadraban un rostro varonil y tostado.

—¡Salud, Lacaro; salud, Alorco! —contestó el piloto con vez respetuosa—. ¿Veréis a Sónnica mi ama?

—Esta misma noche —contestó Lacaro—. Cenamos en su casa de campo... ¿Qué traes?

—Decidla que traigo plomo argentífero de Cartago-Nova y lana de la Bética. Excelente viaje.

Los dos jóvenes tiraron de las riendas a sus caballos.

—¡Ah! Esperad —añadió Polyantho—. Decidla también que no olvidé su encargo. Aquí traigo lo que tanto deseáis: las danzarinas de Gades.

—Todos te lo agradecemos —dijo Lacaro, riendo—. ¡Salve, Polyantho! ¡Que Neptuno te sea propicio!

Y los los jinetes partieron al galope, perdiéndose entre las chozas agrupadas al pie del templo de Afrodita.

Mientras tanto, uno de los pasajeros de la nave salió de ésta, abriéndose paso entre la multitud aglomerada frente al buque. Era un griego. Todos conocieron su origen por el *pileos* que cubría su cabeza, un casquete cónico de cuero, semejante al de Ulises en las pinturas griegas. Vestía una túnica oscura y corta, ajustada sobre los riñones por una correa, de la que pendía una bolsa. La clámide, que no llegaba a sus rodillas, estaba sujeta sobre el hombro derecho por un broche de cobre; unos zapatos de correas usadas y polvorientas cubrían sus desnudos pies, y sus brazos membrudos y cuidadosamente depilados se apoyaban al quedar inmóvil en un gran dardo que casi era una lanza. Los cabellos, cortos y rizados en gruesos bucles, se escapaban por debajo del *pileos*, formando una hueca corona en torno a su cabeza. Eran negros, pero brillaban en ellos algunas canas, así como en la barba ancha y corta que rodeaba su rostro. Llevaba el labio superior cuidadosamente afeitado, a usanza ateniense.

Era un hombre fuerte y ágil, en plena virilidad sana y robusta. En sus ojos, de mirada irónica, había algo de ese fuego que revela a los hombres nacidos para la lucha y el mando. Caminaba con soltura por aquel puerto desconocido, como un viajero habituado a toda clase de contrastes y sorpresas.

El sol comenzaba a ocultarse y las faenas del puerto habían cesado, retirándose lentamente la muchedumbre que ocupaba los muelles. Pasaban junto al extranjero los rebaños de esclavos limpiándose el sudor y estirando sus miembros doloridos. Guiados por el palo de sus guardianes, iban a encerrarse hasta la mañana siguiente en las cuevas del monte inmediato o en los molinos de aceite, más allá de las tabernas de marineros, hospederías y lupanares que agrupaban sus muros de adobes y sus techos de tablas al pie de la colina de Afrodita, como un complemento del puerto.

Los comerciantes retirábanse también en busca de sus caballos y carros para trasladarse a la ciudad. Pasaban en grupos consultando las apuntaciones de sus tablillas y discutiendo las operaciones del día. Sus diversos tipos, trajes y actitudes delataban la gran mezcla de razas de Zazintho, ciudad comercial a la que de antiguo afluían las naves del Mediterráneo y cuyo tráfico luchaba con el de Ampurias y Marsella. Los mercaderes asiáticos y africanos, que recibían el marfil, las plumas de avestruz y las especias y perfumes para los ricos de la ciudad, se distinguían por su paso majestuoso, sus túnicas con flores y pájaros de oro, sus borceguíes verdes, sus altas tiaras llenas de bordados y su barba descendiendo sobre el pecho en ondas horizontales de menudos rizos. Los griegos charlaban y reían con incesante movilidad, tomando a broma sus negocios. Algunos abrumaban con sus palabras a los exportadores iberos, graves, barbudos, huraños, vestidos de lana burda, y que con su silencio parecían protestar de aquel chaparrón de inútiles palabras.

Los muelles quedaron desiertos. Toda su vida afluyó al camino de la ciudad, donde entre nubes de polvo galopaban caballos, rodaban carretas y pasaban con menudo trote los borriquillos africanos llevando en sus lomos algún corpulento saguntino sentado como una mujer.

El griego iba lentamente por el muelle siguiendo a dos hombres vestidos con túnica corta, borceguíes y un sombrerillo cónico de alas caídas, semejante al de los pastores helenos. Eran dos artesanos de la ciudad. Habían pasado el día pescando y volvían a sus casas. Ambos lanzaban ojeadas orgullosas a sus cestas, en cuyo fondo coleaban unos cuantos barbos revueltos con delgadas anguilas. Hablaban en ibero, mezclando a cada punto en su conversación palabras griegas y latinas. Era el lenguaje usual de aquella antigua colonia, en continuo contacto, por el comercio, con los principales pueblos de la tierra. El griego, al seguirles por el muelle, atendía a su diálogo con la curiosidad de un extranjero.

—Vendrás en mi carro, amigo —decía uno de ellos—. En la hostería de Abiliana tengo mi asno, que, como sabes, es la envidia de mis vecinos. Podremos llegar a la ciudad antes de que cierren las puertas.

—Mucho te lo agradezco, vecino, pues no es prudente caminar solo cuando pululan en nuestros campos los aventureros que tomamos a sueldo para la guerra con los turdetanos, y toda la gente huida de la ciudad des-

15

pués de las últimas revueltas. Anteayer ya sabes que
apareció en un camino el cadáver de Acteio, el barbero
del Foro. Le asesinaron para robarle cuando volvía al
anochecer de su casita del campo.

—Ahora parece que viviremos más tranquilos, después de la intervención de los romanos. Los legados de
Roma han hecho cortar unas cuantas cabezas, y afirman que con esto tendremos paz.

Detuviéronse los dos un instante para volver sus ojos
hacia la *libúrnica* romana, que apenas si se veía ya junto a la torre del puerto, envuelta en las sombras de la
noche. Después siguieron caminando con lentitud, como
si reflexionasen.

—Ya sabes —continuó uno de ellos— que no soy
más que un zapatero que tiene su tienda cerca del Foro
y ha podido reunir un saco de *victoriatos* de plata para
darse una vejez tranquila y pasar la tarde en el puerto
con la caña en la mano. No sé lo que esos retóricos
que pasean por fuera de la muralla de la ciudad disputando y gritando como Furias, ni pienso como los filósofos que se agrupan en los pórticos del Foro para reñir, entre las burlas de los comerciantes, por si tiene
más razón éste o aquél de los hombres que allá en
Atenas se ocupan de tales cosas. Pero con toda mi
ignorancia, yo me pregunto, vecino: ¿Por qué estas
luchas entre hombres que vivimos en la misma ciudad
y debemos tratarnos como buenos hermanos...? ¿Por
qué?

Y el amigo del zapatero contestaba con fuertes ca-
bezazos de asentimiento.

—Yo comprendo —continuó el artesano— que este-
mos en guerra de vez en cuando con nuestros vecinos
los turdetanos. Unas veces por cuestión de riegos, otras
por pastos, y las más por los límites del territorio o
por impedirles que disfruten de este hermoso puerto,
es natural que se armen los ciudadanos, que busquen
la pelea y salgan a arrasarles los campos y quemarles
las chozas. Al fin, esa gente no es de nuestra raza, y
así es cómo se hace respetar una gran ciudad. Además,
la guerra proporciona esclavos, que muchas veces esca-

sean; y sin esclavos, ¿qué haríamos los hombres..., los ciudadanos?

—Yo soy más pobre que tú, vecino —dijo el otro pescador—. El hacer sillas de caballo no me produce tanto como a ti los zapatos; pero mi pobreza me permite tener un esclavo turdetano, que me ayuda mucho, y quiero la guerra porque aumenta considerablemente mi trabajo.

—La guerra con los vecinos, sea en buena hora. La juventud se fortalece y busca el distinguirse; la República adquiere importancia, y todos, después de correr por valles y montes, compran zapatos y hacen componer las sillas de sus caballos. Muy bien; así, marchan los negocios. Pero ¿por qué estamos hace más de un año convirtiendo el Foro en campo de batalla y cada calle en una fortaleza? A lo mejor, estás en tu tienda encareciendo a una ciudadana la elegancia de unas sandalias de papiro a la moda asiática o de unos coturnos griegos de gran majestad, cuando oyes en la inmediata plaza choque de armas, gritos, exclamaciones de muerte, y ¡a cerrar en seguida la puerta, para que un dardo perdido no te deje clavado en tu asiento! ¿Y por qué? ¿Qué motivo existe para vivir como perros y gatos en el seno de esta Zazintho tan tranquila y laboriosa antes?

—La soberbia y la riqueza de los griegos... —comenzó a decir el compañero.

—Sí, ya conozco esa razón: el odio entre iberos y griegos; la creencia de que éstos, por sus riquezas y sabiduría, dominan y explotan a aquéllos... ¡Como si en la ciudad existiesen realmente iberos y griegos...! Iberos son los que están detrás de esas montañas que cierran el horizonte; griego es ese que hemos visto desembarcar y viene siguiéndonos; pero nosotros no somos más que hijos de Zazintho o de Sagunto, como quieran llamar a nuestra ciudad. Somos el resultado de mil encuentros por tierra y por mar, y Júpiter se vería apurado para decir quiénes fueron nuestros abuelos. Desde que a Zazintho le mordió la serpiente en estos campos y nuestro padre Hércules levantó los grandes muros de la Acrópolis, ¿quién puede marcar las gentes que aquí han venido y aquí se han quedado, a pesar de que otros llegaron después para arrebatarles el dominio de los campos y de las minas...? Aquí vinieron las gentes de Tiro, con sus naves de vela roja, en busca de la plata del interior; los marineros de Zante huyendo con sus familias de los tiranos de su país; los rótulos de Ardea, gentes de Italia, que eran poderosas en los tiempos que aún no existía Roma; luego los cartagineses de una Cartago que pensaba entonces más en el comercio que en las armas... ¡y qué sé yo cuántas gentes más! Hay que oírlo a los pedagogos cuando explican la historia en el pórtico del templo de Diana. Yo mismo, ¿sé acaso si soy griego o ibero? Mi abuelo fue un liberto de Sicilia, que vino para encargarse de una fábrica de alfarería y se casó con una celtíbera del interior. Mi madre era lusitana, y llegó en una expedición para vender oro en polvo a unos mercaderes de Alejandría. Yo me limito a ser saguntino como los demás. Los que se consideran iberos en Sagunto creen en los dioses de los griegos; los griegos adoptan sin sentirlo las costumbres ibéricas. Se creen diferentes porque han partido en dos a la ciudad y viven separados; pero sus fiestas son las mismas, y en las próximas Panatheas verás juntos con las hijas de los comerciantes helenos a las de esos ciudadanos que cultivan la tierra, visten de paño burdo y se dejan crecer la barba para semejarse más a las tribus del interior.

—Sí, pero los griegos todo lo invaden. Son los dueños de todo, se han apoderado de la vida de la ciudad.

—Son los más sabios, los más audaces; tienen algo de divino en sus personas —dijo sentenciosamente el zapatero—. Fíjate, si no, en ese que viene detrás de nosotros. Va vestido pobremente; tal vez en su bolsa no tiene dos óbolos para cenar; puede que duerma a cielo raso; y sin embargo, parece Zeus que haya descendido disfrazado del cielo para visitarnos.

Los dos artesanos volvieron la vista instintivamente para mirar al griego, y siguieron adelante. Habían llegado junto a las chozas que formaban una animada población en torno del puerto.

—Hay otra razón —dijo el talabartero— para la guerra que nos divide. No es el odio únicamente entre griegos e iberos; es que unos quieren que seamos amigos de Roma y otros de Cartago.

—Ni con unos ni con otros —dijo sentenciosamente el zapatero—. Tranquilos y comerciando como en otros tiempos es como mejor prosperaremos. El habernos llevado a la amistad con Roma es lo que yo reprocho a los griegos de Sagunto.

—Roma es la vencedora.

—Sí, pero está muy lejos, y los cartagineses viven casi a nuestras puertas. Sus tropas de Cartago-Nova pueden venir aquí en unas cuantas jornadas.

—Roma es nuestra aliada y nos protege. Sus legados, que parten mañana, han dado fin a nuestras revueltas decapitando a los ciudadanos que turbaban la paz de la ciudad.

—Sí, pero esos ciudadanos eran amigos de Cartago y antiguos protegidos de Hamílcar. Hanníbal no olvidará fácilmente a los amigos de su padre.

—¡Bah! Cartago quiere paz y mucho comercio para enriquecerse. Después de su fracaso en Sicilia, teme a Roma.

—Temerán los senadores cartagineses, pero el hijo de Hamílcar es muy joven, y a mí me dan miedo esos muchachos convertidos en caudillos, que olvidan el vino y la mujer para desear solamente la gloria.

No pudo el griego oír más. Los dos artesanos habían desaparecido entre las chozas, perdiéndose a lo lejos el eco de su discusión.

Se vio el extranjero completamente solo en aquel puerto desconocido. Los muelles estaban desiertos; comenzaban a brillar algunos faroles en las popas de las naves, y a lo lejos, sobre las aguas del golfo, se elevaba la luna como un disco enorme de color de miel. Únicamente en el pequeño puerto de los pescadores había alguna animación. Las mujeres, desnudas de cintura arriba y oprimiendo entre las piernas el guiñapo que les servía de túnica, se metían en el agua hasta las rodillas para lavar el pescado, y colocándolo después en anchas cestas sobre su cabeza, emprendían la marcha, arrastrando a sus pequeñuelos panzudos y en cueros. De las naves, inmóviles y silenciosas, salían grupos de hombres que se encaminaban a la población miserable extendida al pie del templo. Eran marineros que iban en busca de las tabernas y lupanares.

El griego conocía bien estas costumbres. Era un puerto igual a los muchos que había visto. El templo en lo alto, para servir de guía al navegante; abajo, el vino a punto, el amor fácil y la riña sangrienta como terminación de la fiesta. Pensó un momento en emprender la marcha a la ciudad; pero estaba muy lejos, no conocía el camino, y prefirió quedarse allí, durmiendo en cualquier parte, hasta que saliera el sol.

Había entrado en los tortuosos callejones que formaban las chozas construidas al azar, como si hubieran caído en tropel del cielo, con paredes de adobes, techumbres de paja y cañas, estrechos tragaluces, y sin otra puerta que unos cuantos harapos recosidos o un tapiz deshilachado. En algunas de exterior menos miserable vivían los modestos traficantes del puerto, los que vendían los víveres a las naves, los corredores de granos, y los que, ayudados por algunos esclavos, traían los toneles de agua desde las fuentes del valle a las embarcaciones. Pero la mayoría de las casuchas eran tabernas y lupanares.

Algunas casas tenían junto a las puertas inscripciones en griego, en íbero y en latín, pintadas con almazarrón.

El griego oyó que le llamaban. Era un hombrecillo gordo y calvo, que le hacía señas desde la puerta de su vivienda.

—Salud, hijo de Atenas —dijo para halagarle con el nombre de la ciudad más famosa de la Grecia—. Pasa adelante; estarás entre los tuyos, pues también mis ascendientes vinieron de allá. Mira la muestra de mi taberna: *A Palas Athenea*. Aquí encontrarás el vino de Laurona, tan excelente como los de la Ática. Si quieres probar la cerveza celtíbera, también la tengo; y hasta si lo deseas, puedo servirte cierto frasco de vino de Samos, tan auténtico como la diosa de Atenas que adorna mi mostrador.

Contestó el griego con una sonrisa y un movimiento negativo casi al mismo tiempo que el tabernero locuaz se introducía en su tugurio, levantando el tapiz para dejar paso a un grupo de marineros.

Un poco más allá volvió a detenerse, interesado por un silbido tenue que parecía llamarle desde el fondo de una cabaña. Una vieja arrebujada en un manto negro le hacía señas desde la puerta. En el interior, a la luz de una lámpara de barro colgada de una cadena, véianse varias mujeres sentadas sobre esteras, en una actitud de animales resignados, sin otra vida que la sonrisa inmóvil que hacía brillar sus dientes.

—Voy de prisa, buena madre —dijo el extranjero riendo.

—Detente, hijo de Zeus —contestó la vieja en idioma heleno, desfigurado por la dureza de su acento y el silbido de su respiración entre las encías desdentadas—. Al momento conocí que eres griego. Todos los de tu país sois alegres y hermosos; tú pareces Apolo buscando a sus celestes hermanas. Entra; aquí las encontrarás...

Y acercándose al extranjero para cogerle la orla de la clámide, enumeró todos los encantos de sus pupilas iberas, baleares o africanas: unas, majestuosas y grandes como Juno; otras, pequeñas y graciosas como las hetairas de Alejandría y Grecia. Pero al ver que el parroquiano se desasía y continuaba su camino, la vieja levantó su voz, creyendo no haber acertado su gusto, y habló de jóvenes blancos y de luenga cabellera, hermosos como los muchachuelos sirios que se disputaban los elegantes de Atenas.

El griego había salido del tortuoso callejón y todavía escuchaba la voz de la vieja, que parecía embriagarse impúdicamente con sus infames pregones. Estaba en el campo, al principio del camino de la ciudad. Tenía a su derecha la colina del templo, y al pie de ella, delante de la escalinata, vio una casa más grande que las otras, una hostería con la puerta y las ventanas iluminadas por lámparas de barro rojo.

Dentro, sentados en los poyos, veíanse marineros de todos los países pidiendo vino en lenguas distintas: soldados romanos, con su coselete de escamas de bronce, la corta espada pendiente del hombro y a sus pies el casco rematado por una cimera de rojas crines en forma de cepillo; remeros de Marsella, casi desnudos, con el puñal medio oculto entre los pliegues del trapo anudado a sus riñones; navegantes fenicios y cartagineses, con ancho pantalón, alto gorro en forma de mitra y pesados pendientes de plata; negros de Alejandría, atléticos y de torpes movimientos, enseñando al sonreír sus agudos dientes, que hacían pensar en espantosos escenas de antropofagia; celtíberos e iberos, de sombrío traje y enmarañada cabellera, mirando inquietos a todos lados y llevando instintivamente su diestra a la ancha cuchilla; hombres rojos de las Galias, con luengos mostachos y las encendidas crines anudadas y caídas sobre el cogote; gentes, en fin, llevadas y traídas, por los azares de la guerra y del mar, de un punto a otro del mundo conocido; un día guerreros victoriosos y al otro esclavos; tan pronto tripulantes honestos, como piratas; sin ley ni nacionalidad, sin otro respeto que el miedo al jefe de la nave, pronto a ordenar los azotes y la cruz; sin más religión que la de la espada y los músculos; llevando en las heridas que cubrían sus cuerpos, en las largas cicatrices que surcaban sus músculos, en las orejas cortadas cubiertas por las sucias greñas, un pasado misterioso de horrores.

Comían de pie junto a un mostrador, tras el cual se alineaban las ánforas con tapones de frescas hojas. Otros, sentados en bancos de mampostería a lo largo de las paredes, sostenían sobre sus rodillas el plato de barro. Los más se habían tendido sobre el vientre en el suelo, como fieras que se reparten la presa, y avanzaban sobre los grandes platos sus garras vellosas, crujiéndoles las mandíbulas entre palabra y palabra. Aún no se derramaba el vino en el suelo ni habían pedido la presencia de mujeres. Comían y bebían con una voracidad de fieras, atormentados por la escasez de las largas travesías y extenuados moralmente por la brutal disciplina de las naves.

Viéndose amontonados en un espacio estrecho, respirando mal a causa del humo de las lámparas y los vapores de los platos, sentían la necesidad de conocerse, y entre bocado y bocado cada cual hablaba a su vecino, sin reparar en la diferencia de idioma, acabando por entenderse todos en una lengua compuesta de más gestos que palabras.

Un cartignés relataba a un griego su último viaje a las islas del mar Grande, más allá de las columnas de Hércules, por un mar gris cubierto de nieblas, hasta llegar a unas costas abruptas, sólo conocidas por los pilotos de su país, donde se encontraba el estaño. Más allá, un negro, con grotesca mímica, contaba a dos celtíberos una excursión a lo largo del mar Rojo, hacia misteriosas playas, desiertas de día, pero cubiertas de noche por movibles fuegos y habitadas por hombres velludos, ágiles como monos, cuyas pieles, rellenas de paja, se llevaban a los templos de Egipto para ofrecerlas a los dioses. Los soldados romanos más viejos contaban su gran victoria de las islas Egatas, que arrojó a los cartagineses de Sicilia, terminando la guerra, y no les importaba, en su insolencia de vencedores, la presencia de los humillados cartagineses que les oían. Los pastores iberos mezclados con los navegantes querían aminorar el efecto de las aventuras marítimas, y hablaban de los caballos de su tribu y los prodigios de su rapidez, mientras un griego pequeño y vivaracho, para anonadar a los bárbaros y demostrar la superioridad de su raza, decía versos aprendidos en el puerto del Pireo o entonaba una melopea lenta y dulce que se perdía entre el rumor de las conversaciones, el crujido de las mandíbulas y el choque de los platos.

Pedían más luz. En la atmósfera de la hostería, las llamas de las lámparas se marcaban apenas como gotas de sangre sobre las paredes negras de hollín. De la inmediata cocina llegaba un hedor de salsas picantes y leña humosa, que hacía toser y llorar a muchos parroquianos. Algunos estaban ebrios y pedían coronas de flores a los esclavos para adornarse como en los banquetes de los ricos. Otros lanzaban rugidos de aprobación al ver cómo se iluminaba el antro con el resplandor sangriento de las teas encendidas por el dueño. Los esclavos iban y venían detrás del mostrador de piedra, volcando las grandes ánforas, y corriendo a la cocina para salir inmediatamente, rojos de asfixia, sosteniendo enormes platos. Se esparció el vino por el suelo al volcarse una crátera. De vez en cuando, al asomar a las ventanas los pintados rostros de algunas rameras —*lobas* del puerto, que esperaban el momento de hacer irrupción en la hostería—, los marineros las saludaban con grandes risotadas. Algunos fingieron el aullido de la bestia cuyo nombre les servía de apodo, arrojándolas parte de su comida, que se disputaban entre arañazos y chillidos.

Los platos eran todos excitantes, para acompañar con un sorbo cada bocado. Los griegos comían caracoles nadando en salsa de azafrán. Las sardinas frescas del golfo aparecían en rueda sobre los platos, festoneados de hojas de laurel, y las coronas de pájaros eran servidas cubiertas de salsa verde. Los pastores iberos se contentaban con peces secos y queso duro; los romanos y galos devoraban grandes trozos de cordero chorreando sangre. Las anguilas de los lagos del puerto eran presentadas con adornos de huevos cocidos, y todos estos platos y otros más iban cargados de sal, de pimienta, de hierbas de olor acre, a las cuales se atribuían las más extrañas cualidades.

Todos sentían la necesidad de gastar su dinero, de hartarse y rodar ebrios por el suelo, consolándose así de la vida de privaciones que les esperaba en los barcos. Los romanos que partían al día siguiente habían cobrado varias pagas atrasadas y querían dejar sus sestercios en Sagunto. Los cartagineses hablaban con orgullo de su República, la más rica del mundo, y los demás marineros elogiaban a sus patrones, siempre generosos cuando tocaban en aquel puerto de excelentes negocios. El hostelero iba arrojando sin cesar en el fondo de un ánfora vacía monedas de todas clases: de Zazintho, con una proa de nave y la Victoria volando sobre ella; de Cartago, con el caballo legendario y los espantosos dioses kabiros; de Alejandría, con el elegante perfil de los Ptolomeos.

Los nautas más burdos sentían caprichos de potentado, la comezón de imitar durante una noche a los ricos, para poder consolarse en los días de hambre con este recuerdo, y pedían ostras de Lucrino, que las naves de Italia traían en ánforas llenas de agua de mar para los grandes comerciantes de Sagunto, o el *oxigorum*, que los patricios de Roma pagaban a considerable precio: tripas de pescado salado preparadas con vinagre y especias, que despertaban el apetito. El vino negro de Laurona y el rosado del agro saguntino parecían despreciables a los que tenían dinero. Despreciaban igualmente el de Marsella, hablando de la pez y el yeso empleados en su preparación, y pedían vinos de la Campania, Falerno, Massica o Cecubo, que, a pesar de su precio, bebían en *cimbas*, vasos de barro en forma de barca, capaces de contener gran cantidad de líquido.

Junto con los platos calientes y la variedad de bebidas, desde la cerveza celtíbera a los vinos extranjeros, aquellos hombres devoraban enormes cantidades de verduras y de frutas, hambrientos, por las largas permanencias en el mar, de los productos de los campos. Se arrojaban sobre los platos cubiertos de hongos, comían a puñados los rábanos aderezados con vinagre, los puerros, las acelgas y los ajos, y los montones de frescas lechugas de las huertas del agro desaparecían rápidamente, dejando cubierto el suelo de hojas sucias.

Contemplaba el griego este espectáculo desde la puerta, entre unos marineros que no habían encontrado lugar en la hostería. A la vista del rudo banquete, el extranjero se acordó de que no había comido desde por la mañana, cuando el encargado de los remeros de la nave de Polyantho le dio un pedazo de pan. La novedad del desembarco en una tierra desconocida había hecho callar hasta entonces a su estómago, acostumbrado a las privaciones; pero la vista de tantos manjares le hizo sentir el zarpazo del hambre, e instintivamente avanzó un pie dentro de la hostería, retirándolo inmediatamente. ¿Para qué entrar? La bolsa que colgaba sobre su vientre contenía *papirus* atestiguando sus hechos pasados; tabletas para anotaciones que ayudaban a su memoria. Guardaba también las pinzas de depilar y un peine, todos los menudos objetos de que no se despojaba un griego amante del cuidado de su persona; pero por más que buscase en ella, no encontraría un óbolo. En la nave le habían admitido gratuitamente al verle vagar por los muelles de Cartago-Nova, porque el piloto respetaba a los griegos de la Ática. Se veía solo y hambriento en un país desconocido, y si entraba en la hostería pretendiendo comer sin presentar dinero, le tratarían como a un esclavo, arrojándolo a palos.

Atormentado por el olor de las viandas y las salsas, prefirió huir, arrancándose a este suplicio, y al retroceder tropezó con un hombre alto, sin más traje que un *sagum* oscuro y unas sandalias con las correas cruzadas hasta las rodillas. Parecía un pastor celtíbero; pero el griego, al tropezarse con él y cruzar una rápida mirada, sintió la impresión de que no veía por primera vez aquellos ojos imperiosos, que hacían pensar en los del águila posada a los pies de Zeus.

El extranjero levantó los hombros con indiferencia. Lo que deseaba era acallar el hambre, dormir, si le era posible, hasta la salida del sol. Y huyendo de aquella barriada miserable, iluminada y ruidosa, buscó un sitio donde descansar, encaminándose al Fano de Afrodita. El templo, situado en lo alto de la colina, tenía una ancha escalinata de mármol azul, cuyo primer peldaño arrancaba del muelle.

Sentóse el griego en la pulida piedra, proponiéndose esperar allí la llegada del día. La luna iluminaba toda la parte alta del templo. Los ruidos de las casas del puerto llegaban hasta él amortiguados por la gran calma de la noche, en la que se fundían el lejano murmullo del mar, el estremecimiento rumoroso de los olivares y el monótono canto de las ranas albergadas en las marismas.

Varias veces oyó el griego un grito estridente y lúgubre semejante al aullido del lobo. De repente sonó a sus espaldas. Su nuca sintió un soplo cálido, y al volverse vio a una mujer que se inclinaba hacia él con las manos en las rodillas. Sonreía con una expresión estúpida que desgarraba su boca, dejando al descubierto las encías, en las que se marcaban algunos claros.

—Salud, hermoso extranjero. Te he visto huir del bullicio, y como debes aburrirte en la soledad, vengo a buscarte para que seas feliz. ¡Qué...! ¿no puede ser?

El griego la reconoció al momento. Era una *loba* del puerto, una de aquellas desdichadas igual a las que había visto pulular en los desembarcaderos de todos los pueblos: cortesanas cosmopolitas y miserables, amantes de una noche de hombres de todos colores y razas, sin más voluntad que la de caer de espaldas, con unos cuantos óbolos en la mano, sobre una piedra o a la sombra de una barca. Eran hetairas decadentes sumidas en el embrutecimiento, esclavas fugitivas que buscaban la libertad en la prostitución, la miseria y la embriaguez; hembras que representaban el amor para los hombres crueles del mar; pobres bestias extenuadas de jóvenes por el exceso de caricias y destinadas de viejas a morir a golpes.

El extranjero, al mirar a aquella mujer todavía joven, reconoció en ella algunos restos de belleza; pero enflaquecida, con los ojos lagrimeantes y la boca desfigurada por los dientes rotos. Iba envuelta en una amplia tela que debió ser de bellísimo tejido, pero sucia ya y deshilachada. Sus pies estaban descalzos, y la enmarañada cabellera se sostenía graciosa con una peineta de cobre, a la que la infeliz había añadido algunas flores silvestres.

—Pierdes el tiempo —dijo el griego con bondadosa sonrisa—. No tengo ni un óbolo en mi bolsa.

El acento dulce de aquel hombre pareció intimidar a la pobre cortesana. Era una criatura acostumbrada a los golpes. Para ella, el hombre representaba el empellón brutal, el placer manifestado con mordiscos, y ante la dulzura del griego se mostró desconcertada y recelosa, como si presintiera un peligro.

—¿No tienes dinero? —dijo con humildad, después de largo silencio—. No importa; aquí me tienes. Me gustas; soy tu esclava. Entre toda esa gente que alborota en la hostería, mis ojos han ido a ti.

Y se inclinó sobre el griego, acariciando sus cabellos rizados con unas manos endurecidas por la miseria. Mientras tanto, él la examinaba con ojos de compasión, fijándose en su pecho deprimido y su regazo convexo, en el que parecían haber dejado todos los pueblos la huella de su paso.

El griego, hambriento y solo, se sintió atraído por la bondad de aquella infeliz. Era la fraternidad de la miseria.

—Si deseas estar acompañada, permanece a mi lado; habla lo que quieras, pero no me acaricies. Tengo hambre: nada he comido desde el amanecer; y en este momento cambiaría todas las dulzuras de Citerea por la pitanza de un remero.

La *loba* se incorporó a impulsos de la sorpresa.

—¿Hambre tú...? ¿Tú desfalleces de hambre, cuando yo te creía alimentado con la ambrosía de Zeus?

Y sus ojos delataban el mismo asombro que si viera a Afrodita, la diosa de blancas desnudeces guardada arriba en su templo, descender del pedestal de mármol, ofreciéndose con los brazos abiertos por un óbolo, a los marineros del puerto.

—Espera, espera —dijo con resolución, después de reflexionar un rato.

Vio el griego cómo corría hacia las chozas, y cuando el cansancio y la debilidad empezaban a cerrar sus ojos, la sintió otra vez junto a él, tocándole en un hombro.

—Toma, mi señor. Me ha costado mucho encontrar todo esto. La cruel Lais, una vieja horrible como las Parcas, que nos ayuda a vivir en los días malos, ha accedido a darme su cena, después de hacerme jurar que a la salida del sol le entregaré dos sestercios. Come, amor; come y bebe.

Y colocó sobre los peldaños un pan moreno en figura de disco, unos peces secos, medio queso saguntino, blanco, tierno, rezumando suero, y una jarra de cerveza celtíbera.

Abalanzóse el griego a la comida y empezó a devorarla, seguido por los ojos de la *loba*, que se dulcificaban cada vez más, tomando una expresión casi maternal.

—Quisiera ser tan rica como Sónnica, una que, según cuentan, empezó como cualquiera de nosotras, y es dueña de muchas naves, y tiene jardines hermosos como el Olimpo, y tropas de esclavos, y fábricas de alfarería, y medio agro es de su propiedad. Quisiera ser rica, aunque sólo fuese por esta noche, para regalarte con cuanto de bueno hay en el puerto y en la ciudad; para darte un banquete como los de Sónnica, que duran hasta el día, y donde tú, coronado de rosas, bebieses el Samos en copa de oro.

Conmovido el griego por la sencillez y la ingenuidad con que hablaba aquella infeliz, la miró dulcemente.

—No me agradezcas lo que hago por ti. Ignoras la felicidad que me proporciona el darte de comer... ¿Qué es esto? No lo sé. Nunca se aproximó a mí hombre alguno sin darme algo. Unos me dan monedas de cobre; otros, un pedazo de tela o una pátera de vino; los más, golpes y mordiscos. Todos me han dado algo, y yo sufría y los detestaba... Pero ahora llegas tú, pobre y hambriento, tú que no me buscas, que huyes de mí, que nada me das, y ha bastado que estés a mi lado para que se difunda por mi cuerpo una felicidad desconocida. Al darte de comer me siento ebria como si saliese de un festín. Di, griego: ¿eres realmente un hombre o eres el padre de los dioses que ha venido a honrarme descendiendo a la tierra...?

Exaltada por sus propias palabras, púsose en pie en mitad de la escalinata, y extendiendo sus brazos rígidos hacia el templo bañado por la luna, exclamó:

—¡Afrodita! ¡Mi diosa! Si algún día llego a reunir el

dinero que cuestan dos palomas blancas, las presentaré en tu ara adornadas con flores y cintas de color de fuego, en recuerdo de esta noche.

Bebía el griego el amargo líquido de la jarra y la tendió a la ramera. Ésta buscó en el barro el mismo sitio que habían rozado los labios de su compañero, para poner los suyos.

No tocó la parte de la cena que le ofrecía el hombre; pero siguió bebiendo, lo que pareció darle mayor locuacidad.

—¡Si supieras lo que me ha costado encontrar todo esto...! Las callejuelas están llenas de ebrios. Se revuelcan en el barro, se arrastran sobre las manos y te rasgan las ropas o te muerden las piernas. El vino corre por fuera de las puertas de las hosterías. En el muelle reñían hace poco. Unos africanos curaban a un compañero metiéndolo de cabeza en el agua: un celtíbero se la había abierto de un puñetazo. A Tuga, una muchacha ibera, se divierten cogiéndola por los pies y metiéndola de cabeza en la crátera de vino más grande de la taberna, hasta que la retiran medio ahogada. Es la diversión de siempre. A la pobre Albura, una amiga mía, la he visto en el suelo chorreando sangre. Se sostenía con las manos un ojo que le había hecho saltar de un puñetazo un egipcio ebrio. ¡Lo de todas las noches...! Y sin embargo, ahora me da miedo. Apenas si te conozco y parece que vivo en otro mundo, que veo por primera vez todo lo que me rodea.

A continuación le relató su historia. Su nombre era Bachis, y no conocía con certeza su país. Había nacido sin duda en otro puerto, porque recordaba confusamente en los primeros años de su vida un largo viaje en una nave. Su madre debió ser alguna *loba* y ella el fruto del encuentro con un marinero. Aquel nombre de Bachis que le habían dado desde pequeña era el de muchas cortesanas famosas de Grecia. Una vieja la compró sin duda al piloto que la había traído a Sagunto, y niña aún, mucho antes de sentirse mujer, conoció el amor, viendo entrar en la choza de la vieja negociantes ancianos del puerto y libertinos de la ciudad que se recomendaban unos a otros aquel cuerpo infantil, débil y pobre, en el que no se marcaban aún los abultamientos del sexo. Al morir su dueña se hizo *loba*, y pasó a manos de los marineros, de los pescadores, de los pastores de la inmediata sierra, de toda la muchedumbre brutal que pululaba en el puerto.

Aún no había cumplido veinte años y estaba avejentada, lacia, como exprimida por los excesos y los golpes. La ciudad la veía siempre de lejos. En toda su vida sólo había entrado en ella dos veces. Allí no toleraban a las *lobas*. Únicamente consentían su permanencia junto al Fano de Afrodita como una garantía para la seguridad de Sagunto, pues de este modo quedaban alejadas las gentes de todos los países que llegaban al puerto. En la ciudad los iberos de puras costumbres se indignaban a la vista de estas rameras, y los griegos eran demasiado refinados en sus gustos para sentir misericordia por aquellas vendedoras de amor que caían como bestias en celo al borde de un camino a cambio de un racimo de uvas o un puñado de nueces.

Y allí, a la sombra del templo de Venus, se deslizaba su vida, esperando siempre nuevas naves y hombres nuevos que cayesen sobre ella, velludos, obscenos y brutales como sátiros, enloquecidos por las abstinencias del mar, hasta que un día la asesinasen en una riña o apareciese muerta de hambre al lado de una barca abandonada.

—Y tú, ¿quién eres? —terminó Bachis—. ¿Cómo te llamas?

—Mi nombre es Acteón y mi patria es Atenas. He corrido mucho mundo. En unas partes he sido soldado, en otras navegante. He peleado, he comerciado, y hasta he compuesto versos y hablado con los filósofos de cosas que tú no entenderías. Me vi rico muchas veces, y ahora tú me das de comer. Ésa es mi historia.

Bachis le miraba con ojos de admiración, adivinando al través de sus concisas palabras todo un pasado de aventuras, de terribles peligros y prodigiosos vaivenes de la fortuna. Recordaba las hazañas de Aquiles y la aventurera vida de Ulises, tantas veces oídas en los versos que declamaban los marineros griegos al sentirse ebrios.

La cortesana, apoyándose en el pecho de Acteón, acariciaba con una mano su cabellera. El griego sonreía fraternalmente a Bachis, con la misma serenidad que si ésta fuese una niña.

Dos marineros salieron de las chozas y empezaron a tambalearse en el muelle. Un aullido penetrante que parecía desgarrar el aire sonó junto a los oídos de Acteón. Su amiga, impulsada por la costumbre, con el instinto del vendedor que adivina de lejos al parroquiano, se había puesto de pie.

—Volveré, mi dueño. Me olvidaba de la terrible Lais. Tengo que darle su dinero antes que salga el sol. Me pegará, como otras veces, si no cumplo mi promesa. Espérame aquí.

Y repitiendo su aullido feroz fue en busca de los marineros, que se habían detenido saludando con risotadas y palabras obscenas los gritos de la *loba.*

Al verse solo el griego y con el hambre ya aplacada, experimentó cierto malestar pensando en su reciente aventura. ¡Acteón el ateniense, que las hetairas más ricas de la hermosa ciudad se disputaban en el Cerámico, protegido y adorado por una ramera del puerto...! Para no volver a reunirse con ella, huyó de la escalinata, internándose en las callejuelas vecinas al muelle.

Se detuvo otra vez ante aquella hostería en cuya puerta había sentido el tormento del hambre. Los marineros estaban en plena orgía. El hostelero apenas si lograba hacerse respetar detrás del mostrador. Los esclavos, atemorizados por los golpes, se habían refugiado en la cocina. En el suelo, algunas ánforas rotas dejaban escapar el vino como arroyos de sangre, y entre el glu-glu del líquido al empapar la tierra revolcábanse los ebrios, pidiendo a gritos bebidas de las que habían oído hablar vagamente en sus lejanos viajes, o platos fantásticos ideados por los tiranuelos de Asia. Un egipcio hercúleo corría a cuatro patas imitando el rugido del chacal y mordiendo a las mujeres que habían entrado en la taberna. Algunos negros danzaban con meneos femeniles, contemplando como hipnotizados los remolinos de su ombligo y las contorsiones del vientre. En los rincones, sobre los poyos, caían revueltos hombres y mujeres bajo la humosa luz de las antorchas. El vaho de la carne desnuda y sudorosa mezclábase con el olor del vino, y en esta atmósfera de viandas y hedor de fiera, algunos marineros, olvidando todo pudor, repelían con desprecio a las cortesanas para acariciarse entre ellos con una aberración sexual que nadie consideraba extraordinaria.

En medio de este desorden, unos cuantos hombres permanecían inmóviles cerca del mostrador, disputando con aparente calma. Eran dos soldados romanos, un viejo marinero cartaginés y un celtíbero. La torpe lentitud de sus palabras tomaba con la cólera un tono aflautado. Sus ojos rojizos inyectados de sangre y sus narices de ave de presa, cada vez más afiladas, revelaban esa terrible embriaguez testaruda y camorrista que se desahoga matando.

El romano recordaba su presencia en el combate de las islas Egatas, catorce años antes.

—Os conozco —decía con insolencia al cartaginés—. Sois una República de mercaderes nacidos para el embuste y la mala fe. Si hay que buscar quién sabe vender más caro engañando al comprador, reconozco que sois los primeros; pero si se habla de soldados, de hombres, nosotros somos los mejores, los hijos de Roma, que con una mano empuñamos el arado y con la otra la lanza.

Y erguía orgulloso su redonda cabeza con el pelo rapado y las mejillas rasuradas, en las cuales las carrilleras del casco habían criado duras callosidades.

Acteón miraba por una ventana al celtíbero, el único del grupo que permanecía en silencio, pero que tenía fijos sus ojos de brasa más arriba del coselete de bronce del legionario romano, en su desnudo cuello, como si le atrajeran las gruesas venas que se marcaban bajo la piel. Indudablemente, aquellos ojos los había visto el griego en otra parte. Eran como esos antiguos conocidos cuyo nombre no se puede recordar. Había algo de falso en su persona, que el griego presintió con su fina astucia.

—Juraría por Mercurio que ese hombre no es en verdad como yo lo veo. Algo más que un pastor parece, y el color bronceado de su cara no es el de los celtíberos, por mucho que los tueste el sol. Tal vez será postiza la cabellera luenga que cae sobre su espalda...

No pudo continuar examinando a aquel hombre, porque absorbió toda su atención la disputa entre el legionario y el viejo cartaginés. Los dos se aproximaban cada vez más para oírse mejor, en medio del estrépito que reinaba en la hostería.

—Yo también estuve en la jornada triste de las Egatas —dijo el cartaginés—. Allí recibí esta herida que me cruza el rostro. Es verdad que nos vencisteis; pero ¿qué prueba eso? Muchas veces vi yo huir vuestras naves ante las nuestras, y en más de una ocasión conté sobre los campos de Sicilia los cadáveres romanos a centenares. ¡Ah, si Hanon no hubiese llegado tarde el día del combate en las islas...! ¡Si Hamílcar hubiera recibido el auxilio!

—¡Hamílcar! —exclamó desdeñosamente el romano—. Un gran caudillo que tuvo que pedirnos la paz. Un comerciante metido a conquistador...

Y reía con la insolencia del fuerte, sin miedo a la cólera del anciano cartaginés, que tartamudeaba al querer contestar.

El celtíbero, hasta entonces silencioso, puso su mano sobre el viejo.

—Cállate, cartaginés. El romano tiene razón. Sois mercaderes incapaces de mediros con ellos en la guerra. Amáis demasiado el dinero para dominar por la espada. Pero los de tu casta no representáis todo Cartago. Otros han nacido allá que sabrán hacer frente a estos labriegos de Italia.

El romano, al ver intervenir al rústico en su disputa, mostróse aún más altivo e insolente.

—¿Y quién ha de ser ése? —gritó con desprecio—. ¿El hijo de Hamílcar? ¿Ese rapazuelo que según cuentan tuvo por madre a una esclava...?

34

—De una prostituta fueron hijos los que fundaron tu ciudad, romano, y no está lejos el día en que el caballo de Cartago vaya a dar de coces a la loba de Rómulo.

El legionario se levantó trémulo de rabia, buscando su espada, pero inmediatamente dio un rugido y cayó, llevándose las manos a la garganta.

Acteón había visto cómo el celtíbero introducía su diestra en la manga del *sagum*, y sacando un cuchillo hería al legionario en aquel cuello ancho que contemplaba con fiera atención mientras se burlaba de los cartagineses.

La hostería tembló con el estrépito de la lucha. El otro romano, al ver caído a su compañero, se abalanzó sobre el celtíbero con la espada en alto, pero inmediatamente recibió una cuchillada en el rostro, sintiéndose cegado por la sangre.

Era asombrosa la agilidad de aquel hombre. Sus movimientos tenían la elasticidad de la pantera. Los golpes parecían rebotar sobre su cuerpo sin causarle daño. Cayó en torno a él una lluvia de jarros, de pedazos de ánfora, de espadas lanzadas al aire; pero él, con el brazo rígido, presentando la punta de su cuchillo, dio un salto hacia la puerta y desapareció.

—¡A él! ¡A él! —clamaron los romanos.

Y atraídos por el placer salvaje de la caza del hombre, lo siguieron todos los que en la hostería podían valerse aún de sus piernas. Este tropel, enardecido por la vista de la sangre, saltó por encima del romano agonizante y de los borrachos inertes que roncaban junto al degollado. El griego les vio salir y fraccionarse en distintas direcciones para envolver al celtíbero. Éste había desaparecido a pocos pasos de la hostería, como disuelto en la sombra.

El puerto se conmovió con el ardor de la persecución. Corrieron luces por los muelles y las callejuelas; los lupanares y tabernas fueron sometidos a un registro brutal por los romanos, ebrios de cólera. Originábanse nuevas disputas a la puerta de cada choza, iba a correr otra vez la sangre, y el griego, temiendo verse envuelto en una reyerta, se volvió a la escalinata del templo. Bachis no había regresado, y Acteón, subiendo los peldaños azules fue a tenderse en el atrio del templo, ancha terraza pavimentada de mármol sobre la cual las columnas sostenedoras del frontón trazaban oblicuas barras de sombra.

Al despertar sintió en su rostro la picazón ardiente del sol. Los pájaros cantaban en los olivares vecinos, y junto a él sonaban voces. Al incorporarse vio que comenzaba la mañana, cuando él sólo creía transcurridos algunos instantes desde que concilió el sueño.

Una mujer, una patricia, estaba a corta distancia de él y le sonreía. Iba envuelta en una amplia tela de lino blanco, que descendía hasta sus pies en armoniosos pliegues, como el ropaje de las estatuas. De su cabellera rubia sólo se veían algunos bucles caídos sobre la frente. Mostraba la boca recién pintada de rojo, y sus ojos negros, aterciopelados, con una caricia sedosa en la mirada, aparecían rodeados de una aureola azul por las fatigas de la noche. Al mover los brazos bajo el manto sonaban con argentino choque sus joyas ocultas. La punta de una sandalia, asomando por el borde de su ropaje, brillaba como un astro de pedrería.

Detrás de ella dos esbeltas esclavas celtíberas, con el moreno y opulento pecho casi desnudo, envueltas las piernas en telas multicolores, sostenían, la una, un par de palomas blancas, y la otra, sobre su cabeza, una canastilla llena de rosas.

Junto a la bella patricia reconoció Acteón al piloto Polyantho y también al joven perfumado y elegante que estaba en el muelle con otro jinete al llegar el navío.

El griego púsose en pie, sorprendido por esta hermosa aparición que le sonreía.

—Ateniense —le dijo en griego, con purísimo acento—, yo soy Sónnica, la dueña de la nave que te trajo aquí. Polyantho es mi liberto, e hizo bien al recogerte, pues conoce el interés que me inspira tu pueblo. ¿Quién eres tú...?

—Soy Acteón, y pido a los dioses que te colmen de

bienes por tu bondad. ¡Que Venus guarde tu belleza mientras vivas!

—¿Eres navegante...? ¿Comercias...? ¿Corres el mundo dando lecciones de elocuencia y de poesía?

—Soy hombre de guerra, como lo fueron todos los míos. Mi abuelo murió en Italia cubriendo con su cuerpo al gran Pirro, que le lloró como un hermano. Mi padre fue capitán de mercenarios al servicio de Cartago y lo asesinaron injustamente en la guerra llamada inexorable...

Calló unos instantes, como si este recuerdo le impidiese continuar, ahogando su voz, y luego, añadió:

—Yo he guerreado hasta hace poco en Grecia, pero tuve que huir y me he lanzado a correr el mundo no pudiendo tolerar la inercia del destierro. He sido también comerciante en Rhodas, pescador en el Bósforo, labrador en Egipto, poeta satírico en Atenas.

La hermosa Sónnica sonrió, aproximándose a él. Era un ateniense poseedor de todas las cualidades de aquel pueblo tan amado por ella; uno de aquellos aventureros acostumbrados a los vaivenes de la suerte, vagabundos de la tierra entera y cronistas muchas veces de los hechos de su vida cuando llegaban a la vejez.

—¿Y a qué vienes aquí...?

—Aquí estoy como podría hallarme en otra tierra. Me ofreció tu piloto traerme a Zazintho, y vine. Me ahogaba en Cartago-Nova. Podía haberme alistado en las tropas de Hanníbal. Bastaba tal vez decir mi origen para ser bien recibido; los griegos se pagan caros en todos los ejércitos. Pero aquí hay guerra también, y prefiero mejor ir contra los turdetanos; servir a una ciudad que no conozco, pero que no me ha hecho daño alguno.

—¿Y has dormido aquí esta noche? ¿No has encontrado cama en las hosterías...?

—Lo que no encontraba era un óbolo en mi bolsa. Si cené, fue por la ternura de una *loba* que partió conmigo su miseria. Soy pobre y desfallecía de hambre. No me compadezcas, Sónnica, no me mires con ojos de misericordia. Yo he dado banquetes que duraban desde que anochecía hasta la salida del sol. En Rhodas, a la hora de las canciones, arrojábamos por las ventanas los platos de metal a los esclavos. La vida del hombre debe ser así; como la de los héroes de Homero: reyes en una parte y mendigos en otra.

Polyantho miró con nuevo interés al aventurero, y el elegante Lacaro, que al principio se opuso a que su amiga Sónnica despertase a un griego mal vestido, se aproximaba ahora a él, reconociendo la elegancia ateniense bajo su interior mísero, y proponiéndole hacerle su amigo para tomar provechosas lecciones.

—Ven hoy a mi quinta cuando el sol empiece a caer —dijo Sónnica—. Cenarás con nosotros. Pregunta a cualquiera por mi casa; todos sabrán guiarte. Una de mis naves te ha traído a esta tierra y quiero que encuentres hospitalidad bajo mi techo. Ateniense, hasta esta noche. Yo también soy de allá, y viéndote parece que fulgura aún ante mis ojos la lanza de oro de Palas en lo alto del Parthenón.

Sónnica, despidiéndose del griego con una sonrisa, se dirigió al templo seguida de sus dos esclavas.

Oyó Acteón lo que hablaban Lacaro y Polyantho fuera del templo. La noche anterior la habían pasado en casa de Sónnica. Al amanecer habían abandonado la mesa. Lacaro aún llevaba sobre su frente la corona del banquete con las flores mustias y deshojadas. Al saber Sónnica que habían llegado aquellas danzarinas de Gades que aguardaba con impaciencia para ofrecerlas en sus cenas, sintió el capricho de ver a Polyantho y a su nave, y quiso de paso hacer un sacrificio a Afrodita, como siempre que iba al puerto. Y en su gran litera, acompañada de Lacaro y las dos esclavas, había hecho la escapatoria, proponiéndose dormir a la vuelta, pues los más de los días permanecía en el lecho hasta bien entrada la tarde.

Se alejó el piloto hacia su nave para echar a tierra el grupo de danzarinas, y Acteón se aproximó con Lacaro a la entrada del templo, completamente abierta.

El interior era sencillo y hermoso. Un gran espacio cuadrado había quedado al descubierto en la techumbre para dar luz al edificio, y el sol, descendiendo por esta claraboya, prestaba la glauca vaguedad del agua del mar a las columnas azules, rematadas por capiteles que representaban conchas, delfines y amorcillos empuñando el remo. En el fondo, surgiendo de una dulce penumbra cargada de perfumes de sacrificios, aparecía la diosa, blanca, arrogante, soberbia en su desnudez, como al emerger por vez primera de las espumas ante los ojos atónitos de los hombres.

Cerca de la puerta estaba el ara. Junto a ella el sacerdote, con amplio manto de lino sujeto a la cabeza con una corona de flores, tomaba las ofrendas a Afrodita de manos de Sónnica.

Cuando ésta salió al peristilo, abarcó con una mirada amorosa el mar, cubierto de espumas; el puerto, brillante como un triple espejo; el verde e inmenso valle, la lejana Sagunto, que tomaba un tinte de oro bajo los primeros rayos del Sol.

—¡Qué hermosa...! Contempla, Acteón, nuestra ciudad. La Grecia no es mejor.

Al pie de la escalinata esperaba su litera, una verdadera casa portátil, cerrada con tapices de púrpura y rematada en sus cuatro ángulos por penachos de plumas de avestruz. Ocho esclavos atléticos, de hinchados músculos, la sostenían.

Sónnica hizo entrar en su vivienda ambulante a las esclavas. Luego empujó a Lacaro, al que trataba como un ser inferior cuya familiaridad se tolera por capricho, y volviéndose hacia el griego, de pie en lo alto del templo, le sonrió por última vez, saludándole con un signo de su mano cubierta de sortijas hasta las uñas, y que trazaba a cada movimiento regueros de luz en el aire.

Se alejó la litera rápidamente por el camino de la ciudad, al mismo tiempo que Acteón se sentía acariciado en el cuello por unas manos.

Era Bachis, más ajada y más harapienta a la luz del sol. Tenía un ojo amoratado y manchas cárdenas en los brazos.

—No pude venir —dijo con humildad—. Hasta hace

poco no me han soltado. ¡Qué gentes! Apenas si me dieron para pagar a Lais... Toda la noche pensando en ti, ¡mi dios! mientras me atormentaban echándome a la cara sus bufidos de sátiros cansados.

Acteón volvía el rostro para evitar sus caricias. Percibía el olor de vino de aquella infeliz, ebria y agotada después de su aventura de la noche.

—¿Me huyes...? Lo comprendo. Te he visto hablar con Sónnica la rica, a quien sus amigos llaman la más bella de Zazintho. ¿Vas a ser su amante? Comprendo que te adore; al fin no es más que una mujer como yo... Di, Acteón: ¿por qué no me llevas contigo? ¿Por qué no me haces tu esclava...? Sólo te pido una noche como precio.

El griego repelió sus brazos flacos que intentaban envolverle, para mirar hacia el camino de la ciudad. Sonaban las trompetas y se veían brillar cascos y lanzas en el centro de una gran nube de polvo.

—Son los legados de Roma que se marchan —dijo la *loba*.

Y empujada por el atractivo que los hombres de guerra ofrecían a su admiración juvenil, bajó la escalinata del templo para ver más de cerca a la comitiva.

Marchaban al frente los trompeteros de la nave de Roma soplando en largos tubos de metal, con las mejillas ceñidas por bandas de lana. Una escolta de ciudadanos de Sagunto rodeaba a los embajadores, haciendo caracolear sus peludos caballos celtíberos, tremolando sus lanzas y cubriendo sus cabezas con yelmos de triple cimera que aún guardaban las huellas de los golpes recibidos en las últimas escaramuzas con los turdetanos. Algunos viejos del Senado saguntino marchaban inmóviles sobre sus grandes caballos, la blanca barba esparcida sobre el pecho, y descendiendo hasta los estribos el oscuro manto, retenido en la cabeza por una tiara bordada. La enseña de Roma, con la loba en su remate, era sostenida por un fuerte *classiari*. Tras ella marchaban los dos legados, con sus rapadas y redondas cabezas al descubierto; uno, obeso, con triple barba de grasa; otro, enjuto, nervudo y con nariz afilada de ave de presa. Los dos llevaban coraza de bronce cincelado, las piernas defendidas con coturnos de metal, y sobre los arqueados muslos la faldilla de color de heces de vino, adornada con sueltas tiras de oro, que se agitaban al menor salto de los caballos.

Al llegar la comitiva al muelle, por entre los grupos de marineros, pescadores y esclavos, cruzóse con una tropa de mujeres arrebujadas en sus mantos que marchaba en opuesta dirección. Al frente de ella iba un viejo de ojos insolentes y boca desdentada. Tenía el aspecto autoritario, gruñón y repulsivo que toman los eunucos al vivir en perpetuo contacto con la mujer esclavizada. Eran las danzarinas de Gades que al abandonar la nave de Polyantho pasaban inadvertidas entre el estrépito de la marcha de los legados.

Unas mujeres del barrio de los pescadores entregaron a los romanos dos coronas tejidas con florecillas de los cercanos montes y lirios de las lagunas. Las aclamaciones se extendían a lo largo del muelle, ante los grupos indiferentes de marineros de todos los países.

—¡Salud a Roma! ¡Que Neptuno os proteja! ¡Los dioses os acompañen!

Acteón oyó sonar a sus espaldas una carcajada de burla, y al volverse vio al pastor celtíbero que en la noche anterior había matado al legionario.

—¿Tú aquí? —dijo el griego con asombro—. ¿Estás solo y no huyes de los romanos, que te buscan?

Los ojos imperiosos del pastor, aquellos ojos extraños que despertaban en el griego confusos e inexplicables recuerdos, le miraron con altivez.

—¡Los romanos...! Los desprecio y los odio. Iría sin miedo hasta la cubierta de su nave... Preocúpate de tus asuntos, Acteón, y no te fijes en los míos.

—¿Cómo sabes mi nombre? —exclamó el ateniense con nueva sorpresa, admirado además de la perfección con que el rudo pastor hablaba el griego.

—Conozco tu nombre y tu vida. Eres el hijo de Lisastro, capitán al servicio de Cartago, y como todos los de tu raza, ruedas por el mundo sin encontrarte bien en parte alguna.

41

Acteón, tan fuerte y seguro de sí mismo en todas ocasiones, se sintió intimidado por este hombre enigmático.

Absorbido en la contemplación del cortejo que despedía a los legados, había vuelto su espalda al griego. Sus ojos expresaron odio y desprecio al ver fulgurar bajo la luz del sol la loba del bronce de la enseña de Roma, saludada con entusiasmo por los saguntinos.

—Se creen fuertes; se creen seguros porque los romanos les protegen. Imaginan muerta a Cartago porque aquel Senado de mercaderes tieen miedo a faltar a los tratados con Roma. Han degollado a los saguntinos amigos del cartaginés, a los que fueron siempre amigos de los Barca y salían a saludar a Hamílcar cuando pasaba cerca de la ciudad en sus expediciones. Ignoran que hay quien no dormirá mientras la paz subsista... El mundo es estrecho para los dos pueblos. ¡O el uno o el otro!

Y como si le doliesen lo mismo que latigazos las aclamaciones de la multitud saludando al esquife que se llevaba los legados hacia la *libúrnica* y el estruendo de trompetería que estalló en la popa de la nave, el pastor, con los dientes apretados y los ojos rojizos por la ira, extendió sus brazos nervudos hacia el buque, murmurando con tono de amenaza:

—¡Roma...! ¡Roma!

Capítulo II

LA CIUDAD

Estaba muy elevado el sol cuando Acteón se dirigió a la ciudad por el camino llamado de la Sierpe.

Cruzábase en su marcha con numerosas carretas cargadas de odres de aceite y ánforas de vino. Las filas de esclavos encorvados bajo el peso de los fardos y con los pies cubiertos de polvo apartábanse al borde del camino para dejarle paso, con la sumisión y el encogimiento que inspiraba el hombre libre. Detúvose el griego un momento ante los molinos de aceite, viendo girar las enormes piedras empujadas por esclavos encadenados. Luego siguió su marcha al pie de los montes, en cuyas cimas alzábanse las *speculas*, rojas torrecillas que con sus hogueras anunciaban a la Acrópolis de Sagunto la llegada de las naves o los movimientos notados en la vertiente opuesta, donde empezaba el territorio de los hostiles turdetanos.

El agro extendía su fertilidad bajo la lluvia de oro del sol de la mañana. De las aldeas, de las casas de campo, de todas las innumerables viviendas esparcidas en el extenso valle, afluía gente al camino de la Sierpe, marchando hacia la ciudad.

La mayoría del pueblo saguntino vivía en el campo, cultivando el suelo. La ciudad era relativamente pequeña. Sólo vivían en su recinto los comerciantes, los agricultores ricos, la magistratura y los extranjeros. Cuando los turdetanos intentaban alguna invasión, todo el pueblo afluía a la ciudad, buscando el amparo de sus muros, y los rústicos, llevando por delante sus rebaños, iban a confundirse con los artesanos de Sagunto, que sólo veían ordinariamente los días de mercado.

Acteón adivinó, por la mucha gente que llenaba el camino, que aquel día debía ser de ventas en el Foro. Marchaban en fila las campesinas, con cestos en la cabeza cubiertos de hojas, y sin más vestido que una túnica oscura que caía a lo largo de su cuerpo, marcando los duros contornos de sus piernas a cada paso. Los labriegos, tostados, membrudos, llevando por todo traje un faldellín de pieles o de burdo tejido, acuciaban los bueyes de sus carretas o arreaban los asnos cargados de fardos. A lo largo del camino sonaba el campanilleo continuo de los rebaños de cabras y el dulce mugido de las vacas entre nubecillas del polvo rojo que levantaban sus trotadoras pezuñas.

Algunas familias regresaban ya del mercado, mostrando con orgullo lo que habían adquirido en las tiendas del Foro a cambio de sus frutos. Deteníanse los amigos para admirar las telas nuevas, las copas de barro rojo, frescas y brillantes, los adornos de mujer, de plata sólida, groseramente labrada, y acogían su vista con un «¡salve!» de felicitación que hacía enrojecer de orgullo a sus poseedores.

Muchachas morenas de miembros enjutos y frente grande, con la cabellera estirada a la moda celtíbera, marchaban por parejas, sosteniendo en sus hombros largas perchas de las que pendían ramos de flores para las señoras de la ciudad. Otras llevaban envueltos en hojas, para preservarlos del polvo, enormes tirsos de cerezas, y en algunos momentos saltaban y gritaban entre ruidosas carcajadas, parodiando las voces y los gestos de la rica juventud de Sagunto, que con gran escándalo de la ciudad se reunía en el jardín de Sónnica para imitar ante la imagen de Dionisios las locuras de Grecia.

Acteón admiró la belleza del paisaje. Los bosques de higueras que daban fama a Sagunto por sus frutos empezaban a cubrirse de hojas, formando con sus añosas ramas tiendas de verdura hasta el suelo. Las viñas se extendían, como un oleaje de esmeralda, escalando los lejanos montes, hasta llegar a los bosques de pinos y carrascas. Los olivos, alineados simétricamente sobre la tierra roja, formando columnatas de retorcidos fustes, con inquietos capiteles de hojarasca plateada. La vista de este paisaje esplendoroso le conmovía, despertando sus recuerdos de niñez. Consideró este valle más hermoso que los de la madre Grecia. Era un paisaje griego como los que imaginaban los poetas helénicos exagerando la realidad. Allí se quedaría, si los dioses no volvían a empujarlo de nuevo en su desesperada peregrinación por el mundo.

Caminó cerca de una hora, teniendo siempre enfrente la roja colina con la ciudad en su falda y arriba las innumerables construcciones de la Acrópolis. En una revuelta del camino vio que la gente se detenía ante un altar: larga ara de piedra, sobre la cual extendía sus escamosos anillos de mármol azul una serpiente enorme. Los campesinos depositaban flores y copas de barro llenas de leche ante la bestia inmóvil, que, con la cabeza erguida y abiertas las venenosas fauces parecía amenazarles. En aquel mismo lugar había mordido una serpiente al desgraciado Zazintho cuando regresaba a Grecia con los bueyes robados a Gerón, y en torno a su cadáver, quemado en lo alto de la Acrópolis, se creó la ciudad. La gente sencilla adoraba al reptil como uno de los fundadores de su patria, y con palabras cariñosas le presentaba ofrendas, que luego desaparecían misteriosamente. Esto hacía creer a muchos que la serpiente, al quedar envuelta en las tinieblas, recobraba su vida, oyéndose sus espantosos silbidos desde muy lejos en las noches tempestuosas.

Acteón adivinó su proximidad a Sagunto viendo las tumbas que se levantaban a ambos lados del camino, con sus inscripciones llamando la atención del viandante. Detrás de ellas extendíanse jardines cerrados por setos, sobre los cuales asomaban sus ramas los árboles frutales de las quintas. Algunas esclavas guardaban a los hijos de los propietarios, niños que jugaban y luchaban desnudos, con un marcado tipo griego. En la puerta de un jardín, un viejo obeso, envuelto en una clámide de púrpura, contemplaba el paso de la avalancha de gente miserable, con el frío desdén de un mercader enriquecido. En la terraza de una *villa* creyó ver Acteón un peinado a la ateniense, teñido de oro, con cintas rojas entrelazadas, y agitándose junto a él un abanico de plumas multicolores de pájaros de Asia. Eran las ricas quintas de los patricios de Sagunto retirados de los negocios.

Al aproximarse al río, el Bætis-Perkes, entre la ciudad y el campo, el griego se fijó en una adolescente que marchaba junto a él, casi una niña, que seguía el trotecillo de un rebaño de cabras. Delgada, esbelta, de miembros enjutos y con la piel de un moreno aterciopelado, hubiera parecido un muchacho a no ser porque la corta túnica, abierta en el costado izquierdo, dejaba adivinar el pecho ligeramente hinchado, con una redondez suave de taza, como un capullo que empieza a expansionarse repleto de savia juvenil. Sus ojos negros, húmedos y grandes parecían llenar toda su cara, bañándola de misterioso fulgor. Tras los labios, tostados y agrietados por el viento, brillaba una dentadura nítida, fuerte e igual. Su cabellera, anudada atrás, la había adornado con una guirnalda de amapolas cogidas entre el trigo. Llevaba a la espalda con varonil desembarazo una pesada red llena de quesos blancos, redondos como panes, frescos y rezumando aún suero. Con la mano que le quedaba libre acariciaba los blancos vellones de una cabra de erguidos cuernos, la favorita, que se apretaba contra sus piernas, haciendo sonar una campanilla de cobre en su cuello.

Acteón examinó aquella figura juvenil, endurecida por el trabajo, y en la cual la frescura primaveral parecía triunfar del cansancio. Su esbeltez, de líneas rectas y armoniosas, le recordaba la elegancia de las figurillas de Tanagra sobre las mesas de las hetairas de Atenas, la arrogante adolescencia de las canéforas pintadas en torno de los vasos griegos.

Le miró varias veces la muchacha y acabó por sonreír, enseñando su dentadura, con la confianza de una juventud que se siente admirada.

—Eres griego, ¿verdad...?

Le hablaba como las gentes del puerto, en aquel idioma extraño de urbe mercantil abierta a todos los pueblos, mezcla de celtíbero, griego y latín.

—Soy de Atenas. Y tú, ¿quién eres?

—Me llaman Ranto, y mi señora es Sónnica *la Rica*. ¿No has oído hablar de ella? Tiene barcos en todos los mares, esclavos a cientos, y bebe en copas de oro. ¿Ves sobre aquellos olivos, por la parte del mar, una torre de color de rosa? Pues es la quinta donde vive apenas el invierno le permite abandonar la ciudad. Yo estoy adscrita a la quinta y soy de su servidumbre durante el buen tiempo. Mi padre es el encargado de sus rebaños, y muchas veces baja ella a nuestros establos para juguetear con las cabras.

Acteón estaba asombrado de la frecuencia con que oía hablar de Sónnica desde que puso el pie en tierra saguntina. El nombre de aquella mujer opulenta, al que unos llamaban *la Rica* y otros *la Cortesana*, estaba en todas las bocas. La pastorcita, que parecía sentirse atraída por el extranjero, continuó hablando.

—Ella es buena. De tarde en tarde parece triste. Dice que se muere de fastidio en medio de sus riquezas; todo le es indiferente, y entonces es capaz de dejar que crucifiquen a sus esclavos sin protestar. Pero cuando está alegre es buena como una madre y nos libra del castigo. El malo es su intendente, el encargado de los esclavos: un ibero liberto, que nos vigila y a cada instante nos amenaza con el látigo y la cruz. A mi padre lo ha azotado varias veces por una oveja perdida, por una cabra que se rompe las patas, por un poco de leche derramada en la quesería. Yo misma habría recibido sus golpes a no ser por el respeto que me tiene al verme acariciada algunas veces por Sónnica.

Ranto hablaba de la terrible situación de los esclavos con la naturalidad de una criatura acostumbrada desde su nacimiento a presenciar tales rigores.

—En invierno —continuó— voy con mi padre a la montaña, y aguardo con impaciencia la llegada del buen tiempo para que la señora vuelva a la *villa* y pueda yo bajar al llano, donde hay flores. Entonces paso el día entero a la sombra de los árboles rodeada de mis cabras.

—¿Y cómo has aprendido algo de griego?

—Lo habla Sónnica con los ricos de la ciudad que son sus amigos y con las esclavas que le sirven. Además...

Se detuvo unos instantes, y sus pálidas mejillas se colorearon.

—Además —continuó animosamente—, también lo habla mi amigo Eroción, el hijo de Mopso el arquero, que vino de Rhodas; un amigo que me ayuda a guardar las cabras cuando no trabaja en la alfarería, que también es de Sónnica.

Y señalaba los grandes talleres inmediatos al río, las famosas alfarerías saguntinas, que elevaban entre muros de arcilla las cúpulas de sus hornos, semejantes a enormes colmenas rojas.

Entre los árboles sonaron unas notas dulces, unas escalas regocijadas de caramillo, y Acteón vio salir de un salto al camino a un muchacho casi de la misma edad de Ranto, alto, enjuto, descalzo, sin otra vestidura que una piel de cabra que, sujeta del hombro izquierdo y dejando al descubierto el derecho, era apretada por una cuerda en torno a sus riñones. Sus ojos parecían brasas, y su cabello negro, de tono azulado, formando cortos rizos, se agitaba con los nerviosos movimientos de la cabeza como un espeso toisón. Los brazos, enjutos y fuertes, con la piel hinchada por la tensión de venas y tendones, estaban teñidos hasta el codo por el rojo de la arcilla.

Acteón, al fijarse en su perfil corto de hermoso adolescente y en la vivacidad nerviosa de su cuerpo, recordó a los aprendices de los escultores de Atenas; juventud artista que en las horas de sol, antes de volver a sus talleres, escandalizaba con sus juegos en el Cerámico a los tranquilos paseantes.

—Éste es Eroción —dijo Ranto, sonriendo dulcemente al ver a su amigo—. Aunque nacido en Sagunto, es griego como tú, extranjero.

El adolescente no se fijaba en la joven, ocupado en mirar al desconocido.

—Eres de Atenas, ¿verdad? —dijo con admiración—. No puedes negarlo. Pareces Ulises cuando peregrinaba por el mundo tal como lo cuenta el padre Homero. Te he visto tal como eres en vasos y relieves, igual por tu figura y tu traje al esposo de Penélope. ¡Salud, hijo de Palas!

—¿Y tú eres también esclavo de Sónnica?

—No —se apresuró a decir con altivez el muchacho—. La esclava es Ranto, y tal vez algún día no lo sea. Yo soy libre; mi padre es Mopso, griego de Rhodas y primer arquero de Sagunto. Vino de allá sin más fortuna que su arco y sus flechas, y hoy es rico, después de la última expedición contra los turdetanos, y marcha el primero en la milicia de la ciudad. Yo trabajo en los talleres de Sónnica, que me quiere mucho. Ella fue quien me puso el nombre de Eroción, porque de pequeño parecía un amorcillo. No soy de los que amasan el barro ni de los que giran el torno para dar forma a los vasos. Me llaman *el Artista*. Fabrico orlas de follaje, esculpo animales, sé hacer de memoria la cabeza de Diana, y nadie como yo puede grabar en el barro el gran sello de Sagunto. ¿Sabes cómo es? La nave sin velas, con tres órdenes de remos, y volando sobre ella la Victoria, con largos ropajes, depositando una corona en la proa. Soy capaz, si tú quieres, de esculpir tu figura...

Pero se detuvo como avergonzado por estas palabras, y añadió con tristeza:

—¡Cómo te burlarás de mí, extranjero! Tú vienes de allá, de aquel país maravilloso del que tantas veces me habla mi padre. Habrás visto el Parthenón, la Palas Athenea, que los navegantes distinguen sobre el mar mucho antes de ver Atenas, el asombroso desfile de los caballos, los prodigios de Fidias... ¡Cómo deseo ver todo eso! Cuando llega al puerto alguna nave de Grecia, huyo de la alfarería y paso las mañanas en las tabernas de marineros. Bebo con ellos, les regalo figurillas en posiciones lúbricas, que les hacen reír, todo para que me cuenten lo que han visto: los templos, las estatuas, las pinturas; y sus relatos, en vez de calmarme, excitan mi deseo... ¡Ay, si Sónnica quisiera! ¡Si me dejase ir en una de sus naves cuando se hacen a la vela para Grecia...!

Después añadió con energía:

—Ésta que ves aquí, Ranto, es la única que me sostiene. Si ella no existiese, hace tiempo que habría buscado al *gubernator* de una nave, vendiéndome como esclavo, si era preciso, para correr el mundo, para ver la Grecia y ser un artista como esos a los que tributáis allá los mismos honores que a los dioses.

Siguieron caminando un buen rato, silenciosos los tres, detrás de la nubecita de polvo que levantaban las cabras. El muchacho iba poco a poco recobrando su serenidad al lado de Ranto, que había cogido una de sus manos.

—Y tú, ¿a qué vienes aquí? —preguntó a Acteón.

—Vengo como vino tu padre. Soy un griego sin fortuna, y quiero ofrecer mis brazos a la República saguntina en sus guerras con los turdetanos.

—Habla con Mopso. Le encontrarás en el Foro o arriba en la Acrópolis, cerca del templo de Hércules, donde se reúnen los magistrados. Se alegrará de verte. Adora a los de su raza y saldrá fiador de ti ante la ciudad.

De nuevo se hizo el silencio. El griego veía las miradas amorosas que se cruzaban entre los adolescentes, el apretón cada vez más fuerte de sus cuerpos jóvenes y sanos que se buscaban, apoyándose mutuamente. Eroción, como obedeciendo a una súplica muda de su amada, había sacado del seno el caramillo de cañas agujereadas y soplaba en él dulcemente, lanzando una música tierna y pastoril, a la que contestaban las cabras con balidos.

El griego adivinó que su presencia iba resultando abrumadora para esta pareja. Cada vez retardaban más el paso.

—¡Salud, hijos! Caminad sin prisa; la juventud llega a tiempo a todas partes. Ya nos veremos en la ciudad.

—Que los dioses te protejan, extranjero —contestó Ranto—. Si algo necesitas, me encontrarás en el Foro. Allí he de vender estos quesos y otros que salieron al amanecer en la carreta del hortelano.

—Salud, ateniense. Habla con mi padre, pero no digas con quién me has visto.

Acteón atravesó el río entre las carretas, que se hundían en el agua hasta los ejes. Al llegar ante los muros de la ciudad admiró su fortaleza, las bases de piedra sin labrar y sin trabazón alguna que soportaban sus murallas y sus torres de fuerte mampostería.

En la puerta del camino de la Sierpe, que era la principal, se vio detenido por la aglomeración que formaban hombres, carros y caballerías al introducirse en el angosto túnel. Dentro de la ciudad y casi pegado al muro estaba el templo de Diana, fano conocido por su antigüedad en todo el mundo y que daba no poco renombre a los saguntinos. Acteón admiró la techumbre de tablones de enebro, venerable por su remota fabricación, pero como deseaba conocer pronto la ciudad, siguió adelante.

Vióse en una calle recta, al extremo de la cual ensanchábanse los edificios, abriendo un enorme espacio rectangular, una gran plaza, con hermosas construcciones, sostenidas por arcadas, debajo de las cuales rebullía el gentío. Era el Foro. Por encima de los tejados del fondo veíanse casas y más casas de paredes blancas, la ciudad escalando la falda del monte, y al final las murallas de la Acrópolis y las columnatas de los templos sosteniendo los frisos, formados con enormes piedras labradas.

Acteón, siguiendo la calle que conducía al Foro, recordó el barrio marítimo del Pireo. Aquél era el distrito de los comerciantes, habitado en su mayor parte por griegos. Por las ventanas de los pisos bajos veíase el movimiento del tráfico dentro de las casas: esclavos que apilaban fardos; jóvenes de rizada barba y nariz de ave de presa trazando en las tablillas de cera las complicadas cuentas de sus negocios. Ante las puertas, sobre las mesas, estaban expuestas las muestras de los géneros: montones de trigo o de lana y pesados pedruscos de las minas. Los comerciantes, de pie, apoyados en el quicio, hablaban con sus clientes, gesticulando y poniendo a los dioses por testigos, con plañidero acento, de que se arruinaban en los negocios.

En algunos almacenes, el dueño, con vestidura de flores doradas, alta mitra y sandalias de púrpura, escuchaba silencioso a los parroquianos, con ojos claros de esfinge, acariciándose los anillos de su barba perfumada. Eran traficantes de África y Asia, cartagineses, egipcios o fenicios, que guardaban en sus casas materias preciosas: joyeles de oro, colmillos de marfil, plumas de avestruz, pedazos de ámbar. Ante sus puertas deteníanse las mujeres ricas envueltas en blancos mantos y seguidas de esclavas. Al hablar avanzaban su sonrosado hocico en el interior de la tienda, embriagándose con el hálito exótico compuesto de especias excitantes de Asia y misteriosos perfumes de Oriente. Por entre los fardos paseaban majestuosos, con estridentes graznidos, pájaros raros, que arrastraban como un manto real sus plumajes multicolores.

Acteón, después de examinar rápidamente estas tiendas, entró en el Foro. Era día de mercado, y toda la vida de la ciudad afluía a la gran plaza. Los hortelanos extendían cerca de los pórticos sus hortalizas; los pastores del agro amontonaban los quesos en pirámide delante de las cantarillas llenas de leche; las mujeres del puerto, tostadas y casi desnudas, pregonaban el pescado fresco, colocado sobre un lecho de hojas en cestas planas de junco. En un extremo, los pastores de la montaña, vestidos de esparto, con aspecto feroz y armados de lanzas, vigilaban las vacas y los caballos puestos a la venta. Eran celtíberos, y de ellos se decía con horror que algunas veces comían carne humana. Parecían sentirse presos dentro de la plaza, contemplando con ojos hostiles todo aquel movimiento de colmena tan distinto de la independiente soledad gozada en su vida errante. Tanta riqueza excitaba su codicia de salteadores y cuatreros, y oprimiendo la lanza, miraban con ojos feroces a los mercenarios armados que en el fondo del Foro, sobre las gradas de un templo, escoltaban al senador encargado de hacer justicia en los días de mercado.

En el centro de la plaza agitábase la multitud comprando y discutiendo, adornada de mil colores y hablando diversas lenguas. Pasaban las virtuosas ciudadanas vestidas de blanco, seguidas de esclavos que encerraban en sacos de red las provisiones para la semana; los griegos, con larga clámide de color de azafrán, lo curioseaban todo, discutiendo largamente antes de hacer una compra insignificante; los ciudadanos saguntinos, íberos que habían perdido su primitiva rudeza a consecuencia de infinitos cruzamientos, imitaban en sus vestiduras y actitudes el aspecto de los romanos, que eran por el momento el pueblo más estimado; y confundidos con estas gentes pasaban los indígenas del interior, barbudos, morenos, de luengas melenas, atraídos por el mercado, a pesar de la repugnancia que les inspiraba la ciudad, y especialmente los griegos, a causa de sus refinamientos y riquezas.

Algunos celtíberos, jefes de las tribus más próximas a Sagunto, permanecían en medio de la plaza a caballo, sin soltar la lanza ni el escudo tejido de nervios de toro, cubiertos con el yelmo de triple cresta y la coraza hechos de cuero, como si estuvieran en terreno enemigo y temiesen una asechanza. Sus mujeres, mientras tanto, ágiles, tostadas y varoniles, iban de un puesto a otro del mercado, agitando al andar su vestidura amplia bordada de flores de colores vivos, o se detenían con admiración infantil ante la mesa de algún griego que vendía granos de cristal, collares, y baratijas de bronce cinceladas groseramente.

Los mantos de lino finísimo y de costosa púrpura rozaban los miembros desnudos de los esclavos o el *sagum* celtíbero de lana negra prendido de los hombros con hebillas. Los peinados a la griega, con cintas rojas cruzadas y un penacho de rizos sobre el occipucio, semejante al llamear de una antorcha, tenían como complemento una frente pequeña, símbolo de completa hermosura. En cambio, las mujeres celtíberas llevaban la frente afeitada y bruñida para hacerla más grande, y ensortijaban sus cabellos en torno a un pequeño palo formando un cuerno agudo, del que pendía el velo negro. Otras celtíberas llevaban un fuerte collar de acero, del que salían algunas varillas que se unían sobre el peinado, y de esta jaula que encerraba la cabeza colgaban el velo, mostrando con orgullo la frente enorme, brillante y luminosa como la luna llena.

Acteón pasó mucho tiempo admirando el raro tocado de estas mujeres y su aspecto varonil y resuelto. Su fino instinto de griego adivinó el peligro al contemplar a los bárbaros inmóviles sobre sus corceles en medio del Foro, contemplando desde su altura con miradas de odio a aquel pueblo de comerciantes y agricultores. Eran aves de presa que para subsistir en sus áridas montañas debían bajar al llano como ladrones. Rodeada Sagunto de tales pueblos, tendría que entrar en lucha algún día con todos ellos.

El griego, pensando en esto, penetró bajo los pórticos. Allí se reunían los desocupados de la ciudad ante las tiendas de los barberos, los cambistas de moneda y los vendedores de vinos y refrescos. Acteón creyó encontrarse en las galerías del Ágora de Atenas. Aunque empequeñecido, era el mismo mundo de su ciudad natal. Vio graves ciudadanos que se hacían llevar por un esclavo la silla de tijera para sentarse a la puerta de una tienda y saber noticias; noveleros que iban de grupo en grupo difundiendo las más estupendas mentiras;

parásitos que buscaban una invitación para comer, adulando al rico más cercano y hablando mal de todo el que pasaba; pedagogos sin colocación disputando a gritos sobre un punto de gramática griega; jóvenes ciudadanos murmurando de los viejos senadores y afirmando que la República necesitaba hombres más fuertes.

Se hablaba mucho de la última expedición contra los turdetanos y la gran victoria conseguida sobre ellos. Ya no levantarían cabeza. Su rey Artabanes, fugitivo en lo más apartado de sus territorios, debía estar escarmentado por la reciente derrota. Y los jóvenes saguntinos miraban con orgullo los trofeos de lanzas, escudos y cascos suspendidos de las pilastras de los pórticos. Eran las armas de algunos centenares de turdetanos muertos o cautivos en la última expedición. En las tiendas de los barberos se ofrecían a ínfimos precios muebles y adornos robados en las aldeas enemigas por los guerreros de Sagunto. Nadie los quería. La ciudad estaba llena de tales despojos. Las milicias saguntinas habían vuelto, llevando tras sí un verdadero ejército de carretas repletas y un rebaño interminable de hombres y bestias. Todos sonreían al pensar en el triunfo, con la glacial ferocidad de la guerra antigua; guerra incapaz de perdón, y en la que la mayor de las misericordias para el vencido era la esclavitud.

Cerca del templo donde se administraba justicia se establecía el mercado de esclavos. Estaban en el suelo, formando círculo, cubiertos de harapos, las manos cruzadas sobre los pies y la barba apoyada en las rodillas. Los esclavos de nacimiento aguardaban al nuevo amo con una pasividad de bestia, los miembros descarnados por el hambre y la cabeza rasurada cubierta con un gorro blanco. Otros, vigilados de más cerca por el traficante, eran barbudos, y sobre sus cabelleras sucias llevaban una corona de ramas para indicar su calidad de esclavos cogidos en la guerra. Eran los turdetanos que no habían ofrecido rescate. En sus ojos se notaba aún el asombro y la rabia al verse reducidos a la esclavitud. Muchos de ellos llevaban cadenas, y en su cuerpo estaban frescas las cicatrices de las heridas.

Miraban a aquel pueblo enemigo contrayendo la boca, como si quisieran morder, y algunos agitaban su brazo derecho terminado por un informe muñón. Les habían cortado la mano guerreando con otras tribus del interior, que acostumbraban a inutilizar de este modo a los prisioneros.

Los saguntinos miraban con indiferencia a estos adversarios convertidos en cosas, en bestias, por la dura ley de la conquista, y olvidando a los turdetanos hablaban de las querellas de la ciudad, de la lucha de facciones, que parecía haberse sofocado con la intervención de los legados de Roma. Aún se notaban en las gradas del inmediato templo las manchas de la sangre de los decapitados por afecto a Cartago. Los amigos de Roma, que eran los más, hablaban fuerte, alabando el enérgico consejo de los enviados de la gran República. La ciudad viviría ahora en paz y segura con la protección de Roma.

Al mirar Acteón hacia el templo creyó ver entre el gentío que subía y bajaba sus gradas al pastor celtíbero que en la noche anterior había matado al legionario. Fue una visión rápida. Su *sagum* negro se perdió entre los grupos, y el griego quedó indeciso, no sabiendo si realmente era él.

Avanzaba la mañana. Acteón había pasado mucho tiempo en el mercado, y pensó que ya era hora de ocuparse de sus asuntos. Tenía que ver a Mopso *el Arquero*, arriba en la Acrópolis, y emprendió la ascensión por calles tortuosas pavimentadas de guijarros azules con blancas casas en cuyas puertas hilaban y tejían las mujeres.

El griego, al llegar junto a la Acrópolis, admiró las murallas ciclópeas, grandes peñascos amontonados con raro arte y sólidamente unidos sin trabazón alguna. Allí estaba la cuna de la ciudad; el recuerdo de los compañeros de Zazintho al establecerse entre los rudos indígenas.

Pasó bajo una larga bóveda, y se vio en la extensa meseta del monte, rodeada de murallas que podrían abrigar una población tan grande como Sagunto. En esta vasta planicie, esparcidos sin orden, alzábanse los edificios públicos. Eran como un recuerdo de la época en que la ciudad estaba en la cumbre y aún no había descendido, ensanchándose hacia el mar. Desde sus murallas se apreciaba la inmensidad del fértil agro; los territorios de la República perdiéndose por el Sur, a lo largo de la playa, hasta el límite de los que ocupaban los Olcades; las innumerables aldeas y quintas agrupadas en las riberas del Bætis-Perkes, y la ciudad, como un gran abanico blanco, en la falda del monte, encerrada por las murallas, sobre las cuales parecía saltar el oprimido caserío, esparciéndose por las huertas.

Acteón, volviendo su vista al recinto de la Acrópolis, contempló el templo de Hércules. Cerca de él estaban la columnata bajo la cual se reunía el Senado; el taller para la acuñación de moneda; el templo en que se custodiaba el tesoro de la República; el arsenal donde se armaban los ciudadanos; la caserna de los mercenarios; y dominando todos estos edificios, la torre de Hércules, construcción ciclópea, que de noche contestaba con sus llamaradas a las *speculas* de la playa y los montes, esparciendo la alarma o la tranquilidad por todo el territorio saguntino.

Una tropa de esclavos, dirigida por un artista griego, daba los últimos retoques a un templo que Sónnica *la Rica* había hecho elevar en la Acrópolis en honor de Minerva.

Los saguntinos que subían a la ciudadela para pasear contemplando su ciudad y los mercenarios que limpiaban sus espadas y corazas de bronce a la puerta de su cuartel, miraron curiosamente al griego.

Un saguntino de aspecto acomodado, envuelto en una toga roja a la romana y apoyado en largo bastón, se aproximó a hablarle. Era de mediana edad, fuerte, con la barba y el cabello encanecidos y una expresión bondadosa en los ojos.

—Dime, griego —preguntó con dulzura—, ¿a qué vienes aquí? ¿Eres mercader...? ¿Eres navegante? ¿Buscas para tu país la plata que nos traen los celtíberos...?

—No; soy un pobre que vaga por el mundo, y vengo a ofrecerme a la República como soldado.

El saguntino hizo un gesto de tristeza.

—Debí haberlo adivinado por el arma que te sirve de apoyo... ¡Soldados! ¡Siempre soldados...! En otro tiempo no se veía en la ciudad una espada ni un dardo. Llegaban los extranjeros en sus naves repletas de mercancías, tomaban lo nuestro, nos daban lo suyo, y vivíamos en la paz que cantan los poetas. Ahora, los que llegan, griegos o romanos, africanos o asiáticos, se presentan armados, son perros feroces que vienen a ofrecerse para guardar el rebaño que antes triscaba en paz, sin miedo a los enemigos. Al ver todo este aparato bélico y oír cómo se regocija la juventud de Sagunto relatando la última expedición contra los turdetanos, tiemblo por la suerte de los míos. Ahora somos los más fuertes; pero ¿no vendrá alguien que lo sea más que nosotros y nos eche al cuello la cadena del esclavo...?

Por encima de las murallas miró la ciudad con amorosa tristeza.

—Extranjero —continuó—, me llaman Alco y mis amigos me apellidan *el Prudente*. Los ancianos del Senado atienden mis consejos, pero la juventud no los sigue. He comerciado, he corrido el mundo, tengo mujer e hijos, a los que doy cierto bienestar, y estoy convencido de que la paz es la felicidad de los pueblos y hay que sostenerla a todo trance.

—Yo soy Acteón, hijo de Atenas. Fui navegante y naufragaron mis naves; comercié y perdí mi fortuna. Mercurio y Neptuno me trataron como padres huraños y sin entrañas. He gozado mucho, he sufrido más, y hoy, mendigando casi, vengo aquí a vender mi sangre y mis músculos.

—Haces mal, ateniense; eres hombre y quieres convertirte en lobo. ¿Sabes lo que más admiro en tu pueblo? Que os burláis de Hércules y de sus hazañas y rendís culto a Palas Athenea. Despreciáis la fuerza para adorar la inteligencia y las artes pacíficas.

—El brazo fuerte vale tanto como la cabeza en que Zeus puso su fuego.

—Sí; pero ese brazo empuja la cabeza a la muerte.

Acteón se sintió impacientado por las palabras de Alco.

—¿Conoces a Mopso *el Arquero*...?

—Allí le tienes, junto al templo de Hércules. Le conocerás por su arma, que no abandona nunca. Ése es otro de los que atrajo aquí el mal espíritu de la guerra.

—Salud, Alco.

—Que los dioses te protejan, ateniense.

Acteón reconoció al valeroso griego en el arco y la aljaba que colgaban de sus hombros. Era un hombre fornido, de luenga barba, que llevaba arrollado a sus guedejas grises un nervio de toro para suplir el que servía de cuerda al arco. Los brazos musculosos y fuertes delataban con la rigidez de sus tendones la forzada tensión a que se sometían para abrir el duro arco y disparar las flechas.

Saludó a Acteón con la respetuosa simpatía que inspiraban los atenienses por su superioridad a los griegos de las islas.

—Hablaré al Senado —dijo al enterarse de sus pretensiones—. Basta mi palabra para que seas admitido en los mercenarios con toda la distinción que mereces. ¿Has guerreado alguna vez?

—He hecho la guerra en muchos pueblos.

—¿Dónde aprendiste el arte militar?

—Comencé en Sicilia y Cartago en el campo de los mercenarios y terminé mi educación en el Pritáneo de Atenas. Mi padre fue Lisastro, capitán al servicio de Hamílcar, asesinado después por los cartagineses en su guerra con los mercenarios que ellos llamaron implacable.

—Famosas escuelas y excelente padre. Su nombre llegó a mis oídos en la época que yo corría el mundo, antes de entrar al servicio de Sagunto... ¡Bien venido seas, Acteón! Si quieres ser de los *hoplites*, figurarás en la primera fila de la falange, con la armadura pesada y la pica larga. Pero no; vosotros los atenienses deseáis pelear con ligereza: sois más temibles por la carrera que por los golpes. Serás *peltasta*, con tu venablo y ese escudo ligero que llama *pelta*. Pelearás suelto, y seguramente se relatarán de ti grandes hazañas.

Pasaron junto a los dos griegos algunos ancianos, a los que el arquero saludó con respeto.

—Son los senadores —dijo—, que se juntan hoy por ser el día del mercado. Muchos de ellos vienen de sus quintas del agro y suben hasta la Acrópolis en sus literas. Se reúnen bajo aquella columnata.

Acteón vio cómo iban sentándose en sus sillas de madera de curvas garras, rematadas por la cabeza del león de Nemea. En sus rostros y trajes se notaba la gran variedad de razas existentes en la ciudad. Los de origen ibero llegaban de sus granjas, barbudos, atezados, con coraza de lino forrada de gruesa lana, espada corta de dos filos pendiente del hombro y un sombrero de cuero endurecido que equivalía a un casco. Los comerciantes griegos presentábanse con las mejillas rasuradas, envueltos en una clámide blanca, de la que salía desnudo el brazo derecho; una cinta sujetaba sus cabellos como una corona, y se apoyaban en un largo báculo rematado por una piña. Parecían los reyes de la *Ilíada* reunidos ante Troya.

Acteón vio entre ellos un gigante de negra barba y cabello corto y ensortijado, que formaba sobre su cabeza como una mitra de lana. Sus miembros enormes, de salientes músculos y rígidos tendones que parecían próximos a estallar, asomaban por las aberturas del rojo manto en que se envolvía.

—Ése es Therón —dijo *el Arquero*—, el gran sacerdote de Hércules; un hombre prodigioso, que conquistaría una corona en los Juegos Olímpicos. Mata un toro con sólo descargarle el puño en la cerviz.

El griego creyó ver de nuevo entre la gente que se agrupaba cerca del Senado al misterioso pastor celtíbero mirando con interés a este gigantesco sacerdote de Hércules. Pero *el Arquero* le hablaba, y hubo de volver su vista hacia él.

—Va a empezar el Consejo y debo estar al pie de las gradas esperando órdenes. Márchate, Acteón, y espérame en el Foro. Allí encontrarás a mi pequeño. ¿No dices que le viste en el camino? De seguro que iría con esa esclava que guarda las cabras de Sónnica... No titubees, Acteón, no mientas. Lo adivino... ¡Ah, ese pequeño! Un vagabundo que en vez de trabajar corre los campos lo mismo que un esclavo fugitivo...

Pero a pesar de la gravedad de estas lamentaciones de *el Arquero*, notábase en su acento un temblor de ternura, la predilección sobre sus otros hijos de este artista errante y caprichoso, que a veces abandonaba la casa paterna para corretear por el puerto y los montes semanas enteras.

Se despidieron los dos griegos y Acteón volvió al Foro, no sin que antes creyese ver otra vez, vagando por la Acrópolis, al pastor celtíbero. Al entrar en los pórticos oyó silbidos y gritos. Los grupos se arremolinaban, riendo y profiriendo insultos; la gente salía a toda prisa de las tiendas de los barberos y los perfumistas. El heleno vio un grupo de jóvenes lujosamente vestidos que pasaban intrépidos y con despreciativa sonrisa a través de la tempestad de silbidos y sarcasmos originada por su presencia.

Eran los elegantes de Sagunto, jóvenes ricos que imitaban las modas de la aristocracia de Atenas, exageradas por la distancia y la falta de gusto. Acteón también rió con su fina sonrisa de ateniense al apreciar la torpeza con que aquellos jóvenes copiaban a sus lejanos modelos.

Al frente de ellos marchaba Lacaro, el que acompañaba a Sónnica en su visita matinal al templo de Venus. Iban vestidos con telas de colores chillones y fino tejido, transparentes hasta dejar ver el cuerpo, como las túnicas que las hetairas llevaban en los banquetes. Las mejillas, cuidadosamente depiladas, estaban cubiertas de suave bermellón y los ojos agrandados con rayas negras. Los cabellos, rizados y perfumados con olorosas grasas, aparecían sostenidos por una cinta. Algunos llevaban grandes aros de oro en las orejas, y al andar sonaban sus ocultos brazaletes. Otros se apoyaban indolentemente en el hombro de un pequeño esclavo, de blancas espaldas y cabellera de gruesos bucles, que pa-

recía una niña por la redondez de sus formas. Como
si no oyesen los insultos y sarcasmos de la multitud,
hablaban tranquilamente de los versos griegos que uno
de ellos había compuesto. Discutían su mérito, el modo
de acompañarlos mejor con la lira, y únicamente se detenían para acariciar las mejillas de sus pequeños esclavos o para saludar a los conocidos, satisfechos en el
fondo del escándalo que su presencia provocaba en el
Foro.

—No me digáis que imitan a los griegos —vocifera-
ba en un corro un viejo de cara maliciosa, con el manto sucio y remendado de los pedagogos sin colocación—.
El fuego de los dioses debe caer sobre la ciudad. Nuestro padre Zeus es cierto que en un momento de pasión
raptó al gallardo Ganimedes; pero ¿y Leda? ¿Y todas
las innumerables beldades que recibieron en sus entrañas el fuego del señor del Olimpo...? ¡Bueno se pondría
el mundo si los hombres imitásemos a los dioses y todos hiciéramos como esos necios, vistiéndonos de mujeres! ¿Queréis ver un griego...? Ahí lo tenéis. Ése sí
que es verdadero hijo de la Hélade.

Y señalaba a Acteón, que se vio rodeado por las miradas curiosas del grupo.

—¡Cómo reirás, extranjero, al ver a esos infelices
que torpemente creen imitar tu país! —continuó voci-
ferando aquel energúmeno con aspecto de mendigo—.
Yo soy filósofo, ¿sabes? El único filósofo de Sagunto,
y con esto adivinarás que este pueblo ingrato me deja
morir de hambre. De joven estuve en Atenas, asistí a
sus escuelas, y dejé de ser marinero y correr el mundo para buscar en mí mismo la verdad. No he inventa-
do nada, pero sé cuanto han dicho los hombres sobre el
alma y el mundo, y si quieres, te recitaré de memoria
párrafos enteros de Sócrates y de Platón, así como todas las contestaciones del gran Diógenes. Conozco tu
país y me avergüenzo de mi ciudad al ver a esos necios... ¿Sabes quién es el culpable de estas ridiculeces
que nos deshonran? Sónnica, esa Sónnica que llaman
la Rica, antigua cortesana que acabará por convertir
Sagunto en un dicterión, destruyendo las tradiciones de

la ciudad, las costumbres rudas y sanas de otros tiempos.

Al oír el nombre de Sónnica, se elevó del grupo un murmullo de protesta.

—Míralos bien —gritó el filósofo, cada vez más enfurecido—. Son esclavos aduladores que tiemblan ante la verdad. El nombre de Sónnica les infunde igual respeto que el de una diosa. ¿Ves ése que huye? A su padre le prestó Sónnica hace pocos días una fuerte cantidad sin interés alguno para que comprase trigos en Sicilia, y por eso cree que debe huir del lugar donde se diga algo contra ella. Mira a ese otro que vuelve la espalda. *La Cortesana* libertó a su padre, que era esclavo, y no quiere oír nada que moleste a Sónnica. Y estos otros, que más valientes se quedan y me miran como si fuesen a comerme, todos han recibido favores de ella, y serían capaces de apalearme lo mismo que otras veces por mis palabras. Son esclavos que la defienden como si fuese una divinidad benéfica. Iguales a ellos hay muchos en Sagunto, y por eso los magistrados no osan castigar a esa griega que con sus extravagancias escandaliza a la ciudad. Vaya, pegadme, mercaderes; golpead al único hombre que no miente en Sagunto.

Los del grupo se alejaban, dejando al filósofo que braceare lanzando gritos de indignación.

—Lo que debías hacer —dijo con desprecio uno de los últimos al retirarse— es mostrar más agradecimiento. Si comes algún día, es en la mesa de Sónnica.

—¡Y comeré esta noche! —gritó *el Filósofo*—. ¿Qué demuestras con eso? ¡Y le diré en su cara lo mismo que digo aquí...! ¡Y ella reirá, como siempre, mientras vosotros comeréis bazofia en vuestras casas, pensando en su banquete...!

—¡Ingrato! ¡Parásito! —dijo aquel hombre, volviéndole las espaldas con desprecio.

—La gratitud es condición de perro. El hombre demuestra su superioridad hablando mal de quien le favorece... Si no queréis que Eufobias *el Filósofo* sea parásito, mantenedle a cambio de su sabiduría.

Pero Eufobias hablaba en el vacío. Todos se habían retirado, uniéndose a los grupos inmediatos. Sólo Acteón estaba junto a él, examinándole con interés. Le admiraba encontrar en aquella ciudad lejana un hombre tan semejante a los que en Atenas vivían en torno a la Academia, formando la plebe filosófica hambrienta y oscurecida.

El parásito, al verse sin más público que el griego, se agarró a uno de sus brazos.

—Tú sólo mereces oírme. Bien se conoce que eres de allá y sabes distinguir el mérito.

—¿Quién es esa Sónnica que tanto te indigna por sus costumbres? ¿Conoces su vida? —preguntó el ateniense, con el deseo de saber el pasado de una patricia cuyo nombre parecía llenar toda la ciudad.

—¿Que si la conozco...? Mil veces me la ha contado en sus ratos de melancolía, que son los más, cuando yo no logro hacerla reír y ella siente la necesidad de abandonarse, hablándome de su pasado con tanto descuido como si conversase con su perro. Es historia larga.

Se detuvo el Filósofo y guiñó un ojo, señalando una puerta inmediata, en la cual un mostrador agujereado sostenía una fila de ánforas.

—En casa de Fulvias estaremos mejor. Es un romano honradísimo, que jura haber reñido con el agua. Anteayer recibió un famoso vino de Laurona. Desde aquí percibo su perfume.

—No tengo ni un óbolo en mi bolsa.

El Filósofo, que contraía la nariz como si aspirase ya el vaho del mosto, hizo un gesto de desaliento. Después miró con interés al griego.

—Tú eres digno de oírme. ¡Pobre como yo, en medio de estos mercaderes que abarrotan de plata sus bodegas...! Ya que no hay vino, paseemos; esto aclara las ideas. Te trataré como Aristóteles a sus discípulos predilectos.

Y paseando a lo largo del pórtico, Eufobias comenzó a relatar con arreglo a sus noticias la vida de Sónnica.

Creía haber nacido en Chipre, la isla del amor para los navegantes. En aquellas playas, de cuyas espumas hicieron nacer los poetas la triunfante belleza de Venus Afrodita, las mujeres de la isla van, al cerrar la noche, en busca de los marineros para prostituirse en memoria de su diosa. De uno de estos encuentros con un remero había nacido Sónnica. Recordaba vagamente los primeros años de su niñez, correteando por la cubierta de una nave, saltando de un banco a otro de los remeros, alimentada y despreciada como los gatos de a bordo, visitando muchos puertos repletos de gentes diversas en trajes, costumbres e idiomas, pero viéndolo todo de lejos y vagamente, como las imágenes de un sueño, sin poner nunca el pie en tierra firme.

Antes de ser mujer fue la amante del amo del buque, un piloto de Samos, que, cansado de ella o por la tentación del negocio, la vendió una noche a un beocio que tenía un dicterión en el Pireo. Cuando aún no había cumplido doce años, la pequeña Sónnica empezaba a distinguirse entre las dicteriadas que pululaban por la noche en el Pireo, principal centro de la prostitución ateniense.

La población alegre de la ciudad, compuesta de extranjeros, jugadores y jóvenes arrojados de sus casas por una familia austera, congregábase en aquel suburbio de Atenas que rodeaba a los puertos de Pireo y Falero y formaba el arrabal llamado de Estirón. Apenas cerraba la noche, todo este mundo bullicioso y corrompido se reunía en la gran plaza del Pireo, entre la ciudadela y el puerto, y comenzaban a circular las prostitutas, que con la llegada de las sombras adquirían libertad para salir de los dicteriones en que las tenían recluidas. Bajo los pórticos de la plaza lanzaban sus dados los jugadores, disputaban los filósofos errantes, dormían los vagabundos, se contaban sus viajes los marineros; y entre esta confusión de gentes diversas pasaban las dicteriadas, con el rostro pintado, casi desnudas o con mantos rayados de fuertes colores que revelaban su origen africano y asiático. Allí creció y se educó la joven hija de Chipre, buscando todas las noches algún mercader de trigos de Bitinia o un exportador de cueros de la Gran Grecia, gente ruda y alegre que antes de volver a su país quería gastar parte de sus ganancias con las cortesanas de Atenas.

De día permanecía reclusa en el diceterión, una casa de aspecto sórdido, sin más adorno en la fachada que un enorme falo que servía de enseña al establecimiento. Éste tenía la puerta abierta a todas horas, sin el perro encadenado que guardaba a las demás viviendas. Apenas se levantaba la gruesa cortina de lana, aparecía el patio descubierto, en el cual, junto a las entradas de las habitaciones, estaban en cuclillas o tendidas sobre las baldosas todas las mercancías de la casa, mujeres gastadas y consumidas por el fuego del amor y niñas apenas llegadas a la pubertad; todas desnudas, contrastando la piel oscura y aterciopelada de las egipcias con la tez pálida de las griegas y la blanca y sedosa de las asiáticas.

Sónnica, que entonces se llamaba Mirrina— el nombre que le habían dado los marineros—, se cansó de la vida del dicterión. Todas eran allí unas esclavas, a las que apaleaba el beocio cuando dejaban marcharse descontento a un parroquiano. Le repugnaba tomar los dos óbolos marcados por las leyes de Solón de aquellas manos callosas que herían al acariciar. Le producía náuseas la gente soez y brutal de todos los países del mundo que llegaba en busca del placer y partía ahíta, siendo renovado inmediatamente por otra y otra, como un incesante oleaje de deseos genésicos excitados por la soledad del mar, repitiendo iguales caprichos e idénticas exigencias.

Una noche entró en el templo de Venus Pandemos, levantado por Solón en la gran plaza del Pireo, para depositar un óbolo como última ofrenda ante las estatuas de Venus y su compañero Pitho, las dos divinidades de las cortesanas. Muchas veces había ido a verlas con sus amantes del momento, antes de entregarse a ellos en la orilla del mar o junto al extenso muro construido por Temístocles para unir el puerto con Atenas. Después de esta visita huyó hacia la ciudad, con el deseo de ser una de aquellas hetairas atenienses cuyo lujo y hermosura había admirado tantas veces desde lejos.

Vivió como las cortesanas libres y pobres, a las que la juventud ateniense llamaba *lobas* por sus gritos. Al principio pasó días enteros sin comer; pero se consideraba más feliz que sus antiguas compañeras del puerto de Falero o el arrabal de Estirón, esclavas de los dueños de los dicteriones.

Su mercado era ahora el Cerámico, vasto arrabal de Atenas a lo largo de la muralla, entre las puertas del Cerámico y la Dipila, en el cual estaban el jardín de la Academia y las tumbas de los ciudadanos ilustres muertos por la República. De día iban allí las grandes hetairas o enviaban sus esclavas para ver si sus nombres estaban escritos con carbón en la muralla del Cerámico. El ateniense deseoso de una cortesana escribía el nombre de ella junto con la cantidad ofrecida, y si la suma era del gusto de la hetaira, aguardaba al pie de la inscripción la llegada del que hacía la oferta. A la luz del sol ostentábanse allí las grandes cortesanas casi desnudas, con sandalias de púrpura, envueltas en mantos de flores y llevando sobre sus cabelleras espolvoreadas de oro coronas de rosas frescas. Los poetas, los retóricos, los artistas, los grandes ciudadanos, paseaban por los verdes bosquecillos del Cerámico o bajo los pórticos adornados de estatuas, discutiendo con estas cortesanas y teniendo que poner en tortura su ingenio para hacer frente a sus réplicas.

Al llegar la noche, una invasión de mujeres miserables y haraposas llenaba el paseo, esparciéndose entre las tumbas de los grandes ciudadanos. Era la hez del placer ateniense que vivía en libertad y esperaba la sombra para mostrarse; viejas cortesanas que, al amparo de la noche, salían a conquistar el pan en el mismo lugar donde otras veces habían reinado con el poder de la hermosura; dicteriadas fugitivas, esclavas que escapaban por algunas horas de la casa del amo y mujeres de la plebe buscando un alivio a su miseria en la prostitución. Agazapadas detrás de las tumbas o entre los bosques de laureles, permanecían inmóviles como esfinges, pero apenas los pasos de un hombre turbaban el silencio del Cerámico, salían de todos lados débiles aullidos llamándole. Muchas veces huían en medrosa carrera al reconocer a un encargado de cobrar el *Pornicontelos*, impuesto establecido por Solón sobre las cortesanas, y que era la mejor renta de Atenas. A media noche, el transeúnte que atravesaba el Cerámico, de vuelta de un banquete, sentía en torno la agitación y los suspiros de un mundo invisible que parecía removerse sobre el césped y la blanda arena. Los poetas decían riendo que eran los males de los grandes ciudadanos que gemían en sus profanadas tumbas.

Así vivió Mirrina hasta los quince años, pasando la noche en el Cerámico y el día en la casucha de una vieja de Tesalia que, como todas las de su país, gozaba fama de hechicera, y lo mismo ayudaba a los partos que vendía filtros amatorios a las cortesanas o retocaba los rostros a las que estaban en decadencia.

¡Qué de cosas aprendió allí la pequeña *loba* al lado de la bruja, huesuda y fea como una Parca! Le ayudaba a moler el albayalde que, mezclado con cola de pescado, rellena las arrugas del rostro; preparaba la harina de habas para untar los pechos y el vientre, que proporciona a la piel una tersa tirantez; llenaba frasquitos de antimonio, que da brillo a los ojos; liquidaba el carmín para colorear con ligeros toques las grietas cubiertas de pasta, y escuchaba con profunda atención los sabios consejos con que la vieja guiaba a sus pupilas, a fin de que mostrasen con todo su relieve las perfecciones particulares y disimulasen sus defectos. La vieja tesaliana recomendaba a las pequeñas de cuerpo gruesas suelas de corcho dentro del calzado, y a las altas, sandalias ligeras y hundir la cabeza entre los hombros. Fabricaba rellenos para las flacas, armazones de ballenas para las obesas; teñía de hollín las canas, y a las que tenían buena dentadura las obligaba a llevar un tallo de mirto entre los labios, aconsejándolas que riesen a la menor palabra.

La joven llegó a poseer de tal modo su confianza,

que la ayudaba en la parte más peligrosa de su ciencia: la confección de filtros amatorios y de hechizos, que más de una vez la habían hecho ser perseguida por los oficiales del Areópago.

Las hetairas más ricas la consultaban para sus deseos y venganzas, y ella les prestaba sus conocimientos. Para lograr la impotencia de un hombre o la esterilidad de una mujer, no había más que darles una copa de vino en la que se hubiese ahogado un barbo; para atraer a un amante olvidadizo, se quemaba en un fuego de ramas de tomillo y de laurel una torta de harina sin levadura; y para convertir en odio el amor, no había más que seguir al hombre, pisando sus huellas al revés, colocando el pie derecho donde él había puesto el izquierdo y diciendo al mismo tiempo en voz baja: «Estoy sobre ti; te pisoteo.» Si había que hacer volver a un amante hastiado, la vieja movía entre sus manos una bola de bronce que llevaba en el seno, pidiendo a Venus que del mismo modo hiciese rodar al amante por el umbral de la puerta. Si no surtía efecto este conjuro, se arrojaba en el brasero mágico la imagen en cera del ser querido, pidiendo a los dioses que derritiesen de amor su corazón helado así como se derretía su figura. Y juntos con estos hechizos, rodeados de invocaciones misteriosas, iban los filtros compuestos con hierbas afrodisíacas y excitantes, que muchas veces causaban la muerte.

Una noche de primavera, a la luz de la luna, Mirrina tuvo un encuentro en el Cerámico que la hizo abandonar el antro de la tesaliana. Sentada detrás de una tumba, su aullido suave y débil como una lamentación atrajo a un hombre envuelto en un manto blanco. Por el brillo de sus ojos y la inseguridad de sus pasos, parecía ebrio. En la cabeza llevaba una corona de rosas ajadas.

Mirrina adivinó en él a un ciudadano distinguido que salía de un banquete. Era el poeta Simalión, joven aristócrata que había ganado una corona en los Juegos Olímpicos, y en el que Atenas creía ver resucitada la inspiración de Anacreonte. Las hetairas más hermosas cantaban sus versos en los banquetes al son de las liras y las virtuosas ciudadanas los murmuraban en la soledad del gineceo enrojeciendo de emoción. Las más famosas beldades de Atenas se disputaban al poeta, y éste, enfermo en plena juventud, como si no pudiera resistir el peso de la admiración pública, refugiábase en el templo de Esculapio cuando la tos le hacía escupir rojo, o iba en peregrinación a las fuentes milagrosas de toda la Grecia y sus islas. Pero apenas sentía sus fuerzas restauradas y una nueva sangre circulaba por su cuerpo, despreciaba a los médicos y corría otra vez a los banquetes con los negociantes y los artistas de Ática, entre hetairas famosas y gentiles aulétridas, rodando de los brazos de una a los de otra, pagando sus caricias con versos, que repetía luego la ciudad. Era un gozador siempre ardiente, que consumía su vida como la antorcha que en las fiestas nocturnas de Dionisios se pasaba la cadena de bacantes de mano en mano, hasta perderse en lo infinito.

Saliendo de una de estas orgías encontró a Mirrina, y al contemplar a la luz de la luna aquella belleza fresca, entera y casi infantil, en un lugar frecuentado por las inmundas *lobas*, se llevó las manos a los ojos como si temiera ser engañado por la turbación de la embriaguez. Era Psiquis de pechos firmes y redondos como una taza de armoniosa curva, con sus mismas líneas correctas y suaves, que hubieran desesperado a los escultores de la Academia. Y el poeta experimentó la misma satisfacción que cuando en una tarde de paseo a solas desde Atenas al Pireo, a lo largo de la muralla de Temístocles, encontraba el último verso de una oda.

Ella quiso llevarlo al antro de la tesaliana, pero Simalión, deslumbrado por las carnes de marfil que parecían brillar entre sus harapos, la condujo a su hermosa casa de la calle de los Trípodes, y allí quedó Mirrina como señora, con esclavas y lujosos vestidos.

Esta hazaña del poeta asombró a toda Atenas. En el Ágora y en el Cerámico sólo se hablaba de la nueva amante de Simalión. Gozó muchos días el éxito de la piedra preciosa olvidada y perdida en la arena que de repente brilla sobre la frente de un poderoso.

Las grandes hetairas, que nunca habían logrado conquistar por completo al veleidoso poeta, se asombraban viéndolo unido estrechamente a una jovenzuela salida de un dicterión y que recordaban ahora haber poseído muchos aventureros del Pireo. La llevaba en su carro, tirado por tres caballos de recortadas crines, a todas las grandes fiestas en los templos del Ática. Componía al amanecer versos en su honor y la despertaba declamándolos, entre una nube de flores que hacía caer sobre su lecho. Daba banquetes a los artistas amigos para gozarse en su envidia y su admiración cuando a los postres la hacía exhibirse desnuda sobre la mesa, con toda la magnificencia de su hermosura, que causaba en aquellos griegos una emoción religiosa.

Fiel a Simalión al principio por agradecimiento, y enamorada finalmente del poeta y de sus obras, Mirrina le adoró como maestro tanto como amante. En poco tiempo aprendió a tañer la lira y recitar los versos en todos sus estilos conocidos. Además leyó la biblioteca de su amante, hasta el punto de poder hacer frente a los convidados de aquellas cenas de artistas y ser citada entre las hetairas más ingeniosas de Atenas.

Simalión, cada vez más entusiasmado con su amante, derrochaba la vida y la fortuna. Hacía traer para ella de Asia mantos sutiles bordados de fantásticas flores, que transparentaban el nácar de su cuerpo; polvo de oro para cubrir sus cabellos, haciéndola semejante a las diosas que los poetas y los artistas de Grecia pintaban siempre rubias. Encargaba a los navegantes que comprasen rosas de Egipto de asombrosa frescura, y cada vez más macilento, la piel terrosa y la mirada de fuego, tosiendo y encorvándose entre los brazos de su amante, veía disminuir sus fuerzas.

Así pasó dos años, hasta que, tendido sobre el césped de su jardín, una tarde de otoño, con la cabeza apoyada en las rodillas de la hermosa, oyó por última vez sus versos cantados por la fresca voz de Mirrina, siguiendo el aleteo de los blancos dedos sobre las cuerdas de la lira. El sol poniente hacía brillar en lo más alto de la ciudad, como un ascua, la lanza de la Minerva del Parthenón. Su mano débil apenas si podía sostener la copa de oro llena de vino con miel. Hizo un esfuerzo para besar a su amante. Las rosas que le coronaban se deshojaron, cubriendo con una lluvia de pétalos el pecho de Mirrina, y lanzando un quejido de mujer cerró los ojos, cayendo sobre aquel regazo en el que había dejado los últimos restos de su vida.

La joven le lloró con desesperación de viuda enamorada. Cortó su espléndida cabellera para depositarla como una ofrenda sobre su tumba, y arrinconando los trajes deslumbrantes, vistió de lana oscura, como las atenienses de gran virtud, permaneciendo recluida en su casa, silenciosa y cerrada lo mismo que un gineceo.

La necesidad de vivir, de sostener aquel lujo al que estaba acostumbrada, de tener un carro y esclavas y palafreneros, la hicieron pensar en su hermosura, y las hetairas más célebres se alarmaron ante la nueva rival. Cubierta con una peluca de rojo oscuro para disimular la tonsura del dolor, y envuelta en finos velos de los que surgían su garganta redonda cubierta de perlas y los brazos frescos y alabastrinos cargados hasta los hombros de brazaletes, se mostraba en una ventana alta de su casa con la grave majestad de una diosa que aguarda el culto. Los más ricos de Atenas deteníanse al anochecer en la calle de los Trípodes para contemplar a «la viuda del poeta», como la llamaban con sorna las mujeres del Cerámico. Algunos, más osados, trémulos de deseo, levantaban el índice como una invitación muda. Pero en vano esperaban que ella contestase afirmativamente con el ademán acostumbrado de las hetairas, cerrando el pulgar y el índice en forma de anillo.

Muy pocos lograban entrar en casa de la famosa cortesana. Murmurábase que algunas noches, en momentos de fastidio, había abierto su puerta a jovenzuelos de los que modelaban sus primeras estatutas en los jardines de la Academia o recitaban sus versos desconocidos a los desocupados del Ágora; gente que sólo podía ofrecer al amor algunos óbolos o cuando más un dracma. En cambio, los ricos capaces de dar *stateras* de oro o varias *minas* se consideraban pobres para poder satisfacer las peticiones de Mirrina. Las cortesanas viejas se contaban al oído, con respeto y admiración, que un reyezuelo de Asia, de paso en Atenas, había dado a Mirrina por una noche dos *talentos* —lo que gastaba al año cualquier república de Grecia—, y que la hermosa hetaira, sin conmoverse ante tal fortuna, sólo le había permitido permanecer junto a ella el tiempo que tardase en vaciarse su *clepsydra*, pues, hastiada de los hombres, medía el amor por el reloj de arena.

Los mercaderes fabulosamente ricos, al llegar al Pireo, buscaban recomendaciones para entrar en casa de Mirrina. Abrumaban con presentes a los artistas vagabundos que eran amigos de la cortesana para ser admitidos en sus cenas, y más de uno, llegado al puerto con una flota cargada de ricas mercancías, las vendía antes de descargar las naves para quedarse en la casa del poeta, y regresaba a su país embarcado de limosna, satisfecho de su miseria al ver la envidia y el respeto que inspiraba a sus compañeros por haber sido amante de la famosa Mirrina.

Así conoció ella a Bomaro, un joven ibero, mercader de Zazintho, que había llegado a Atenas con tres naves cargadas de cueros. La cortesana se sintió atraída por su dulzura, que contrastaba con la rudeza de los otros negociantes, encanallados por la vida de los grandes puertos. Hablaba poco y ruborizándose, como si el mutismo de las largas permanencias en el mar le hubiese dado una timidez de virgen. Si le obligaban a contar sus aventuras de navegante, lo hacía con sencillez, sin mencionar los peligros arrostrados, y ante la cultura de los griegos mostraba una admiración infantil.

Mirrina, durante la cena en que se vieron por primera vez, sorprendió sus ojos fijos en ella, con la misma expresión de ternura y respeto que si mirase a una diosa de imposible posesión. Aquel navegante educado entre bárbaros, en una colonia remota que apenas si guardaba vestigios de la madre Grecia, empezó a interesar a la cortesana más que los jóvenes atenienses y los opulentos mercaderes que la rodeaban. Trémulo y balbuciente, pidió la limosna de una noche, y la pasó junto a ella con más admiración que placer, adornando su regia desnudez, enterneciéndose al oír su voz, que le hizo adormecerse, como si fuese un cálido arrullo maternal, acompañándose con la lira.

Al despertar quiso entregarle una fortuna, el producto de todo su cargamento; pero Mirrina, sin saber por qué, se negó a aceptarlo, a pesar de sus protestas. Él era rico y no tenía padres. Allá lejos, en aquel país de bárbaros, poseía inmensos rebaños, centenares de esclavos que cultivaban sus campos o trabajaban sus minas, grandes fábricas de alfarería y muchas naves como las tres que le aguardaban en el Pireo. Y al ver que la cortesana, sonriente y bondadosa, le trataba como a un niño pródigo, negándose a aceptar su dinero, compró en la calle de los Orfebres un prodigioso collar de perlas que era la desesperación de todas las hetairas, y lo envió a Mirrina antes de partir.

Después volvió muchas veces. Buscaba pretextos para no regresar a su país. Hacía vela con toda su flotilla, pero al descansar en el primer puerto aceptaba cargamento para Atenas, sin fijarse en el precio, y apenas llegaba al Pireo corría a casa de la cortesana. Sólo se decidía a partir otra vez cuando sospechaba en Mirrina el hastío de su presencia.

La cortesana acabó por acostumbrarse a este amante sumiso, siempre a sus pies, que deseaba morir por ella, mostrando su adoración con un apasionamiento de bárbaro, tan distinto de la escéptica y burlona cortesía de los atenienses. Llamábale «hermanito», y esta palabra, que las hetairas usaban con los amantes jóvenes, tomaba poco a poco en sus labios un calor de cariño sincero. Cuando tardaba en regresar de sus viajes a las islas cercanas, ansiaba su presencia, y apenas le veía entrar corría a él con los brazos abiertos, en un arranque de alegría jamás visto por sus otros amigos. No le amaba como al poeta; pero la sumisión apasionada de Bomaro era tan distinta a los apetitos inspirados por ella a los otros hombres, que acabó por despertar en Mirrina un sentimiento de gratitud.

Una noche, el ibero, que parecía preocupado, osó después de muchas vacilaciones exponerle su pensamiento.

No podía vivir sin ella; jamás volvería a Zazintho; había resuelto perder sus riquezas antes que dejar de verla. Prefería ser descargador en el muelle de Falero... Y a continuación, como quien toma carrera para salvar más pronto un obstáculo, le propuso apresuradamente hacerla su esposa, entregarle su fortuna, llevarla al risueño Zazintho, de campos floridos y montañas de color de rosa, tan semejantes a las del Ática.

Mirrina rió escuchándole; pero en su interior se sentía conmovida por la abnegación cariñosa del ibero. Para unirse a ella eternamente, saltaba aquel hombre por encima de su pasado vergonzoso en el dicterión y el Cerámico. Resistió con sonrisa burlona tales proposiciones; pero Bomaro era tenaz. ¿No estaba cansada de su vida, de verse deseada como un objeto de gran precio y despreciada al mismo tiempo por gentes groseras que se creían señores de su persona con sólo presentar su oro? ¿No le gustaría ser soberana en las costas de Iberia, rodeada de un pueblo que admirase sus talentos de ateniense...?

Bomaro acabó por vencer sus escrúpulos, y un día las cortesanas de Atenas vieron con asombro cómo era vendida la casa de la calle de los Trípodes y cómo las esclavas de Mirrina llevaban al puerto las riquezas amontonadas durante tres años de loca fortuna, depositándolas en las naves del ibero, que había puesto en los mástiles sus velas de púrpura para este viaje triunfal.

La cortesana, deseando tranquilizar a aquel hombre que se entregaba a ella tan completamente, quiso dejar en Atenas todo su pasado. Se propuso ser una mujer nueva, dejar de llamarse Mirrina, y después de hacer repetir a Bomaro los nombres más hermosos de las mujeres ibéricas, escogió el de Sónnica, por ser más grato a su oído.

Al llegar a Zazintho, el navegante y la griega se unieron en el templo de Diana en presencia del Senado, al que pertenecía el joven. La ciudad experimentó los efectos de aquel encanto que parecía emanar de la persona de Sónnica. Era como un soplo de la Atenas lejana que enloquecía a los comerciantes griegos de Sagunto, embrutecidos por su larga permanencia entre bárbaros.

En los banquetes, cuando a la hora de los vinos dulces cantaba ella los himnos de los grandes maestros, toda la juventud saguntina del barrio helénico sentía el deseo de caer a sus pies, adorándola como una diosa. Al año de vivir unidos, Bomaro notó en su riqueza la influencia de esta mujer, que al cambiar de vida se interesaba por las cosas materiales. Sónnica quería acallar con sus actos de buena administradora las murmuraciones de algunas ciudadanas virtuosas que recordaban frecuentemente su pasado de cortesana pródiga.

Vigilaba de lejos los trabajos del campo, los grandes rebaños, las fábricas de alfarería; iba a presenciar la llegada y descarga de las naves. Y de este modo la enorme fortuna de Bomaro se aumentó, resultando excelentes todos los negocios que aconsejaba ella con su voz lenta y armoniosa, tendida en un bosquecillo de laureles de su jardín, bajo la caricia del abanico de plumas de una esclava.

Bomaro, después de saciar los vehementes deseos de su amor, navegaba por las costas de Iberia, tranquilo de la buena marcha de sus asuntos y deseoso de acrecentar aún más aquella fortuna tan bien administrada por Sónnica. Ésta se había rodeado de una corte de hombres, a los que dirigía como una maestra. La juventud griega nacida en Sagunto la seguía para aprender los modales y costumbres de Atenas. Los maldicientes de la ciudad la llamaban «Sónnica *la Cortesana*», pero la plebe que recibía sus auxilios y los pequeños comerciantes que jamás acudían a ella sin resultado, la titulaban «Sónnica *la Rica*», y estaban dispuestos a pelearse con los que hablaran mal de ella.

Un invierno, a los cuatro años de unión, Bomaro pereció en un naufragio cerca de las columnas de Hércules, y Sónnica se vio dueña absoluta de una inmensa fortuna y señora de toda una ciudad, sobre la que imperaba por su riqueza y su buen corazón. Libertó esclavos en memoria del infortunado navegante, envió ofrendas valiosas a todos los templos de Sagunto, alzó en la Acrópolis un monumento funerario en memoria de Bomaro, haciendo venir para esto marmolistas de Atenas. Con sus liberalidades se hizo perdonar su origen, logrando que la ciudad, huraña y de costumbres austeras, tolerase su vida desenfadada y alegre, resurrección de las costumbres atenienses en medio de la sobriedad ibérica.

Pasado el luto de la viudez, dio cenas en su casa de campo que duraron hasta el alba; hizo venir del Ática famosas aulétridas, que con sus flautas enloquecían a la juventud saguntina. Sus naves emprendían viajes sin más objeto comercial que traerle raros perfumes del Asia, telas de Egipto y caprichosos adornos de Cartago. Su fama se extendió tan ampliamente tierras adentro, que algunos reyecillos de la Celtiberia llegaban a Sagunto con el deseo de conocer a esta mujer asombrosa, sabia como un sacerdote y hermosa como una deidad. Los griegos la admiraban, viendo acrecerse gracias a ella la influencia de su raza sobre los primitivos saguntinos. Y así vivía: sin entrar en su casa otras mujeres que las esclavas, flautistas y danzarinas; rodeada de hombres que la deseaban, pero sin entregarse a ninguno de ellos, tratándolos a todos con una franqueza varonil, permitiéndoles a veces enloquecedoras intimidades, pero sin llegar nunca a la regia limosna de su cuerpo, y pensando siempre en Atenas, la ciudad luminosa que guardaba su pasado.

Eufobias *el Filósofo*, al llegar a este punto de su relación, afirmaba con gran energía la pureza de Sónnica. A pesar de lo que pudieran decir las griegas del barrio de los mercaderes, Sónnica no tenía amantes: lo afirmaba él, que era la peor lengua de la ciudad.

Varias veces se sintió inclinada hacia alguno de sus comensales. Alorco, el hijo de un reyecillo de la Celtiberia, que vivía en Sagunto y frecuentaba mucho su casa, había causado en ella alguna impresión por su belleza varonil y fiera de hijo de las montañas. Pero en el momento decisivo siempre retrocedía Sónnica, como el que teme descender y confundirse con una raza inferior. El recuerdo del Ática ocupaba por completo su imaginación. De abordar a aquellas costas algún joven ateniense, bello como Alcibíades, cantando versos, modelando estatuas y mostrando habilidades y destrezas de los Juegos Olímpicos, tal vez habría caído en sus brazos. Pero su castidad se mantenía segura entre los celtíberos arrogantes que iban a todas las fiestas oliendo a caballo y con la espada pendiente de un hombro, o entre los afeminados hijos de comerciantes, rizados, chorreando perfumes y acariciando a los pequeños esclavos que les acompañaban en el baño.

—Tú, ateniense —dijo el filósofo—, debes presentarte a Sónnica; te recibirá bien... No eres un efebo —continuó, sonriendo burlonamente—; te blanquea la barba; pero tienes en tu figura la majestad de un rey de la *Ilíada*, y ¿quién sabe si llegarás a ser un día el heredero de las riquezas de Bomaro? Si esto ocurre, no olvides al pobre filósofo. Me contento con un odre de vino de Laurona, ya que ahora me condenas a la sed.

Y Eufobias rió, golpeando a Acteón en los hombros.

—Estoy invitado al banquete de Sónnica esta noche —dijo el griego.

—¿Tú también...? Allí nos veremos. A mí no me invitan, pero entro con el mismo derecho que un perro de la casa.

El Filósofo vio pasar por el centro del Foro a Alco, el pacífico ciudadano, que bajaba de la Acrópolis.

—Ése es uno de los pocos buenos que hay en esta ciudad. Me ensalza las ventajas de la virtud, me aconseja que trabaje, olvidando la filosofía, y encima me da siempre para beber. Hasta la noche, extranjero.

Y corrió hacia Alco, que, apoyado en su báculo, le veía venir con bondadosa sonrisa.

Acteón, viéndose otra vez solo, vagó por el centro del mercado. De pronto oyó a su espalda una voz infantil llamándole. Era Ranto, sentada en el suelo, entre los cántaros de leche ya vacíos y sus últimos quesos. Junto a ella estaba en cuclillas el pequeño alfarero. Comían una galleta dura y unas cebollas frescas y jugosas, disputándose cariñosamente los bocados entre grandes risas. La pastorcilla ofreció a Acteón un pedazo de queso y una torta, aceptando el griego con el reconocimiento del hambre. Parecía que era su destino recibir en Sagunto el sustento de manos femeninas. Dos veces le habían socorrido las mujeres desde que desembarcó.

Sentado entre los dos adolescentes, vio poco a poco despoblarse el mercado. Los pastores picaban sus rebaños hacia la puerta del Mar. Los jefes celtíberos, llevando sus mujeres a la grupa, hacían trotar sus caballos con el deseo de verse pronto en las aldeas de la montaña. Las carretas vacías rodaban perezosamente con dirección a los vicos y torres del agro saguntino.

Acteón vio de nuevo al pastor celtíbero bajo los pórticos, yendo de grupo en grupo, como un rústico torpe, para enterarse de las conversaciones. Al pasar cerca del griego le miró con aquellos ojos enigmáticos que despertaban en él un recuerdo indeterminado.

De repente, el pequeño alfarero se levantó y echó a correr, ocultándose tras la columnata del Foro.

—Es que ha visto a su padre —dijo Ranto—. Por allí viene Mopso. Baja de la Acrópolis.

Acteón salió al encuentro del arquero.

—Ha bastado mi palabra para que te admitiese el Senado. La ciudad necesitará pronto buenos soldados como tú. Los ancianos parecían alarmados esta mañana. Temen a Hanníbal, ese lobezno de Hamílcar, que acaudilla ahora los cartagineses. Creen que no llevará con calma nuestra amistad con los romanos y el castigo de los aliados que tenía aquí... Toma; esto es el adelanto que te hace la República.

Y entregó un puñado de monedas al griego, que éste guardó en su bolsa. Después quiso llevarle a su casa: conocería a sus hijos, comería con ellos. Pero el ateniense no aceptó, alegando su invitación al banquete de Sónnica.

Al alejarse el arquero, sintió Acteón el tormento de la sed, y recordando las recomendaciones del filósofo, entró en la casa de aquel romano cuyo vino de Laurona tanto entusiasmo inspiraba a Eufobias. Cambió en el mostrador un victoriato y le dieron una pátera de barro rojo en forma de barca llena de un vino negro coronado de brillantes burbujas. Dos soldados bebían en un rincón de la taberna: dos rudos mercenarios con caras de bandidos. El uno era íbero; el otro, de tez tostada y formas atléticas, parecía un libio, y sus mejillas encallecidas por el casco, así como el cuello y los brazos surcados de cicatrices, delataban al guerrero a sueldo que pelea con indiferencia desde la niñez lo mismo al servicio de un pueblo que al del pueblo contrario.

—Yo sirvo a Sagunto —decía el libio—, Estos mercaderes pagan mejor que los de Cartago. Pero créeme: aunque estoy satisfecho de servir a este pueblo, reconozco que se mete en mala aventura disgustando a Hanníbal. Mucho vale Roma; pero Roma está lejos, y ese cachorro de león se despereza a pocas jornadas de aquí. Hay que conocerlo; hay que haberlo visto desde que era niño, como lo vi yo, cuando militaba a las órdenes de su padre Hamílcar. Corre como una yegua; lo mismo combate a pie que a caballo; come lo que hay o no come; va vestido como un esclavo. Todo su lujo lo pone en las armas. Duerme en el suelo, y muchas veces, al amanecer, lo encontraba su padre tendido entre los centinelas del campamento. No quiere que le cuenten nada. Necesita verlo todo por sus propios ojos, mezclarse con los enemigos para estudiar de cerca su punto flaco. Muchas veces, Hasdrúbal, el marido de su hermana, se asombró al ver entrar en su tienda a un viejo mendigo. Luego reía a carcajadas viendo cómo se arrancaba Hanníbal la peluca y los harapos, bajo los cuales había pasado algunas horas entre los enemigos.

Acteón salió de la taberna apresuradamente al ver que Ranto, después de entregar sus cántaros a un esclavo, que los cargaba en su carreta, emprendía la marcha hacia la quinta de Sónnica.

—Iré contigo, pequeña. Me servirás de guía hasta la casa de tu señora.

Comenzaba a descender el sol. La luz de la tarde doraba el follaje del agro, dando a las hojas de las vides

80

una transparencia de ámbar. En los caminos sonaban las esquilas del ganado, el chirrido de las carretas, el canto soñoliento de los rústicos que volvían de la ciudad.

Llegaron a la quinta de Sónnica, grande como un pueblo. Pasaron primeramente ante las viviendas de los esclavos, junto a cuyas puertas se agitaba un enjambre de niños desnudos, de grueso abdomen y ombligo saliente como un botón. Después vio las cuadras, de las cuales salía un vaho ardoroso cargado de mugidos y relinchos; las trojes, los graneros, la casa de intendente, los calabozos para los esclavos rebeldes, con sus respiraderos al ras del suelo; el palomar, alta torre de ladrillos rojos en torno a la cual aleteaba una nube de plumas blancas con incesantes arrullos; las chozas de paja que servían de albergue a centenares de gallinas. Detrás de esta serie de edificios apareció la quinta de recreo, la vivienda de Sónnica, de la que se hablaba con admiración hasta en las remotas tribus de la Celtiberia, rodeada de cipreses, laureles y retorcidas parras, asomando por encima de esta masa de follaje sus paredes de color de rosa con frisos y columnatas de mármol azul y su terraza coronada por estatuas policromas, cuyos ojos de esmalte brillaban lo mismo que piedras preciosas... Acteón caminaba silencioso y preocupado. Hacía media hora que Ranto le hablaba sin obtener contestación.

—Extranjero: todos los campos que alcanza tu vista son de Sónnica. Mira cuántas gallinas. Casi todos los huevos que consume la ciudad proceden de aquí.

Pero Acteón no se fijaba en las indicaciones de la pastorcilla. Cuando ésta llamó a la puerta del jardín, contestando del interior el ladrido de varios perros y extraños chillidos de aves, el griego se dio un golpe en la frente, cual si acabase de hacer un descubrimiento.

—Ya sé quién es —dijo.

—¿Quién? —preguntó asombrada la joven.

—Nadie —contestó con la severidad del que teme haber dicho demasiado.

Pero interiormente estaba satisfecho de su descubrimiento. Al recordar las palabras del mercenario libio en la taberna, había resurgido en su memoria la figura de aquel pastor celtíbero tan enigmático. De pronto se inundó de luz su pensamiento.

Ya sabía quién era. Por algo le habían impresionado desde el primer momento las miradas de aquel desconocido. Los ojos no cambian nunca, por años que transcurran; es lo único eterno en el rostro. Aquellos ojos los había visto muchas veces en su niñez, cuando su padre hacía la guerra en Sicilia con Hamílcar y él se educaba en Cartago.

El pastor era Hanníbal.

Capítulo III

LAS DANZARINAS DE GADES

Dos horas después del mediodía despertó Sónnica. Los rayos oblicuos del sol se filtraban entre las varillas doradas de la ventana y el follaje de las parras. Su luz coloreaba los vivos estucos que servían de marco a las escenas de los Juegos Olímpicos pintadas en el muro y las columnillas de mármol rosa que adornaban la puerta.

La hermosa griega arrojó al suelo las cubiertas de blanco lino de Sætabis, y su primera mirada al despertar fue para su desnudez, siguiendo con ojos cariñosos todos los contornos de su cuerpo, desde el seno, hinchado por redondeces armoniosas, hasta el extremo de sus rosados pies.

La cabellera opulenta, perfumada y de sedosos bucles, descendiendo a lo largo de su cuerpo, la envolvía como un regio manto de oro, acariciándola de la nuca a las rodillas con un suave beso. La antigua cortesana, al despertar, admiraba su cuerpo con la adoración que habían infundido en ella los elogios de los artistas de Atenas.

Aún era joven y hermosa; aún podía hacer temblar de emoción a los hombres al final de un banquete, mostrándose, sobre la mesa, desnuda como Friné. Sus manos, ávidas de embriagarse con el tacto de su hermosura, acariciaban la redonda y firme garganta, los globos de nácar terminados por un sutil pétalo de rosa, apreciando su firme elasticidad y la tortuosa red de venillas azules que se dibujaban débilmente bajo la satinada epidermis. Después bajaban y bajaban, rozando las entradas del talle, las fuertes caderas, el vientre de curva suave, semejante a la de una crátera, y las piernas, cuya armoniosa redondez, era comparada en otros tiempos a la trompa del elefante por los mercaderes asiáticos que la visitaban en Atenas.

El amor había pasado sobre ella su lengua de fuego sin consumirla. Había vivido en medio de sus ardores fría, insensible y blanca, como la estatua de mármol bajo el resplandor del sol. Y al verse joven aún, hermosa y con una frescura de virgen, sonreía satisfecha de sí misma, contenta de la vida.

—¡Odacis...! ¡Odacis!

Entró una esclava celtíbera, alta, enjuta, fuerte, a la que apreciaba la griega por la suavidad con que sabía peinar sus cabellos. Apoyándose en sus hombros, se incorporó sonriente y saltó del lecho para entrar en el baño.

Su desnudez se envolvía en la cabellera como en transparente velo de oro. Al posar sus pies desnudos sobre el pavimento, que representaba el Juicio de Paris, la frialdad del mosaico la hizo reír con agradable cosquilleo y su risa marcó suaves hoyuelos en las mejillas, haciendo estremecer por acción refleja sus curvas dorsales.

Descendió tres escalones y se arrojó en la piscina de jaspe, moviendo los brazos, que hacían saltar del agua diminutas perlas. Su cuerpo, al través del agua verdosa, adquirió una transparencia ideal, un brillo de aparición, moviéndose de un lado a otro como una sirena de espaldas de nácar con la cabellera flotante.

—¿Quién ha venido, Odacis? —preguntó tendiéndose de espaldas en la piscina.

—Han venido las mujeres de Gades que bailarán esta noche. Polyantho las alojó junto a las cocinas.

—¿Y quién más...?

—Hace un momento llegó el extranjero de Atenas que encontraste esta mañana en el templo de Afrodita. Le he hecho entrar en la biblioteca y no he olvidado ninguno de los deberes de la hospitalidad. Ahora acaba de salir del baño.

Sónnica sonrió pensando en su encuentro de la mañana. Había dormido mal. Lo atribuía a la noche en vela pasada con sus amigos en la terraza de la quinta, al caprichoso viaje al puerto antes de la salida del sol; pero pensó con cierta confusión en lo impresa que había quedado en su memoria la figura del ateniense, hasta el punto de que varias veces se le había aparecido durante su sueño. Sin saber por qué, asociaba la figura de Acteón a la de Zeus cuando en forma mortal bajaba a la tierra en busca del amor humano.

Muchas veces, durante su vida en Atenas, al pensar con repugnancia en sus caricias vendidas por montones de oro, la había acometido el vago deseo de ser amante de un dios. Pensaba en Leda, en Psiquis, hasta en el afeminado Ganimedes, amados por los huéspedes del Olimpo, y se enfurecía ante la imposibilidad de encontrar un dios que la poseyera en un bosque misterioso o al borde de uno de esos senderos a cuyo final se abre lo desconocido. Quería contemplar su imagen en el fondo de unos ojos animados por el resplandor de lo infinito; besar una boca que sirviese de puerta a la suprema sabiduría; sentirse esclava entre unos brazos que tuviesen la inmensa fuerza de la omnipotencia. Había gustado una pequeña parte de este placer amando a su poeta, majestuoso y sublime en ciertos instantes, como un ser divino; pero la simplicidad de su adolescencia no le dejó apreciar plenamente tal deleite, y ahora, en el refinamiento de su madurez, sólo encontraba hombres como los que había conocido en Atenas, rudos y brutales unos, afeminados y burlones otros, sin la belleza grave y soberana admirada en las estatuas.

Salió del baño suspirando con infantiles y graciosos estremecimientos, mientras su cabellera esparcía una menuda lluvia a cada paso.

Odacis llamó y entraron tres esclavas, que eran las que la ayudaban en el tocador de su señora: las *tractarices*, encargadas del masaje de su cuerpo.

Sónnica se dejó manejar por las tres mujeres, que la frotaron con fuerza, estirando sus miembros para darles ligereza y soltura. Después se sentó en una silla de marfil, apoyando sus codos sonrosados en los delfines que formaban los brazos del asiento. En esta posición, erguida e inmóvil, esperó que las esclavas procediesen a su tocado.

Una, que era casi una niña, envuelta en una tela de anchas rayas, se arrodilló en el suelo sosteniendo un gran espejo de bronce cincelado, en el que pudo contemplarse Sónnica hasta más abajo del talle. Otra rebuscó en las mesas de mármol los objetos de tocador, alineándolos, y Odacis comenzó a alisar con peines de marfil la espléndida cabellera de su señora. Mientras tanto, la otra esclava se aproximaba con una pátera de bronce llena de pasta gris. Era la harina de habas usada por las elegantes de Atenas para conservar tersa y tirante la piel. Untó con ella las mejillas de la griega y después los salientes pechos, el vientre, los flancos y las rodillas, dejando casi todo su cuerpo envuelto en una capa grasienta y lustrosa. En los sitios donde crece el vello puso algo de *dropax*, pasta depilatoria compuesta de vinagre y tierra de Chipre.

Sónnica asistía impasible a estos preparativos de su *toilette*, que la afeaban momentáneamente, para hacerla renacer todos los días más hermosa.

Odacis seguía peinándola. Agarraba la espléndida cabellera, perdiéndose sus dos manos en aquella cascada brillante; la retorcía dulcemente, enroscándola a sus brazos como una enorme serpiente de oro; volvía a esparcirla, separándola mechón por mechón para que se secase, y tornaba amorosamente a alisarla con los peines de marfil apilados en una mesa inmediata, verdaderos prodigios de arte, con púas finísimas y su parte superior cincelada, representando escenas de los bosques, ninfas arrogantes persiguiendo ciervos y sátiros hediondos dando caza a las beldades desnudas.

La peinadora, después de secar la cabellera, procedió a teñirla. Valiéndose de una pequeña ánfora rematada por largo pico, la humedeció con una disolución de azafrán y goma de Arabia, y abriendo una arquilla llena de polvo de oro, fue espolvoreando la sedosa y enorme madeja, que tomó la brillantez de los rayos del sol. Después, enroscando los mechones de las sienes a un molde de hierro puesto en un braserillo, fue formando apretados rizos, que cubrieron la frente de la griega hasta cerca de los ojos; recogió la masa de cabellos sobre la nuca, sujetándolos con una cinta roja fuertemente entrelazada, y rizó el vértice del peinado, imitando el ondulante llamear de una antorcha.

Sónnica se levantó. Dos de las esclavas aproximaron una pesada ánfora de barro llena de leche, y con una esponja lavaron el cuerpo de su señora cerca de la piscina, limpiándola de la pasta de habas. La tersa blancura de su piel volvió a salir a luz más fresca y jugosa.

Odacis, teniendo en su diestra unas pinzas de plata, vigilaba el cuerpo de su señora con la atención y el ceño fruncido del artista que prepara una grande obra. Era la encargada de la depilación. Su mano ligera merecía elogios por la suavidad con que arrancaba el vello y perseguía obstinadamente por todos los contornos entrantes y salientes del cuerpo el más ligero musgo para hacerlo desaparecer. Sus pinzas arrancaron algunas briznas finísimas que empezaban a surgir bajo la dulce curva del vientre, allí donde la naturaleza tiende a cubrirse de oscura y aterciopelada vegetación. La costumbre griega destruía implacablemente el pelo oculto, queriendo imitar la tersa limpieza de las estatuas.

Volvió a sentarse Sónnica en la silla de marfil y comenzó el arreglo del rostro. En las inmediatas mesillas alineábase un verdadero ejército de frascos de vidrio, vasos de alabastro, botes de bronce y plata, cajitas de marfil y oro, todo cincelado, brillante, cubierto de delicadas figurillas, adornado de piedras preciosas, conteniendo esencias egipcias y hebreas, aromas de Arabia, perfumes y afeites embriagadores traídos por las caravanas del interior del Asia a los puertos fenicios, trasladados de allí a Grecia o a Cartago, y comprados para Sónnica por los pilotos de sus barcos en las arriesgadas correrías comerciales.

Odacis le pintó el rostro de blanco. Después, mojando un pequeño estilete de madera en esencia de rosas, lo hundió en un bote de bronce adornado con guirnaldas de loto y lleno de un polvo negro. Era el *kohol*, que los mercaderes egipcios vendían a un precio fabuloso. La esclava aplicó la punta del estilete a los párpados de la griega, tiñéndolos de un negro intenso y trazando una fina línea en el vértice de los ojos, que dio a éstos más grandeza y dulzura.

El tocado llegaba a su fin. Las esclavas abrieron los innumerables frascos y vasos alineados sobre el mármol, y empezaron a esparcirse confundidos los costosos perfumes: el nardo de Sicilia, el incienso y la mirra de Judea, el áloe de la India, el comino de Grecia. Odacis cogió una pequeña ánfora de vidrio incrustada en oro, con un tapón cónico terminado por fina punta que servía para depositar sobre los ojos el antimonio que aviva la mirada. Después de terminar esta operación, ofreció a su señora las tres unturas para dar color a la piel en diferentes gradaciones: el minio, el carmín y el rojo egipcio sacado de los excrementos del cocodrilo.

Delicadamente, la esclava fue coloreando con fino pincel el cuerpo de su señora. Trazó una nubecilla de pálido arrebol en las mejillas y las diminutas orejas; marcó dos manchas como pétalos de rosa en los titilantes extremos de sus pechos; acarició con su pincel el botón de la vida, que se marcaba apenas en medio de la tersa suavidad del vientre, y poniéndose detrás de Sónnica, coloreó también sus codos y los hoyuelos que se marcaban más abajo del talle, en las protuberancias de sus nalgas redondas y armoniosas. Luego, con rojo egipcio, fue tiñéndole una por una las uñas de los pies y las manos, y otra esclava le calzó unas sandalias blancas con suela de *papyrus* y broches de oro. Caían los perfumes sobre ella, cada uno en distinta parte de su cuerpo, para que éste fuese como un ramo de flores en el que se confundían diferentes aromas.

Odacis le presentó el cofrecillo de las joyas, dentro del cual temblaban las piedras preciosas como peces inquietos y deslumbrantes. Los afilados dedos de la griega revolvieron con indiferencia el montón de collares, sortijas y pendientes, que como todas las joyas griegas, eran más preciosos por el trabajo de los artistas que por la riqueza de las materias. Las escenas de los grandes poemas aparecían reproducidas casi microscópicamente en camafeos de cornalina, ónix y ágata, y las esmeraldas, topacios y amatistas estaban adornados con puros perfiles de diosas y héroes.

Sobre el desnudo pecho de Sónnica se enroscó un collar de piedras de complicadas vueltas; los dedos de sus manos se cubrieron de sortijas hasta las uñas, y la blancura de sus brazos pareció diáfana cortada a trechos por el brillo de anchos brazaletes de oro. Para dar más expresión al rostro, Odacis adornó a su señora con algunos ligeros lunares, y después comenzó a anudar en torno a su cuerpo la *fascia*, el corsé de la época, una ancha faja de lana que sostenía los globos del pecho para que conservasen su saliente rigidez.

Sónnica, contemplándose en el pulido bronce, sonrió a su imagen, desnuda y hermosa, como una Venus en reposo.

—¿Qué traje, señora? —preguntó Odacis—. ¿Quieres la túnica de flores de oro que te trajeron de Creta, o los velos de *kalasiris*, transparentes como el aire, que mandaste comprar en Alejandría...?

Sónnica no llegó a decidirse; escogería en la habitación donde guardaba sus vestidos. Y con toda la majestad de su hermosa desnudez, haciendo crujir a cada paso el *papyrus* de las sandalias, salió de su dormitorio seguida de las esclavas.

Mientras tanto, Acteón esperaba en la biblioteca. Había visto grandes palacios en sus correrías por el mundo, había contemplado —dos años antes del terremoto que lo arruinó— el célebre coloso de Rhodas; conocía el Seraphion y la tumba del gran conquistador en Alejandría; estaba habituado a la riqueza y al fausto, y sin embargo no podía ocultar la sorpresa que le causaba esta casa griega en un país bárbaro, más lujosa y artística que la de los ciudadanos ricos de Atenas.

Guiado por un esclavo y dejando atrás el jardín, con sus follajes rumorosos y sus gritos de pájaros exóticos, había atravesado la columnata que daba entrada a la quinta. Primero el *prothyrum*, con su zócalo de mosaico, en el que se veían pintados feroces perros negros con ojos de fuego y abierta la rabiosa y babeante boca, erizada de colmillos.

Sobre la puerta estaba clavada una rama de laurel junto a una lámpara en honor de los dioses tutelares de la casa. Después del *prothyrum*, algo lóbrego, se veía a cielo abierto, como un pulmón del edificio, el atrio con sus cuatro filas de columnas sosteniendo la techumbre y formando otros tantos claustros. En éstos se alineaban las puertas de las piezas interiores: hojas de madera con tres cuarterones ribeteados por clavos de cabeza gruesa.

En el centro del atrio abríase el *impluvium*, balsa rectangular de mármol para recoger las aguas de la techumbre, depositándolas luego en la cisterna. Entre las columnas erguíanse sobre pedestales grandes vasos de barro rojo cubiertos de flores. Cuatro mesas de mármol sostenidas por leones alados bordeaban el *impluvium*, y junto a éste alzábase una estatuilla del Amor que en días de fiesta dejaba escapar un chorro de agua.

Admiró el griego la esbelta robustez de las columnas, labradas en mármol azul, lo mismo que los zócalos de las galerías, color que daba a la luz del atrio una vaguedad difusa, como si el edificio estuviese sumergido en el mar.

Después el introductor le había entregado a Odacis, la esclava favorita, y ésta le había hecho pasar al *peristylum*, un segundo patio más grande que el atrio, que por su decoración policroma asombró al griego. Las columnas estaban pintadas de rojo en su parte baja, y después este color se mezclaba con el azul y el oro en las estrías y capiteles, esparciéndose por el artesonado del techo de los pórticos. En la parte descubierta del peristilo abríanse en el suelo una piscina profunda y de aguas límpidas, por las que pasaban los peces como relámpagos de oro. En torno a ella vio bancos de mármol sostenidos por hermes, mesas sustentadas por delfines de cola retorcida, macizos de rosas, entre cuyo follaje asomaban estatuillas blancas o de barro cocido en voluptuosas posiciones. Cubriendo las paredes del peristilo, entre las puertas de las habitaciones, había grandes pinturas de artistas griegos: Orfeo con su pesada lira, desnudo y llevando el gorro de Frigia, rodeado de leones y panteras que escuchaban sus cantos humillada la cabeza y ahogando el rugido; Venus surgiendo de las espumas; Adonis dejándose curar por la madre del Amor, y otras escenas loando la fuerza del arte y la belleza.

Acteón vio junto a él dos esclavos jóvenes que le condujeron al baño, y al salir de éste encontró de nuevo a Odacis, que le hizo entrar en la biblioteca, situada en el fondo del peristilo.

Era una gran habitación con pavimento de mosaico que representaba el triunfo de Baco. El joven dios, hermoso como una mujer, desnudo y coronado de pámpanos y rosas, cabalgaba sobre una pantera, tremolando el torso. Las pinturas de las paredes representaban pasajes famosos de la *Ilíada*.

Alineados sobre tablas estaban los libros más voluminosos, y los pequeños formaban haces, metidos en estrechos cestos de mimbre con forro interior de lana.

Se admiró Acteón de la riqueza de la biblioteca al contar más de cien libros. Representaban una verdadera fortuna. Los navegantes recibían de Sónnica el encargo de traerle cuantas obras notables encontrasen en sus viajes, y los libreros de Atenas le remitían igualmente los libros de entretenimiento más famosos que alcanzaban boga en su ciudad. Eran todos de *papyrus* con las bandas arrolladas en torno del *umbilicus*, cilindro de madera o hueso artísticamente tallado en sus extremos. Sus hojas, escritas solamente por una cara, tenían impregnada la otra de aceite de cedro para preservarlas de la polilla. Sobre la envoltura, pintada de púrpura, brillaba con letras de minio y oro el título de la obra, el nombre del autor y el índice de las materias. La copia de estos libros representaba la vida de muchos hombres, una suma de trabajo adquirida a costa de grandes cantidades. El griego se creyó rodeado en el silencio de la biblioteca por sombras augustas, y su mirada respetuosa fue del Homero, en viejo *papyrus*, deslucido por los años, y las obras de Thales y Pitágoras, a los poetas contemporáneos, Theócrito y Calímaco, cuyos volúmenes estaban desarrollados, delatando una lectura reciente.

Acteón oyó un ligero crujir de sandalias en el peristilo, y el cuadro de oro pálido que formaba en el suelo a la luz del patio a través de la puerta se oscureció con la sombra de una persona. Era Sónnica, vestida con una túnica blanca sutil. Como la luz daba en sus espaldas, todos los contornos adorables de su cuerpo se marcaron en masas negras a través de la nube diáfana del vestido.

—Bien venido seas, ateninese —dijo con voz estudiada y armoniosa—. Los que llegan de allá son siempre los señores en mi casa. El banquete de esta noche será en tu honor, pues nadie como un hijo de Atenas puede ser rey de la mesa y guiar las conversaciones.

Acteón, algo emocionado por la presencia de esta mujer hermosa envuelta en embriagadores perfumes, comenzó a hablar de la casa, del asombro que le había producido su magnificencia en aquel país bárbaro y la admiración que su dueña gozaba en la ciudad. Todos le habían hablado de Sónnica *la Rica.*

—Sí, me quieren; y algunas veces me censuran. Pero hablemos de ti, Acteón: cuéntame quién eres; tu vida debe ser interesante como la del viejo Ulises. Dime antes lo que hay de nuevo en Atenas.

Y por largo rato se desarrolló una charla incesante entre los dos griegos. Ella quería saber qué cortesanas eran las que triunfaban en el Cerámico e imponían las modas; alegre, satisfecha de recordar su pasado, rejuvenecida y olvidada de su majestuosa opulencia de Sagunto, como si aún estuviera en la casa de la calle de los Trípodes y Acteón fuese uno de los artistas pobres que la visitaban por la tarde para hablar con intimidad de camaradas de las cosas de la ciudad. Reía al escuchar las últimas agudezas de los desocupados del Ágora, la cancioncilla en boga un año antes, cuando Acteón salió de Atenas; y con el ceño fruncido y una gravedad de diosa, se enteraba minuciosamente de las postreras variaciones en el traje y el peinado de las hetairas más célebres.

Satisfecha su curiosidad de ateniense desterrada, quiso penetrar en la azarosa vida de su huésped, y Acteón la relató con sencillez.

Nacido en Atenas, había sido trasladado a Cartago a los doce años. Su padre, al servicio de la República africana, guerreaba con Hamílcar en Sicilia. Un mismo esclavo había cuidado en una aldea del interior al hijo del mercenario griego y a un cachorro de Hamílcar que sólo tenía cuatro años. Era Hanníbal.

El ateniense recordaba los golpes que había dado muchas veces a esta pequeña fiera, a cambio de los mordiscos con que el africano le sorprendía en medio de los juegos. Estalló la sublevación de los mercenarios con todos los horrores, que la convirtieron en guerra inexorable. Su padre, que había permanecido fiel a Cartago y no quiso tomar las armas como sus compañeros, fue a pesar de esto crucificado por el populacho cartaginés, que, olvidando sus heridas por la República, sólo vio en él al extranjero, al amigo de Hamílcar, odiado por los partidarios de Hanón. El hijo se salvó milagrosamente de las sangrientas represalias, y el fiel esclavo de Hamílcar lo embarcó para Atenas.

Allí, bajo la protección de unos parientes, recibió la educación de todos los jóvenes griegos. Conquistó premios del Gimnasio en la lucha atlética, la carrera y el juego del disco; aprendió a montar caballos faltos de freno sin más que apoyar el extremo del pie en una muesca de la lanza. Para templar la rudeza de esta educación le enseñaron a tañer la lira y cantar versos en diversos estilos. Luego, al verle fuerte de cuerpo y sano de inteligencia, fue enviado, como todos los jóvenes atenienses, a hacer su aprendizaje militar en las guarniciones de la frontera.

Le aburrió la pasividad de esta existencia. Era pobre y amaba los placeres. La sangre de sus antepasados, todos soldados de aventura, bullía en su cuerpo, y huyó del Ática para encargarse de una pesquería en el Ponto Euxino. Después fue navegante, comerció por mar y por tierra; sus caravanas se internaron en el Asia, a través de tribus belicosas o de pueblos que vivían en la molicie de una civilización remota y decadente. Fue personaje poderoso en la corte de algunos tiranos, que le admiraron viéndole beber de un solo golpe una ánfora de vino perfumado y vencer en el pugilato a los gigantes de la guardia con su ágil destreza de ateniense. Cargado de riquezas levantó un palacio en Rhodas junto al mar y dio fiestas que duraron tres días con sus noches. El terremoto que derribó al coloso acabó con su fortuna. Se hundieron sus naves, desaparecieron bajo las olas sus almacenes llenos de mercancías, y comenzó de nuevo la peregrinación por el mundo. En unos sitios fue maestro de canto, en otros educador militar de la juventud. En vano peleó como soldado en las últimas guerras de Grecia. Arruinado, sin ilusiones, convencido de que la riqueza no volvería a él, triste al ver que todo el mundo lo llenaban los nombres de Cartago y de Roma, olvidándose el de Grecia, había venido a refugiarse en Sagunto, pequeña República casi desconocida, en busca de pan y de paz, hasta que llegase su última hora. Tal vez en este retiro, si no lo estorbaba la guerra, escribiría la historia de sus viajes.

Sónnica escuchaba su relato con interés, fijando en Acteón una mirada de simpatía.

—Y tú, que has sido un héroe y un rico, ¿vas a servir a esta ciudad como simple mercenario...?

—Mopso el arquero me ha prometido distinguirme entre los demás soldados.

—No basta eso, Acteón. Tendrás que vivir como los otros: pasar tu vida en las tabernas del Foro, dormir en las gradas del templo de Hércules. No; tú tienes aquí tu casa; Sónnica te protege.

Y en sus ojos brillantes, agrandados por un círculo oscuro, se leía una piedad amorosa que tenía algo de maternal.

La contemplaba el ateniense, erguida en su asiento como una nube blanca, rodeada de la penumbra de la biblioteca, que, como todas las habitaciones griegas, no tenía más luz que la que entraba por la puerta.

—Vámonos al jardín, Acteón. La tarde es dulce y podremos creernos por un instante en los bosquecillos de la Academia.

Salieron de la casa para pasear por una avenida de altos laureles, sobre los cuales asomaban los plátanos, regados con vino para acelerar su crecimiento. En la terraza de la quinta, dos pavos lanzaban sus estridentes graznidos y daban vueltas en el filo de la balaustrada, extendiendo sus majestuosas colas.

Al contemplar bajo la luz del sol a su hermosa protectora, sintió Acteón correr por su cuerpo un estremecimiento de deseo. Llevaba como único vestido un *xitón*, una túnica abierta, sujeta a los hombros por un broche de metal y ceñida al talle por un cinturón dorado. Los brazos surgían desnudos de esta envoltura blanca, y el lado izquierdo de la túnica, cerrado del sobaco a la rodilla por pequeños broches, se entreabría a cada paso, revelando las nacaradas desnudeces. La tela era tan sutil, que a través de su transparencia marcábanse los contornos del cuerpo sonrosado, como si nadase desnudo en una envoltura de espuma tejida.

—¿Te asombra mi traje, Acteón?

—No; es que te admiro. Pareces Afrodita surgiendo de las ondas. Hace tiempo que no veo a las hermosas de Atenas mostrando su divina belleza. Estoy corrompido por viajes a través de los pueblos bárbaros, de rudas costumbres.

—Es verdad. Como dice Herodoto, los que no son griegos consideran como un oprobio mostrarse desnudos. ¡Si supieras cuánto escandalizaron al principio a las gentes de esta ciudad mis costumbres de ateniense...! ¡Como si en el mundo existiera algo más hermoso que la forma humana! ¡Como si el desnudo no fuese la suprema belleza! Adoro a Friné asombrando con su cuerpo sin velos a los viejos del Areópago, haciendo rugir de admiración a la muchedumbre que vio surgir sus blancas formas de entre las ropas como la luna entre las nubes. Creo en la belleza de sus pechos más que en el poder de los dioses.

—¿Dudas de los dioses? —preguntó Acteón con fina sonrisa de ateniense.

—Lo mismo que tú. Los dioses sólo pueden ya servir de modelo a los artistas, y si se toleran en el viejo Homero, es porque éste supo contar sus rencillas en hermosos versos. No, no creo en ellos. Son simples y crédulos como niños, pero los amo porque son sanos y hermosos.

—¿En qué crees, Sónnica?

—No sé... En algo misterioso que nos rodea y anima la vida. Creo en la belleza y el amor.

Se detuvo la griega con aspecto pensativo, y continuó:

—Aborrezco a los bárbaros. No es porque desconozca los esplendores del arte, sino por su odio al amor, que encadenan con toda clase de leyes y preocupaciones. Son hipócritas y deformes: hacen de la reproducción un crimen y aborrecen el desnudo, ocultando su cuerpo con toda clase de trapos, como si fuese un espectáculo abominable... ¡Cuando el amor sensual, el encuentro de dos cuerpos, es el sublime choque de que nacemos, y sin él se secaría la fuente de la vida, extinguiéndose el mundo...!

—Por eso somos grandes —dijo Acteón con gravedad—; por eso nuestras artes llenan la tierra y todos se inclinan ante la grandeza moral de Grecia. Somos el pueblo que ha sabido honrar la vida rindiendo culto a su origen. Satisfacemos sin hipocresía los impulsos del amor, y por eso comprendemos mejor que nadie las necesidades del espíritu. La inteligencia vuela mejor cuando no siente el peso del cuerpo atormentado por la castidad. Amamos y estudiamos. Nuestros dioses van desnudos, sin otro adorno que un rayo de luz inmortal sobre la frente. No piden sangre, como esas divinidades bárbaras envueltas en ropajes que sólo dejan al descubierto su faz ceñuda de asesinos. Son bellos como los humanos, ríen como ellos, y sus carcajadas, rodando por el Olimpo, alegran la tierra.

—El amor es el sentimiento más virtuoso: de él emanan todas las grandezas. Sólo los bárbaros lo calumnian, ocultándolo como una deshonestidad.

—Yo conozco un pueblo —dijo Acteón— en el que el amor, la divina fusión de los cuerpos, se mira como una impureza. Es Israel, una amalgama de tribus miserables acampadas en un país árido, en torno a un templo de bárbara construcción copiado a todos los pueblos. Son hipócritas, rapaces y crueles; por eso abominan del amor. Si un pueblo así llegase a obtener la grandeza universal de Grecia, si se enseñorease del mundo, imponiéndole sus creencias, se apagaría la eterna luz que brilla en el Parthenón; la humanidad andaría a oscuras, con el corazón seco y el pensamiento muerto, la tierra sería una necrópolis, todos cadáveres movibles, y pasarían siglos y más siglos antes que los hombres encontraran otra vez su camino, marchando de nuevo hacia nuestros risueños dioses, hacia la belleza, que alegra la vida.

Sónnica, escuchando al griego, se aproximaba a los altos rosales y arrancaba flores, aspirándolas con delicia. Se creía en el jardín de la calle de los Trípodes oyendo a su poeta, que la iniciaba en los dulces misterios del arte y el amor. Luego miraba dulcemente a Acteón, con una sumisión de esclava, diciendo «quiero» con los ojos, como si sólo esperase una palabra para caer en sus brazos.

El aire movía dulcemente todo el jardín. A través del follaje se veía el cielo de color de púrpura inflamado por la puesta del sol. Bajo los árboles empezaba a condensarse una misteriosa penumbra. Los ruidos del campo, el rebullir de la gente fuera de la quinta, hasta los gritos de los pájaros exóticos en la terraza, parecían venir de un mundo lejano.

Entre dos macizos de rosales erguíase una imagen de Príapo tallada en un tronco. El dios rústico sonreía con lúbrica expresión, arqueando el pecho velludo y avanzando las caderas para ostentar mejor su virilidad enorme pintada de rojo.

Sónnica se sonrió al notar que lo miraba el ateniense.

—Ya sabes que es antigua costumbre poner los jardines bajo la guarda de Príapo. Dicen que ahuyenta a los ladrones. Así lo creen mis esclavos. Pero si yo conservo al dios, es como símbolo de vida en medio de estas rosas, tan bellas como las de Pæstum. La brutalidad del gesto de Príapo completa la dulzura graciosa del Amor.

Los dos griegos se alejaron silenciosos, con paso tardo, por una avenida de cipreses, a cuyo extremo se abría una gruta con los peñascos tapizados de hiedra, dejando filtrar por sus aberturas una luz verde. Un amorcillo de mármol lanzaba con una concha un chorro de agua que parecía llorar dulcemente al caer en el tazón de alabastro. En este lugar pasaba la antigua cortesana las horas de más calor.

Acteón sintió en uno de sus hombros el roce mórbido y firme del pecho de la griega.

—¡Sónnica...!

Y acariciando el cinturón de oro de la griega, lo hizo caer al suelo. Los brazos frescos y satinados de la cortesana se anudaron a su cuello como sierpes de marfil. Su cabeza se frotó amorosamente contra los hombros de Acteón. Éste, al mirar hacia abajo, vio fijos en él unos ojos de color violeta, húmedos y dorados.

—Eres Atenas que vuelve —murmuró ella con dulce desmayo—. Cuando te encontré esta mañana en las gradas de Afrodita, creí que eras Apolo descendido al mundo... Y sentí en mis entrañas el fuego de los dioses... Imposible resistir... He despreciado al Amor por mucho tiempo... Pero el dios se venga ahora, y yo te deseo. Ven... ¡Ven...!

Y tiraba del cuello de Acteón con sus brazos entrelazados. Se soltaron los broches de la túnica, resbaló ésta a lo largo del cuerpo, y en el crepúsculo de la gruta brilló por algunos instantes con pálida luz la desnudez de la griega.

Eran nueve los convidados de Sónnica y llegaron al cerrar la noche, unos en carros, otros a caballo, pasando por entre los servidores con antorchas encendidas que guardaban la entrada de la quinta.

Cuando Sónnica y Acteón entraron en la sala del festín, estos convidados formaban grupos junto a los lechos de púrpura en torno a la curva mesa, cuyo mármol lavaban algunas esclavas con esponjas de agua perfumada. Cuatro lámparas enormes de bronce ocupaban los ángulos del *triclinium*. De sus brazos pendían con cadenillas un sinnúmero de cazoletas de aceite perfumado, en las que crepitaban las mechas, esparciendo una roja claridad. Guirnaldas de rosas y follaje se tendían de una a otra lámpara, formando un marco perfumado a la mesa del festín. Junto a la puerta que comunicaba con el peristilo, amontonábanse sobre mesas de labrada madera los platos, los vasos dorados y de plata, los agudos trinchantes de que habían de servirse los esclavos.

El celtíbero Alorco hablaba con Lacaro y otros tres jóvenes griegos de los que por su afeminamiento excitaban el escándalo de los saguntinos en el Foro. El arrogante bárbaro, por una costumbre de su raza, conservaba la espada hasta el momento del banquete, colgándola después del remate de marfil del lecho, para tenerla siempre al alcance de su mano.

En el otro extremo de la mesa conversaban tranquilamente dos ciudadanos de edad madura y Alco, el pacífico saguntino con quien habló Acteón por la mañana en la explanada de la Acrópolis.

Los dos viejos eran amigos antiguos de la casa, comerciantes griegos a los que Sónnica hacía partícipes de sus negocios e invitaba a sus fiestas nocturnas, apreciando la mesurada alegría que aportaba a la diversión.

Al entrar la enamorada pareja en la sala del festín, todos los convidados adivinaron su felicidad en los ojos húmedos y brillantes de Sónnica, en el desmayo con que inclinaba hacia Acteón su rubia cabeza coronada de rosas y violetas.

—Ya tenemos amo —murmuró Lacaro con voz envidiosa.

—Ha sido más feliz que nosotros —contestó el celtíbero con sencillez—. Al fin es un ateniense, y comprendo que Sónnica la insensible se ablande ante uno de los suyos.

Acteón, dándose a conocer a los convidados, iba por la sala con el aplomo de un poderoso que goza de sus riquezas. Procedía en todo como un hombre habituado a grandes esplendores que sabe sobrellevar la miseria en las horas malas, y luego, cuando un golpe de fortuna lo devuelve a la riqueza, recobra sin esfuerzo sus primitivas costumbres.

Obedeciendo a una indicación de Sónnica, se tendieron los convidados en los lechos de púrpura que oblicuamente rodeaban la mesa, y entraron en la sala cuatro jovencitas apenas llegadas a la adolescencia. Llevaban sobre sus cabezas, con la esbelta gracia de las canéforas, canastillas de mimbre con coronas de rosas. Andaban armoniosamente, como si se deslizasen sobre el mosaico al son de invisibles flautas, y sus finas manos de niña ciñeron de flores la frente de los comensales.

El intendente de la quinta entró en la sala con rostro irritado.

—Señora, Eufobias *el Parásito* se empeña en entrar.

Prorrumpieron en gritos y protestas los convidados al conocer la proximidad de Eufobias.

—¡Arrójalo, Sónnica! ¡Nos llenará de miseria! —gritaron los jóvenes, recordando con rabia las burlas que se permitía en el Foro sobre sus trajes y costumbres.

—Es una vergüenza para la ciudad tolerar a ese mendigo insolente —decían los ciudadanos graves.

Sónnica sonrió bondadosa. Pero de repente vino a su memoria un epigrama cruel que *el Parásito* le había dedicado días antes en el Foro, y dijo con frialdad a su intendente:

—Arrójalo a palos.

Los convidados lavaron sus manos en el chorro de agua perfumada que una joven iba vertiendo de lecho en lecho, y Sónnica dio orden de comenzar el banquete. Pero entró de nuevo el intendente empuñando todavía una estaca nudosa.

—Le he pegado, señora, y no quiere irse. Aguanta los golpes y cada vez se mete más en la casa.

—¿Y qué dice...?

—Dice que no es posible una fiesta de Sónnica sin la presencia de Eufobias, y que los golpes son señal de aprecio.

La hermosa griega pareció ablandarse. Rieron los comensales, y Sónnica dio orden para que entrase el filósofo. Pero antes de que saliera el intendente, ya Eufobias se había introducido en la sala, encogido, humilde, pero mirando a todos con ojos insolentes.

—Los dioses sean con vosotros. La alegría te acompañe siempre, hermosa Sónnica.

Y volviéndose al intendente, dijo con altanería:

—Hermano, ya ves que de todos modos acabo por entrar. Procura en otra ocasión tener la mano menos pesada.

Y mientras reían los convidados, se rascó la frente, en la que empezaba a marcarse un chichón, y con la punta de su viejo manto se enjugó algunas gotas de sangre junto a una oreja.

—¡Salud, piojoso! —gritó el elegante Lacaro.

—¡Lejos de nosotros! —vociferaron los otros jóvenes.

Pero Eufobias no se fijaba en ellos. Sonreía a Acteón, viéndole acostado junto a Sónnica, y sus ojillos brillaron con expresión maliciosa.

—Has llegado donde yo creía, ateniense. Tú dominarás a estos afeminados que rodean a Sónnica y me llenan de insultos.

Y sin hacer caso de las protestas de los jóvenes, añadió con una sonrisa servil:

—Creo que no olvidarás a tu viejo amigo Eufobias. Ahora ya puedes pagarle todo el vino que desee en las tabernas del Foro.

El filósofo ocupó un lecho en el extremo más apartado de la mesa y rechazó la corona que le presentaba una esclava.

—No vengo por flores: vengo a comer. Rosas las encuentro en el campo con sólo dar un paseo; lo que se encuentra en todo Sagunto es un pedazo de pan para un filósofo.

—¿Sientes hambre? —preguntó Sónnica.

—Mayor es la sed. He pasado el día hablando en el Foro. Todos me oían y a nadie se le ocurrió que debía refrescarme la garganta.

Hubo que elegir, según costumbre griega, el rey del banquete; el convidado predilecto encargado de proponer los brindis, de marcar el momento de beber y dirigir las conversaciones.

—Elijamos a Eufobias —dijo Alorco con su jocosidad grave de celtíbero.

—No —protestó Sónnica—. Un día le entregamos por broma la dirección del banquete, y antes de llegar al tercer servicio estábamos todos ebrios. A cada bocado propone una libación.

—¿A qué elegir rey? —dijo el filósofo—. Lo tenemos ya al lado de Sónnica. Que sea el ateniense.

—Que lo sea —dijo el elegante Lacaro—, y que no te permita hablar en toda la noche, insolente parásito.

En el centro de la mesa elevábase una ancha crátera de bronce, a cuyos bordes asomaba un grupo de ninfas de metal mirándose en el ovalado lago de vino. Cada comensal tenía detrás un esclavo para su servicio, y todos ellos llenaron en la crátera los vasos para la primera libación. Eran vasos de los llamados *mirrinos*, traídos a gran precio de Asia, de misteriosa fabricación, en la que entraba un polvo de conchas y mirra. Tenían la blanca opacidad del marfil, matizada con grecas de colores, y su pasta misteriosa daba al vino un sabor voluptuoso.

Incorporóse Acteón en su lecho para proponer la primera libación en honor a la divinidad predilecta.

—Bebe por Diana, ateniense —dijo la voz grave de Alco—. Bebe por la diosa saguntina.

Pero el griego sintió en la mano que le quedaba libre

otra fina y ensortijada envolviéndosela con tibia caricia.

El ateniense dedicó su libación a Afrodita, y los jóvenes prorrumpieron en gritos de entusiasmo. Afrodita debía ser la diosa de aquella noche; y mientras los jóvenes pensaban en las danzarinas de Gades, gran atractivo del banquete, Sónnica y Acteón, con los codos apoyados en los cojines y los bustos en el borde de la mesa, se acariciaban con los ojos, al mismo tiempo que sus cuerpos permanecían en cálido contacto.

Robustos esclavos, sudorosos por el fuego de las cocinas, dejaban sobre la mesa los manjares del primer servicio en grandes platos de arcilla roja saguntina. Eran mariscos servidos tal como fueron pescados o cocidos al rescoldo con gran cantidad de especias: ostras frescas, almejas, erizos aderezados con perejil y hierbabuena, espárragos, pepinos, lechugas, huevos de pavo real, un vientre de cerda sazonado con cominos y vinagre, y pájaros fritos nadando en una salsa de polvo de queso, aceite, vinagre y silvio. Además se servía a los convidados el *oxigarium*, fabricado en las pesquerías de Cartago-Nova: pasta de tripas de atún, cargado de sal y vinagre, que excitaba el paladar, obligando a beber vino.

El perfume de todos estos platos se fue esparciendo por la sala del festín.

—Que no me hablen de los nidos de ave fénix —dijo Eufobias con la boca llena—. Según afirman los poetas, el fénix embadurna su vivienda con incienso, cinamomo y canela, pero juro por los dioses que en ese nido no me encontraría tan bien como en el triclinio de Sónnica.

—Lo que no te impide, malvado —dijo la griega sonriendo—, dedicarme versos en los que me insultas.

—Porque te quiero y protesto por tus locuras. De día soy filósofo; pero en la noche el estómago me obliga a buscarte para que me peguen tus servidores y tú me des de comer.

Los esclavos retiraron los platos del primer servicio, colocando los del segundo, que era el de las carnes y los peces. Un pequeño jabalí asado ocupó el centro de la mesa. Grandes faisanes con el plumaje entero sobre las cocidas carnes se ostentaban en platos rodeados de huevos duros y olorosas hierbas. Los tordos formaban coronas enristrados en juncos. Las liebres, al ser partidas, mostraban su relleno de romero y tomillo, y las palomas campestres confundíanse con las codornices y los tordos. Los pescados eran innumerables y hacían recordar a los griegos los platos de su país, hablando entre bocado y bocado del glauco de Megara, la murena de Scione y las doradas y xifias de las costas de Falero y del Helesponto.

Cada convidado escogía en los platos los que más le gustaba, obsequiando con ello a sus amigos. Cruzábanse presentes, por medio de los esclavos, de un extremo a otro de la mesa. Nuevos vinos en ánforas selladas y polvorientas subidas de las cuevas derramábanse en las copas del festín. El vino de Cío, lejano y costoso, confundíase con el Cecubo, el Falerno y el Massico de Italia y los del campo de Laurona y del agro saguntino. Al perfume de estos líquidos uníase el de las salsas, en las que entraban, con las complicadas recetas de la cocina griega, el silfio, el perejil, el sésamo, el hinojo, el comino y el ajo.

Sónnica apenas comía. Olvidaba los platos, colmados de presentes de sus convidados, para sonreír a Acteón.

—Te amo —decía en voz baja al griego—. Parece que me haya hechizado una maga de Tesalia. Todo en mí está lleno de amor. ¿Ves estos peces...? Temo comerlos; creería cometer un sacrilegio: las rosas y los peces están dedicados a Venus, la madre de nuestra felicidad. Sólo deseo beber... beber mucho. Siento en mí un fuego que me acaricia y me consume.

Los convidados devoraban, tributando elogios al cocinero de Sónnica: un asiático comprado en Atenas por uno de sus navegantes. Le había costado casi el valor de una quinta; pero todos daban por bien empleado el gasto, admirando el arte con que sabía meditar en un rincón de la cocina sus asombrosas combinaciones, ejecutadas después por los otros servidores, así como su feliz invención del dátil y la miel para las salsas suaves de los asados. Con un esclavo tan sabio se podía ser feliz toda la vida y retardar la muerte muchos años.

Había terminado el segundo servicio. Los convidados se tendían ahítos en sus lechos, aflojándose las vestiduras. Para no incorporarse al beber, los esclavos les servían el vino en copas de alabastro en forma de cuerno, que dejaban escapar por su punta un hilillo de vino. La púrpura de los lechos se manchaba de bebida. Las grandes lámparas de los ángulos, con sus luces de aceite perfumado, parecían debilitarse en aquella atmósfera densa, cargada del vaho de los platos. Las guirnaldas de rosas tendidas de una lámpara a otra desfallecían en el pesado ambiente. Al través de la puerta veíanse las columnas del peristilo y un trozo de cielo azul oscuro, en el que parpadeaban las estrellas.

El pacífico Alco, incorporándose en el lecho, sonrió con la dulzura de una embriaguez tranquila, contemplando la belleza del cielo.

—Bebo por la hermosura de nuestra ciudad —dijo levantando el cuerno lleno de vino.

—¡Por la griega Zazintho! —gritó Lacaro.

—Sí; seamos griegos —contestaron sus amigos.

Y la conversación vino a parar en la gran fiesta que por iniciativa de Sónnica celebrarían los griegos de Sagunto en honor de Minerva al recolectarse la mies. Las fiestas Panatheas terminarían con una procesión semejante a la que se verificaba en Atenas, y que Fidias había eternizado sobre mármol en sus famosos frisos. Los jóvenes hablaban con entusiasmo de los caballos que montarían y de sus alardes de destreza, para los cuales se estaban preparando con frecuentes ejercicios. Sónnica patrocinaba las fiestas con su inmensa riqueza, y quería que éstas fuesen tan famosas como las que celebró Atenas al erigirse el Parthenón.

La juventud saguntina hacía correr sus caballos por la mañana fuera de las murallas, ansiosa de demostrar que montaba tan bien como los jinetes celtíberos. Los más pacíficos se proponían luchar en el Foro, lira en mano, para conseguir la corona dedicada al que mejor cantase los poemas de Homero. Después la procesión desarrollaría sus magnificencias por las calles de la ciudad subiendo a la Acrópolis, y en la tarde se verificaría la carrera del hacha, para que riese la gente silbando al que dejase apagar su antorcha y golpeando al que caminase con lentitud.

—Pero ¿es que realmente crees en Minerva? —preguntó Eufobias a Sónnica.

—Creo en lo que veo —contestó la griega—. Creo en la primavera, en la resurrección de los campos, en la mies que sale del surco para alimentar con sus cabelleras doradas a los humanos, en las flores, que son los pebeteros de la tierra, y sobre todas las diosas amo a Atenea por la sabiduría, que diviniza a los hombres, y a Minerva por su fecundidad, que los mantiene.

Los esclavos cubrían ahora la mesa con el tercer servicio, y los convidados, casi ebrios, se incorporaron en sus lechos al ver las canastillas llenas de frutas, los platos cubiertos de hojas de pasta dulce, enrolladas sobre el fuego al estilo de Capadocia, los buñuelos de harina de sésamo henchidos de miel y dorados por el calor del horno, las tortas con queso rellenas de frutas cocidas.

Destapábanse las ánforas pequeñas conteniendo los vinos más preciosos, traídos de los últimos confines del mundo por las naves de Sónnica. El vino de Biblos, en Fenicia, saturaba el ambiente con sus penetrantes olores lo mismo que una anforilla de tocador; el de Lesbos esparcía al derramarse un dulce perfume de rosas, y junto con ellos caían en las copas los de Eritrea y Heráclea, fuertes y espirituosos, los de Rhodas y Chío, mezclados prudentemente con agua del mar, para hacer más fácil su digestión.

Algunos esclavos, queriendo excitar de nuevo el apetito de los convidados y hacerles beber más, ofrecían platos con cigarras en salmuera, rábanos con vinagre y mostaza, garbanzos tostados y aceitunas *colimbadas* de picante adobo, apreciadísimas por su tamaño y sabor.

Acteón no comía. Sentíase turbado por el contacto de Sónnica. Ésta, saliéndose de su lecho, se apelotonaba contra él, frotando sus mejillas con las del ateniense y confundiendo sus alientos. Así permanecían silenciosos, contemplándose el uno en las pupilas del otro.

—Deja que te bese los ojos —murmuraba Sónnica—. Son las ventanas del alma, y me parece que penetra por ellos mi caricia hasta lo más hondo de tu pecho.

El arrogante Alorco, grave como un celtíbero en medio de su embriaguez, hablaba de las próximas fiestas, contemplando su copa vacía. Guardaba en la ciudad cinco caballos, los mejores de su tribu, y si los magistrados le permitían tomar parte en la fiesta a pesar de ser extranjero, los saguntinos quedarían admirados por la rapidez y el vigor de sus hermosas bestias. Para él, sería la corona si algún suceso inesperado no le obligaba a abandonar antes la ciudad.

Lacaro y sus elegantes amigos se proponían disputar el premio del canto, y sus manos de mujer, finas y ensortijadas, movíanse nerviosamente sobre la mesa como si ya estuvieran pulsando la lira, mientras sus bocas pintadas entonaban a media voz los versos homéricos.

Eufobias, tendido de espaldas en su lecho, miraba a lo alto con soñolientos ojos. Sólo tenía voluntad para tender la copa y pedir vino. Alco y los comerciantes griegos se impacientaban por la lentitud del banquete.

—¡Las danzarinas! ¡Qué vengan las hijas de Gades! —reclamaban con voces trémulas, brillándoles en los ojos la punta de fuego de la embriaguez.

—¡Sí; vengan las danzarinas! —gritó Eufobias saliendo de su estupor—. Quiero ver cómo esta honrada gente turba su digestión, que es el mejor trabajo del hombre, con los pasos lúbricos de las hijas de Hércules.

Sónnica hizo un signo a su intendente, y a los pocos instantes sonaron en el peristilo regocijados sones de flautas.

—¡Las aulétridas! —gritaron los convidados.

Y entraron en la sala del festín cuatro esbeltas muchachas, coronadas de violetas, con un *xitón* abierto desde el talle a los pies, que descubría a cada paso la pierna izquierda, y en la boca la doble flauta, sobre cuyos orificios corrían sus ágiles dedos.

De pie en el espacio que abarcaba la curva de la mesa, comenzaron a entonar una melopea dulcísima, que hizo sonreír plácidamente a los convidados, incorporados en sus lechos. Los más de ellos miraban a las aulétridas como antiguas conocidas y moviendo la cabeza al compás de la flauta, seguían con ojos ávidos el contorno de aquellos cuerpos, que agitaban sus pies acompañando el ritmo.

Numerosas veces cambiaron de tono y de compás las flautistas, pero al cabo de una hora los convidados parecieron aburridos.

—Esto lo conocemos ya —dijo Lacaro—. Son las flautistas de todos tus banquetes, Sónnica. Desde que pareces enamorada olvidas a tus amigos. Otra cosa; deseamos las danzarinas.

—¡Sí; que vengan las danzarinas! —gritaron los jóvenes.

—Tened calma —dijo la griega, separándose por un instante del pecho de Acteón—. Vendrán las danzarinas, pero será al final del banquete, cuando me rinda el sueño. Os conozco bien, y sé cómo terminará la fiesta. Antes quiero que admiréis a una pequeña esclava que ha aprendido de los marineros griegos a ser funámbula como las de Atenas.

Pero antes de que entrase la esclava, los convidados miraron alarmados a un extremo de la mesa. Un mugido de bestia salía de debajo de ella. Era Eufobias, que, caído de su lecho y con la cabeza sobre el mosaico, arrojaba la comida entre arroyos de vino.

—Dadle hojas de laurel —dijo el prudente Alco—. Nada mejor para disipar la embriaguez.

Los esclavos le hicieron mascar estas hojas casi a la fuerza, sin hacer caso de las protestas del filósofo.

—No estoy ebrio —gritaba Eufobias—. Es el hambre que me persigue. Los más de los días no encuentro pan, y cuando tropiezo con una mesa como la de Sónnica se me escapa lo que como.

—Di mejor lo que bebes —contestó Sónnica, volviendo a reclinar su cabeza en el pecho del griego.

La funámbula había aparecido ante la mesa y saludó a su señora llevándose las manos al rostro. Era una muchachuela de catorce años, de piel amarillenta, y sin otra vestidura que una faja roja arrollada debajo del vientre. Sus miembros nerviosos y ágiles y su pecho enjuto, sin más que una ligerísima hinchazón en los senos, la hacía parecer un muchacho. Los convidados viejos sonreían conmovidos por esta fresca esbeltez casi masculina.

Dio un grito, y doblándose con nerviosa elasticidad, quedó verticalmente sobre sus manos. Luego, con los pies en alto y la cabeza rozando el suelo, empezó a correr por el triclinio, y saltó finalmente sobre la mesa, trotando entre la confusión de sus ánforas y copas, sin derribarlas.

Los convidados aplaudieron con gritos de entusiasmo. Los dos comerciantes griegos le ofrecieron sus copas, pellizcándole las mejillas mientras bebía y bajando sus manos acariciadoras a lo largo de la espalda.

—Lacaro —dijo el filósofo a su elegante enemigo—, ¿por qué tú y tus camaradas no traéis aquí a los lindos esclavos que os sirven de apoyo en el Foro?

—Nos lo ha prohibido Sónnica —contestó el joven, satisfecho de la pregunta y sin adivinar la ironía de Eufobias—. Es una mujer superior; pero de las refinadas costumbres de Atenas, ésta es la única que se niega a aceptar. Sólo cree en Júpiter y Leda: el bello Ganimedes le indigna. Es una ateniense incompleta.

Algunos esclavos, bajo la dirección de su jefe, plantaron en el suelo filas de espadas de hoja ancha y aguda, para que la funámbula realizase la gran suerte. Las aulétridas hicieron sonar una melodía lenta y triste, y la funámbula, otra vez con la cabeza en el suelo, comenzó a marchar entre las espadas, sin derribarlas ni rozar sus filos. Los convidados, con la copa en la mano, la seguían ansiosamente por entre el bosque de agudos hierros, que podían clavarse en su cuerpo a la más leve vacilación. Deteníase junto a una espada, levantaba una mano, y apoyándose únicamente en la otra, encogía el brazo hasta besar el suelo; después volvía a ponerlo rígido, y en estos movimientos la cortante hoja le rozaba el vientre y el pecho, sin llegar a herir su piel.

Aplaudieron de nuevo los comensales cuando la muchacha concluyó su trabajo. Los dos viejos la obligaron a tenderse entre ellos, haciéndola casi desaparecer bajo sus amplias túnicas, dejando únicamente al descubierto su maliciosa cabeza de muchacho, que husmeaba las copas y las confituras.

—¡Sónnica! —protestó Lacaro—. ¿Cuándo se ha visto a la hermosa griega olvidar de tal modo a sus amigos? Atenienses que la enloqueces con tu amor, intercede por nosotros y haz que se presenten pronto las hijas de Gades.

Sónnica, adormecida sobre el pecho de Acteón, parecía embriagada por el calor de su cuerpo.

—Di que entren... que hagan lo que quieran... que nos dejen tranquilos.

Sonó en el peristilo un rumor de pasos, risas y cuchicheos, y empujándose como una escuela revoltosa, entraron en el triclinio las danzarinas de Gades.

Eran muchachas de pequeña estatura y miembros sueltos y ágiles, la piel de una palidez de ámbar, los ojos rasgados y luminosos, la cabellera negra y el cuerpo envuelto en flotantes velos de una transparencia difusa y engañosa, más excitante que la desnudez. Llevaban sobre el pecho y en piernas y brazos sartas de monedas y amuletos que chocaban con alegre tintineo a cada movimiento. Miraban a los convidados con fijeza, sin experimentar turbación alguna, como un rebaño acostumbrado a las fiestas, que marchaba de banquete en banquete, viendo sólo a los hombres en la hora de la embriaguez.

El jefe de la banda, un viejo arrugado, de mirada insolente, iba vestido como ellas, con velos femeniles, las mejillas pintadas, los ojos cercados de negro, grandes arracadas en las orejas y una sonrisa cínica en su boca de bermellón, pronta a aceptar las más infames proposiciones.

Eufobias, indiferente ante las gracias de las danzarinas, le contempló con admiración, obsesionado por la duda del sexo a que correspondían aquellos brazos esqueléticos pintados de blanco y recargados de joyas que asomaban entre los velos.

—Hermano, ¿eres hombre o mujer? —preguntó gravemente el filósofo.

—Soy el padrecito de todas estas flores —contestó el eunuco con voz aguda, mostrando al sonreír sus encías sucias y desdentadas.

Tres de las mujeres, puestas en cuclillas, comenzaron a hacer sonar los crótalos con sonoro repiqueteo, mientras otra golpeaba con una mano un tamboril de vientre cóncavo sostenido por el brazo izquierdo en forma de asa.

Dio el eunuco un golpe en el suelo con un palo, e inmediatamente cuatro parejas de danzarinas salieron al centro del triclinio, empezando a bailar al son de la bárbara y ruidosa música de sus compañeras. Danzaban con solemnidad, erguidas majestuosamente, extendiendo los brazos como si nadasen en el espacio, agitando con lentos vaivenes sus cuerpos morenos, que parecían flotar en el oleaje de espuma transparente que los envolvía. Poco a poco los movimientos fueron acentuándose. Eran gentiles desperezos que hacían remontarse los firmes pechos hasta asomar sus puntas entre los velos; contorsiones en las que giraba el tronco sobre las caderas; un contoneo incesante de las formas encerradas en aquella envoltura blanca y flotante, que al volar en mil pliegues con aleteo voluptuoso parecía conmover las luces de las lámparas.

De repente, a una señal del viejo, se cortó la música y cesó el baile.

—¡Más...! ¡Más! —gritaron los comensales, incorporados en sus lechos por la excitación de la danza.

Era un descanso para mudar de tono y avivar aún más el entusiasmo con esta breve calma. La música adquirió un ritmo vivo y ruidoso; el viejo comenzó a golpear con su bastón el suelo, lanzando un lamento prolongado, triste, de suave dulzura, que no parecía salir de su infecta boca. A continuación rompió a cantar con soñolienta lentitud unas estrofas de amor empleando palabras de doble sentido, que causaban el efecto de afrodisíacos, haciendo rugir de entusiasmo a los invitados.

Las danzarinas se lanzaron de un salto al centro del

111

triclinio, bailando apresuradamente como poseídas de la fiebre. Cada canción era un latigazo que excitaba sus nervios. Sus pies desnudos saltaban como pájaros de nieve sobre el mosaico o se elevaban con gentil vuelo, levantando las nubes de gasa de las faldas hasta dejar al descubierto una pierna bien modelada, con aros ruidosos que esparcían argentinos choques. Sus vientres, de suave curva, parecían adquirir vida aparte, y sobre el cuerpo, inmovilizado por una rigidez hierática, se movían como animales nerviosos, contrayéndose en circulares estremecimientos, formando un remolino de voluptuosas ondulaciones, del cual era el ombligo el sonrosado centro. Acompañábanse en la danza con el incesante chasqueteo de sus dedos. Recogiéndose las gasas bajo los brazos o ajustándolas a sus caderas, movían con voluptuoso ritmo sus redondeces de ánfora, suspirando y bajando los ojos, como subyugadas por la contemplación de su propia belleza. De repente, la música se ensordecía lo mismo que si se alejase, y las danzarinas, con los pies juntos y las piernas entreabiertas, descendían y descendían en lenta espiral, en suaves ondulaciones, hasta tocar el suelo, y de pronto, así que sus redondeces calípigas rozaban el mosaico, erguíanse como una serpiente que despierta, y los crótalos y el tamboril sonaban más ruidosamente entre los aullidos de las músicas, que las animaban con palabras de amor, con exclamaciones de supremo arrebato, lo mismo que si estuvieran al pie de un revuelto lecho.

Los convidados, rojos de emoción, los ojos chispeantes y la boca seca, se habían lanzado al centro del triclinio, interrumpiendo la danza, mezclándose con las parejas, separándolas. Eufobias roncaba al pie de su lecho. Sónnica había desaparecido desde mucho antes, saliendo del triclinio apoyada en una esclava, sin separar su cabeza del hombro de Acteón.

Las danzarinas, algo ebrias, devoraban las confituras y las frutas, bebían en las ánforas y sumergían sus cabezas en la crátera de las ninfas, para reír al verse con la cara manchada de vino. El eunuco seguía cantando y dando golpes furiosos en el suelo para marcar el ritmo a sus músicas. Era en vano; las que intentaban bailar no conseguían moverse entre las manos de los convidados, que a cada vuelta las golpeaban en sus redondeces, arrancándoles los velos. Los comensales jóvenes rodaban al pie de las lámparas, enloquecidos por aquellas hembras de sabia perversión, criadas en un puerto al que llevaban los navegantes los refinamientos y corrupciones del mundo entero. El celtíbero Alorco, brutal en su entusiasmo, paseaba por el triclinio con los brazos extendidos, haciendo alarde de sus fuerzas, sosteniendo en las nervudas manos dos danzarinas, que chillaban asustadas. Fuera, en la oscuridad del peristilo, adivinábase el avance disimulado de los esclavos y esclavas de las cocinas, que se acercaban arrastrándose para gozar de lejos el espectáculo de la bacanal.

Aún no había amanecido cuando despertó Acteón, extrañado indudablemente de la blandura de su lecho y los perfumes del dormitorio. Sónnica estaba a su lado, y a la luz de una lámpara colocada junto a la puerta, vio la sonrisa de felicidad que vagaba en sus labios.

De la embriaguez de la noche quedábale al ateniense un vehemente deseo de respirar el aire libre. Se ahogaba en la habitación de Sónnica, hundido en un lecho que parecía arder con el fuego de los anteriores arrebatos, cerca de aquel cuerpo adorable que, luego de estremecerse con el abandono de la embriaguez y la pasión, estaba inerte y sin otra vida que los suaves suspiros que hinchaban su pecho.

Quedamente y andando de puntillas, salió el griego al peristilo. Aún lucían las lámparas en el triclinio, y un vaho insoportable de viandas, vinos y cuerpos sudorosos salía por su puerta. Vio a los convidados tendidos en el suelo entre mujeres que roncaban, mostrando al cambiar de postura sus más recónditas desnudeces. Eufobias había despertado de su borrachera, y ocupando el lugar de honor, el lecho de Sónnica, se imaginaba ser dueño de la quinta. Arrebujado en su manto viejo, hacía bailar a dos danzarinas soñolientas, contemplando con fijeza desdeñosa sus miembros desnudos, como hombre que se considera por encima de los carnales deseos.

Al aparecer Acteón en el triclinio huyeron algunos esclavos, temerosos de ser castigados por su curiosidad. No queriendo ser visto por el filósofo, salió el griego de la casa, buscando la frescura del jardín. Notó en él la misma fuga ante sus pasos. Huían por las avenidas las enlazadas parejas; detrás de los macizos de follaje sonaban gritos de sorpresa al aproximarse el griego. En las últimas sombras de la noche, el jardín aparecía animado por una vida misteriosa, como si bajo sus bóvedas de verdura se buscase todo un pueblo entregándose al amor.

Eran los esclavos, que, excitados por la fiesta, continuaban a cielo abierto las escenas del triclinio.

Sonrió el griego, pensando que la fiesta iba a aumentar con nuevos siervos la riqueza de la señora.

—Que gocen del amor en paz. Interrumpir su placer equivaldría a perjudicar a Sónnica.

Y salió del jardín para no turbar la alegría del rebaño miserable, que, olvidando sus penas, se buscaba y unía en la penumbra del amanecer.

Fue atravesando el inmenso dominio de Sónnica, los bosques de higueras, los extensos olivares, hasta que de pronto se vio en el camino de la Sierpe. Nadie pasaba por él. De pronto empezó a sonar a lo lejos el galope de un caballo, y Acteón vio a la luz azulada del amanecer un jinete que sin duda se dirigía al puerto.

Al aproximarse lo reconoció sin vacilación el ateniense, a pesar de que llevaba cubierta la cabeza con la capucha de un manto de guerra. Era el pastor celtíbero. Lanzándose el griego al centro de la ruta, agarró el caballo por las bridas, al mismo tiempo que su jinete, echando el cuerpo atrás, tiraba del cuchillo oculto en su cintura.

—¡Quieto! —dijo Acteón en voz baja—. Si te detengo, es para decirte que te he conocido. Eres Hanníbal, el hijo del gran Hamílcar. Tu disfraz podrá servirte para los saguntinos, pero tu amigo de la niñez te reconoce.

El africano avanzó su melenuda cabeza, y sus ojos

imperiosos adivinaron al griego en la penumbra.

—¿Eres tú, Acteón...? Al encontrarte ayer tantas veces, comprendí que acabarías por conocerme. ¿Qué haces aquí...?

—Vivo en casa de Sónnica *la Rica*.

—He oído hablar de ella: una griega famosa por su belleza y su talento, como las cortesanas de Atenas. Me hubiese gustado conocerla, y creo que hasta la habría deseado si la misión de un hombre como yo fuese ir detrás de las mujeres... ¿Y no haces nada más?

—Soy guerrero a sueldo de la ciudad.

—¡Tú...! ¡El hijo de Lisias, que fue el capitán de confianza de Hamílcar! ¡Un hombre educado en el Pritáneo de Atenas al servicio de una ciudad de bárbaros y comerciantes...!

Calló algunos momentos, como asombrado de la conducta del griego, y añadió con resolución:

—Monta en las ancas de mi caballo: vente conmigo. En el puerto me espera una nave cartaginesa que carga plata. Voy a Cartago-Nova a ponerme al frente de los míos. Se acercan días de gloria. Voy a emprender una empresa inmensa y sublime como la de los gigantes cuando, amontonando montañas, escalaron vuestro Olimpo. Ven: tú eres el amigo de mi niñez. Te conocí antes que a Hasdrúbal y Magón, los hijos del Hamílcar, que el glorioso capitán me dio por hermanos, llamándonos a los tres «mis leoncillos»... Te conozco: eres astuto y valiente como tu padre; a mi lado conquistarás riquezas. ¡Quién sabe si reinarás en algún hermoso país cuando, imitando a Alejandro, reparta yo mis conquistas entre mis capitanes...!

—No, cartaginés —dijo Acteón, gravemente—. Recuerdo con placer nuestros primeros años, pero nunca iré contigo. Se opone tu raza, el pasado de tu pueblo, la sombra ensangrentada de mi padre.

—La raza no es más que una ficción; el pueblo un pretexto para hacer la guerra. ¿Qué más te da servir a Cartago que a otra República, si eres griego...? Si me abandonasen los míos, pelearía por cualquier país. Nosotros somos hombres de guerra, nos batimos por la gloria, por el poder y las riquezas. Las necesidades de nuestro pueblo sólo sirven para justificar nuestra victoria y para que despojemos al enemigo. Odio a los mercaderes de Cartago, pacíficos y pegados a sus tiendas, con la misma vehemencia que a los orgullosos romanos. Ven, Acteón; ya que nos hemos encontrado, sígueme. La fortuna va conmigo.

—No, Hanníbal; aquí me quedo. Viendo a tus soldados africanos recordaría al populacho que crucificó a Lisias.

—Fue un crimen inevitable, una locura de aquella guerra sin entrañas a que nos impulsaron los mercenarios. Mi padre lo lamentó mil veces, acordándose de su fiel Lisias. Yo repararé con mi protección aquella injusticia de Cartago.

—No te seguiré, Hanníbal. He dicho adiós a la guerra y al botín. Prefiero envejecer aquí, en esta vida tranquila y dulce, al lado de Sónnica, amando la paz como cualquiera de los saguntinos que viven en el barrio de los comerciantes.

—¡La paz...! ¡La paz...!

Una carcajada estridente y brutal, semejante a la que oyó Acteón en las gradas de Afrodita cuando se embarcaban los legados romanos, resonó en el silencio del camino.

—Oye bien, Acteón —dijo el africano, recobrando su gravedad—: la prueba de que aún guardo por ti mi afecto de la niñez, es la franqueza con que te abro mi pensamiento, ¡sólo a ti, entiéndelo bien...! Si durmiendo en mi tienda supiera al despertar que se había escapado en palabras lo que pienso, daría de puñaladas al centinela que guarda mi sueño... ¡Hablas de paz...! Despierta, Acteón. Si piensas envejecer tranquilo en alguna parte, huye con esa griega que amas, lejos, muy lejos de aquí. Donde yo esté no habrá paz mientras Hanníbal no sea el soberano del mundo. La guerra marcha ante mis pasos; el que no se someta a mí tiene que morir o ser mi esclavo.

El griego comprendió la amenaza que significaban tales palabras.

—Piensa, Hanníbal, que esta ciudad es Roma. La República romana la tiene como aliada y la protege.

—¿Crees que temo a Roma...? Si odio a Sagunto, es porque se muestra orgullosa de su alianza y me desprecia, a pesar de que estoy cerca. Se considera tranquila porque la protege esa República desde muy lejos, y ríe de mí, que reino sobre toda la Península hasta el Ebro y estoy acampado casi a sus puertas. Hostiliza a los turdetanos, que son mis aliados, como lo son todas las tribus iberas, y dentro de sus muros decapita a los ciudadanos que me aman, a los que fueron amigos del gran Hamílcar... ¡Ah, ciudad orgullosa y ciega! ¡Cuán caro va a costarte vivir cerca de Hanníbal sin conocerlo...!

Y volviendo su cabeza, miró con ojos amenazadores la Acrópolis de Sagunto, que empezaba a surgir entre sus brumas del amanecer.

—Roma caerá sobre ti apenas ataques a su aliada.

—Que venga —contestó el africano con arrogancia—; es lo que deseo. Me pesa la paz: no puedo acostumbrarme a ver Cartago vencida mientras existen hombres como yo y mis amigos. ¡O Roma o África...! Que venga cuanto antes el último choque, el esfuerzo supremo, y sea señor del mundo el pueblo que quede en pie... Odio a los ricos de mi país, porque viven felices en la vergüenza de la derrota a cambio de que los dejan comerciar tranquilos y llenar de plata sus cuevas. Son los miserables que, después de nuestras derrotas de Sicilia, soñaron con abandonar Cartago y trasladarse en masa a las islas del Mar Grande para vivir tranquilos. Son verdaderos cartagineses; fenicios sin más gloria que el cambio ni otra aspiración que encontrar puertos para dar salida a sus mercancías. Los Barca somos libios; descendemos de dioses. Tenemos, como ellos la grandeza de pensamiento; queremos ser señores o morir... Esos mercaderes no comprenden que no basta ser ricos, que es preciso dominar e infundir miedo, y forman en Cartago el partido de la paz, que amargó la vida de mi padre con derrotas y me deja aislado a mí, sin otros recursos que los que puedo procurarme en la Península. Desconocen a los Barca, a pesar de que hemos trabajado tanto por el poderío universal de Cartago. Mi padre, al perder Sicilia, vio en el porvenir la muerte de nuestro pueblo y quiso salvarlo. Habíamos perdido una gran parte de nuestro antiguo comercio; necesitábamos un ejército para defendernos de la ambiciosa Roma, y no lo teníamos. Los ciudadanos de Cartago son buenos, cuando más, para pelear en su propio suelo. El comerciante no resiste el peso de las armas ni consiente en caminar meses y años por países hostiles. La ganancia del botín conquistado con sangre la alcanza con más facilidad detrás de sus fardos, y como ama el dinero, no quiere pagar soldados extranjeros. Por eso Hamílcar nos trajo a la Península, y aquí hemos procurado a Cartago nuevos puertos y mercados, y los Barca tienen un ejército formado por ellos mismos. Poco importa que en el Senado cartaginés los amigos de la paz se nieguen a enviarnos soldados. Las tribus iberas amaron a mi padre después de poner a prueba su energía, y se levantarán en armas a la voz de los Barca contra el enemigo que les designemos.

Y Hanníbal miró con amor las lejanas montañas como si contemplase los innumerables pueblos bárbaros que vivían detrás de ellas arañando la tierra o apacentando rebaños.

—Cayó Hamílcar —dijo con tristeza— cuando iba a ver realizados sus ensueños: un gran Ejército para entrar de nuevo en lucha con Roma y riquezas propias que le permitirían sostener la guerra sin el auxilio de los mercaderes africanos. Hasdrúbal, el hermoso marido de mi hermana, perdió ocho años al sucederle. Era un buen gobernante, pero un caudillo tímido. Tal vez fue Baal, nuestro dios siempre iracundo, quien guió el brazo de su asesino, para que le sucediese otro hombre capaz de exterminar a la eterna enemiga de Cartago... Ése seré yo: óyelo bien, griego. Tú eres el primero que conoce mi pensamiento. Ha llegado el instante de reñir la última batalla. Pronto sabrá Roma que existe un Hanníbal y la desafía apoderándose de Sagunto.

—Tienes escaso poder para eso, africano. Sagunto

es fuerte, y yo, que vengo de Cartago-Nova, sólo he visto allí algunos elefantes, los restos del ejército que trajo tu padre y la caballería númida que enviaron vuestros amigos de África.

—Olvidas a los iberos y celtíberos, a toda la Península, que se levantará en masa para venir a la toma de Sagunto. Las tribus de la Península son pobres y la ciudad está abarrotada de riqueza. La he visto bien. Hay en ella para pagar un gran Ejército años enteros, y hasta de las costas del Mar Grande vendrán las tribus lusitanas, atraídas por la esperanza del botín y por el odio que los rudos naturales profesan a una ciudad opulenta y civilizada, donde viven sus explotadores. No será para Hanníbal gran empresa apoderarse de esta república de agricultores y mercaderes.

—¿Y después que seas dueño de ella...?

El africano no contestó, apoyando su barba en el pecho con una sonrisa enigmática.

—¿Callas, Hanníbal...? Yo te digo que luego que seas dueño de Sagunto nada habrás adelantado. Roma reclamará contra ti por haber violado sus tratados con Cartago, y el Senado cartaginés te maldecirá, pondrá tu cabeza a precio, ordenará a tus soldados que no te obedezcan, y morirás crucificado o vagarás por el mundo como un esclavo fugitivo.

—No, ¡fuego de Baa! —gritó el caudillo con arrogancia—. Cartago no intentará nada contra mí y aceptará la guerra con Roma, aunque hoy no la quiera. Tengo allá los numerosos partidarios de los Barca; el populacho, que quiere la guerra porque proporciona envíos de despojos y repartos públicos; toda la gente de los suburbios, cuyo entusiasmo mantengo enviando cuantas riquezas saco de la Península, después de pagar sus tropas. Hamílcar y Hasdrúbal hicieron lo mismo. Serían capaces de pasar a cuchillo a los ricos, si intentasen algo contra Hanníbal. No he vuelto a Cartago desde que seguí a mi padre a los nueve años; pero el pueblo adora mi nombre. Los del partido de la paz me seguirán a la guerra, si a la guerra los arrastro.

—¿Y cómo vencerás a Roma...?

—No sé —dijo Hanníbal con su misteriosa sonrisa—. Tengo en mi cabeza un mundo de pensamientos que tal vez provocaría la risa de mis amigos si yo relatase... Me veo como un titán escalando montañas inmensas, siguiendo caminos de águila, hundiéndome en la nieve, llegando hasta el cielo para caer con más fuerza sobre mis enemigos... No me preguntes más: nada sé. Mi voluntad dice: «quiero», y esto basta...

Calló Hanníbal, frunciendo el ceño, como si temiese haber dicho demasiado.

Ya era de día. Por el camino empezaron a pasar mujeres llevando cestos en sus cabezas. Dos esclavos sosteniendo en hombros una gran ánfora pendiente de un palo se detuvieron un momento para descansar junto a ellos. El africano acariciaba el cuello de su caballo, como preparándose a partir.

—Por última vez, griego: ¿vienes...?

Acteón hizo con su cabeza un movimiento negativo.

—Te conozco demasiado para rogarte que olvides tu encuentro con Hanníbal. Eres astuto y sabes que cuanto aquí hemos dicho se lo tragó el silencio del amanecer y a nadie debe repetirse. Sé feliz con tu nuevo amor y vive tranquilo, ya que, habiendo nacido águila para volar, quieres meterte en un corral. Si alguna vez eres mi enemigo y me combates, no te crucificaré ni serás mi esclavo. Te quiero, aunque no me sigues; no olvido que fuiste el primero que me enseñó a arrojar un dardo. ¡Que Baal te guarde, Acteón! Los míos me esperan en el puerto.

Y con el manto flotante, salió al galope entre una nube de polvo, atropellando a los campesinos y esclavos, que se arremolinaban en los bordes del camino para dejarle paso.

Capítulo IV

ENTRE GRIEGOS Y CELTÍBEROS

A nadie habló Acteón de este encuentro. Es más: a los pocos días casi lo había olvidado. Veía tranquila la ciudad, ocupada en preparar las grandes fiestas Panatheas, segura bajo la protección de su aliada Roma, y el recuerdo de la entrevista con el africano tomaba en su memoria la vaguedad de un ensueño.

Tal vez las palabras de Hanníbal no eran más que arrogancias de la juventud. Odiado por los ricos de su país y sin más auxilios que los que él mismo pudiera procurarse, no iba a acometer la audaz empresa de atacar a una ciudad aliada de Roma, violando con esto los tratados de Cartago.

Además, el griego vivía en dulce embriaguez; siempre entre los brazos de Sónnica o tendido en su regazo en la frescura del peristilo, escuchando las liras de las esclavas y las flautas de las aulétridas y contemplando las danzas de las de Gades, mientras su amante le ceñía de flores la cabeza o derramaba sobre él costosos perfumes.

Algunas veces, su inquieto espíritu de viajero y hombre de guerra avezado al movimiento y la lucha se rebelaba ante esta molicie. Entonces huía a la ciudad. Allí conversaba con Mopso *el Arquero* y escuchaba a los murmuradores del Foro, que, sin sospechar el paso de Hanníbal por Sagunto, hablaban de la posibilidad de que el caudillo africano intentase algo contra ellos. Todos reían de su poder, confiados en la fortaleza de sus muros y más aún en la protección de Roma, que repetiría sobre las costas de Iberia sus triunfos de Sicilia venciendo a los cartagineses.

Acteón contrajo gran amistad con Alorco el celtíbero. Le complacía la fiera altivez del bárbaro, su nobleza de sentimientos y el respeto casi religioso que mostraba ante la cultura griega. Su padre, viejo y enfermo, era reyezuelo de unas tribus que apacentaban en las montañas de la Celtiberia grandes rebaños de caballos y toros. Él era su único heredero y había de reinar algún día sobre aquella gente tosca, de costumbres feroces, que, en perpetua cuatrería, batallaba por robarse los caballos, y en los años de hambre descendía de las montañas para despojar a los labradores de las llanuras. Su padre le había llevado de niño a Sagunto, y tal efecto causaron en él las costumbres de los griegos, que, una vez mozo, su más vehemente deseo fue volver a la ciudad de la costa. En ella vivía con algunos servidores de su tribu y magníficos caballos, haciéndose el sordo a los cariñosos llamamientos del viejo jefe, próximo a la muerte, y siendo considerado por los saguntinos casi como un compatriota.

Su deseo era figurar en las fiestas Panatheas; que le admirasen los griegos de la ciudad galopando en las carreras para conquistar la corona de olivo. Se mostraba agradecido a Acteón, porque éste, valiéndose de la influencia de Sónnica, había logrado de los magistrados que el celtíbero figurase entre los jinetes de la gran procesión que subiría a la Acrópolis para llevar las primeras espigas al templo de Minerva.

122

En los días que el ateniense languidecía entre cánticos y perfumes, abrumado por las caricias de la griega, que parecía arder en el fuego de la última pasión de su existencia, saltaba del lecho al amanecer, se echaba el arco a la espalda, y seguido por dos hermosos perros, corría el agro de Sagunto, dando caza a los gatos monteses que bajaban de las cercanas montañas.

En una de estas correrías tuvo un encuentro. Era mediodía; los perros, jadeantes de calor, se detuvieron ladrando ante un bosque de higueras seculares, cuyas ramas llegaban al suelo, formando sombríos pabellones de hojas. Acteón, haciendo callar a sus bestias, avanzó cautelosamente con el arco preparado, y al separar la cortina de follaje, vio en el centro de una plazoleta formada por los árboles a sus dos amigos Ranto y Eroción.

El muchacho estaba sentado en el suelo ante un pedazo de arcilla roja que iba modelando con lentitud, frunciendo el entrecejo y silbando penosamente. La pastorcilla, completamente desnuda, con el impudor de una belleza sana e inocente, satisfecha de ser admirada, sonreía a Eroción, coloreándose sus mejillas ligeramente cada vez que el artista levantaba sus ojos de la arcilla para fijarlos en la modelo.

Acteón bebió con la mirada las formas de aquel cuerpo primaveral. Sentía el entusiasmo de los griegos ante la belleza replegada en sí misma por el ardor de la pubertad. Admiraba sus senos tiernos y pequeños como capullos surgiendo apenas del cuerpo; las caderas de ligera curva; la línea que descendía de la nuca a los pies con suavísimas ondulaciones; aquella gracia de efebo hermoso y fuerte unida al encanto del sexo. Su gusto de refinado admiró la frescura de estas formas, comparándolas mentalmente con las opulencias soberbias pero un tanto maduras de Sónnica.

Ranto, al ver asomar entre las hojas la cabeza del griego, dio un grito penetrante y corrió a ocultarse detrás de un tronco de higuera en busca de sus ropas. Sonaron al otro lado del follaje los esquilones de las cabras, asustadas por el grito de la pastorcilla, y algunas de ellas asomaron sus hocicos brillantes, sus ojos húmedos y sus cuernos retorcidos.

—¿Eres tú, ateniense? —dijo Eroción, levantándose con un gesto de mal humor—. Has asustado a Ranto con tu inesperada presencia.

Después añadió con cierta animosidad:

—Ranto es tu esclava, ya lo sé. Y también sé que eres el dueño de la alfarería donde yo trabajo. Has subido mucho desde la mañana que te encontramos en el camino de la Sierpe. Dispones de Sónnica *la Rica*; el amor la ha hecho tu esclava.

—No soy amo de nadie —dijo el griego con sencillez—. Soy vuestro amigo, y recuerdo que el primer pan que comí en la ciudad lo recibí de vuestras manos.

Eroción pareció adquirir confianza con estas palabras.

—¿Qué miras, ateniense? ¿Ese barro? ¡Cómo debes burlarte de mí...! Hay momentos en que me creo capaz de hacer una obra grande: la concibo, la veo como si la tuviese de pie dentro de mi cabeza; pero cuando pongo las manos en el barro, reconozco mi ignorancia y siento ganas de llorar. ¡Ah! ¡Si yo hubiese ido a Grecia...!

Y decía estas palabras con tono de lamento, mirando rabiosamente aquel montón de barro en el que empezaban a marcarse rudamente las formas de Ranto.

—¡Si supieras cuánto tuve que hablar para decidirla a que me mostrase la desnudez de su cuerpo...! No lo extrañes: es de raza de bárbaros; teme el garrote de su abuelo el pastor, que caería sobre sus carnes si la viese como tú acabas de verla. Le hablé de nuestros escultores, ante los cuales se disputan las más hermosas hetairas el honor de desnudarse; y la seguridad de que Sónnica su señora había hecho lo mismo en Atenas, fue lo único que la decidió... Pero ¿cómo copiar su cuerpo divino? ¿Cómo infundir a la tierra amasada la vida que circula bajo su piel?

En su desaliento, amenazó a la figurita de barro, como si quisiera aplastarla con los pies. Luego se animó, y dijo con resolución:

—Me considero más fuerte que mi torpeza. Trabajaré años y años, si es preciso, hasta ver reproducido con toda su hermosura el cuerpo de mi Ranto. No volveré a la alfarería aunque el viejo arquero me mate a golpes... Había comenzado mi obra, queriendo que figurase en la procesión de las Pantheas. Ranto la llevaría sobre su cabeza, y la multitud se aglomeraría para verla. Sólo espero un momento de inspiración, una racha feliz... ¿Quién sabe si mañana soplarán las musas sobre mí, y me levantaré con una facilidad divina en las manos para ejecutar lo que sueño...?

Y lanzándose francamente por el despeñadero de la imaginación, el pequeño artista contó al ateniense sus ensueños.

—Si logro terminar esta estatua, algún día grabarán mi nombre en el Foro para que lo lean con admiración las gentes de la ciudad. Me libraré para siempre de la alfarería; regalaré mi obra a Sónnica después de haberla admirado todo Sagunto en las Pantheas, y tu amante, que es tan generosa, me embarcará en uno de sus navíos. Veré Atenas, admiraré lo que tú has visto, y entonces... ¡entonces...! Mira, Acteón, entre las hojas: ¿qué ves sobre la montaña de la Acrópolis...? Nada: muros de grandes piedras, columnatas, techumbres de templos, pero ni una sola estatua que pregone de lejos la gloria de la ciudad. Dicen que sobre la Acrópolis de Atenas se alza gigantesca la figura de Palas, toda de bronce y oro, con una lanza que parece arder a la luz del sol, y guía como una llama a los marineros desde muchos estadios mar adentro. ¿Es verdad eso...? Pues yo hace noches y noches que sueño con algo parecido, y veo a Eroción, gran artista, de regreso de Atenas, levantando sobre nuestra Acrópolis una obra colosal: los toros de Gerión, gigantescos, con cuernos dorados que brillen como antorchas, y detrás de ellos Hércules cubierto con la piel de león de Nemea —como va Therón, su sacerdote, en las grandes fiestas de Sagunto— y tremolando en lo alto su clava, que servirá de señal a todos los navegantes del golfo Sucronense... ¡Ay! ¡Si yo llegase algún día a realizar esta obra...!

Ranto, cubierta con la túnica, había salido de su escondrijo y se aproximó temerosa a Acteón. Le miraba con respeto, ruborizándose al mismo tiempo por el recuerdo de su sorprendida desnudez. Eroción, entusiasmado por el relato de sus ilusiones, quería reanudar su trabajo y parecía desnudar con los ojos a la pastorcilla.

Comprendió el ateniense que su presencia estorbaba a los jóvenes.

—Trabaja, Eroción —dijo—. Sé un gran artista si puedes. Tu modelo lo envidiarían los escultores de Atenas. Ahora que sé que os ocultáis aquí, procuraré no molestaros con mi presencia.

Y así lo hizo. No volvió al bosque de higueras, dejando que los dos adolescentes trabajasen en su misterioso retiro: él, espoleado por la ambición; ella, sumisa por el amor.

Llegó el día de las Panatheas. La fama de la solemnidad se había esparcido hasta más allá de los límites de Sagunto, y se presentaban en caravanas los rudos celtíberos para conocer las diversiones de los labriegos de la costa.

Las gentes del agro habían abandonado sus trabajos de recolección, y vestidas con sus ropas mejores, iban llegando a la ciudad desde el amanecer, para presenciar la fiesta de la diosa de los campos. Llevaban gavillas de trigo matizadas de flores para ofrecerlas a la deidad, y corderillos de blancas lanas adornados con cintas para sacrificarlos en su altar.

Desde la salida del sol, la ciudad estaba repleta de una muchedumbre multicolor, que se agolpaba en el Foro o corría a las márgenes del río para presenciar las carreras de caballos.

Habíase formado un gran estadio junto al Bætis-Perkes, en el cual los principales ciudadanos de Sagunto iban a disputarse el triunfo. Los senadores, ocupando largos bancos custodiados por un grupo de mercenarios, presidían la fiesta. En un extremo de la pista, los hijos de los comerciantes y los ricos agricultores, toda la juventud saguntina, aguardaba la señal, casi desnuda, apoyada en sus ligeras lanzas y teniendo agarrados de la brida sus caballos en pelo, que se husmeaban y mordían presintiendo el próximo combate.

Dieron la señal de partir, y todos, poniendo su pie izquierdo en el asidero de la lanza, saltaron de golpe sobre sus corceles, saliendo escapados en compacto escuadrón a lo largo de la pista. La inmensa masa popular prorrumpió en aclamaciones ante el bizarro grupo de jinetes casi tendidos sobre el cuello de sus caballos, como si formasen con éstos una sola pieza, moviendo en alto sus lanzas, excitando el galope con alaridos, y envueltos en polvo, al través del cual se veían las estiradas patas de las bestias y sus vientres casi tocando el suelo. La desenfrenada carrera duró mucho tiempo. Iban quedando rezagados los jinetes menos hábiles o de peor montura, y el escuadrón disminuía rápidamente. El último que quedase en la pista, habiendo marchado siempre a la cabeza de los demás, conseguiría la corona, y la multitud hacía apuestas por el celtíbero Alorco o el ateniense Acteón, que figuraban desde el primer momento al frente de los jinetes.

Los ciudadanos que no querían esperar bajo los ardores del sol el final de la carrera seguían la ribera del río hasta llegar a las murallas, a cuya sombra los adolescentes luchaban cuerpo a cuerpo o se ejercitaban en el pugilato para alcanzar el premio de la destreza. Otros más pacíficos se dirigían al Foro, bajo cuyos pórticos los jóvenes elegantes se disputaban la corona de laurel destinada al más hábil en la música y el canto. Sentados en sillas de marfil y teniendo cerca de ellos a sus lindos esclavos, que les abanicaban con ramas de mirto, Lacaro y sus amigos tañían la flauta o pulsaban la lira, cantando versos griegos con entonación dulzona y afeminada. En el público reían algunos, remedando la suavidad de sus voces; pero otros imponían silencio con indignación, dominados por el encanto que ejercía el arte sobre su rudeza, con este aderezo femenil.

Después de mediada la mañana, un estrépito de muchedumbre entusiasta llenó como un trueno el ancho espacio del Foro. Era el pueblo, que volvía de las carreras y aclamaba al vencedor. El arrogante Alorco, arrancado de los lomos de su corcel, era sostenido en hombros por los más entusiastas. La corona de olivo ceñía su cabellera revuelta e impregnada de polvo. Acteón marchaba junto a él, celebrando su triunfo fraternalmente, sin revelar envidia.

Los cantores, arrollados por esta ola de entusiasmo, recogieron sus sillas e instrumentos. La corona de laurel se la ciñó Lacaro en medio de la indiferencia general, sin recibir otros plácemes que los de sus esclavos. Todo el entusiasmo de la ciudad era para el vencedor de las carreras. El pueblo se enronquecía aclamando la fuerza y la destreza.

Era llegado el momento solemne; la procesión iba a comenzar. En el barrio de los comerciantes, los esclavos tendían de tejado a tejado velos rojos y verdes para dar sombra a las calles. Las ventanas y terrazas cubríanse con tapices multicolores de complicados dibujos, y las esclavas colocaban en las puertas braserillos para quemar perfumes.

Las griegas ricas, seguidas de sus criadas, que llevaban sillas plegadizas, iban en busca de lugar en las escalinatas de los templos o las tiendas del Foro. La gente agrupábase a lo largo de las casas, esperando impaciente la llegada de la comitiva que se iba formando fuera de las murallas. Bandas de niños completamente desnudos corrían las calles agitando ramas de mirto y lanzando aclamaciones en honor de la diosa.

De pronto se arremolinó el gentío, prorrumpiendo en gritos de entusiasmo. La pompa en honor de Minerva entraba por la puerta del camino de la Sierpe, avanzando lentamente hacia el Foro al través del barrio de los comerciantes, que eran los organizadores de la fiesta.

Marchaban al frente ancianos de luenga barba, vestidos de blanco, con mantos de amplios pliegues, la nevada cabellera coronada de hojas y llevando en las manos ramas de olivo. Después iban pasando los ciudadanos más apuestos, armados de lanza y escudo, con la visera del casco griego caída sobre los ojos y mostrando orgullosos la recia musculatura de sus brazos y piernas. Seguían los adolescentes más bellos de la ciudad, coronados de flores, cantando himnos en loor de la diosa; coros de niños desnudos, danzando con infantil gracia, cogidos de las manos y formando una cadena de complicadas combinaciones. Luego desfilaban las doncellas, las hijas de los ricos, cubiertas solamente con una túnica de purísimo lino, que marcaba sus encantos primaverales. Llevaban como ofrendas ligeros canastillos de junco cubiertos por velos que ocultaban los instrumentos para el sacrificio de la diosa, y con ellos las tortas de trigo nuevo que habían de depositarse en su altar y los manojos de rubias espigas. Para que todos viesen claramente la alta dignidad social de estas vírgenes ricas, marchaban detrás de ellas sus esclavas sosteniendo la silla de tijera incrustada de marfil y el quitasol de tela rayada con gruesas borlas multicolores al extremo de sus varillas.

Un grupo de esclavas escogidas por su hermosura, al frente de las cuales marchaba Ranto, llevaban sobre sus cabezas grandes ánforas con agua y miel para las libaciones en honor de la diosa. Detrás de ellas desfilaban todos los músicos y cantores de la ciudad, coronados de rosas y con amplias vestiduras blancas. Pulsaban la lira, teñían las flautas, y unos griegos de la alfarería de Sónnica, que habían sido rapsodas errantes en su país, cantaban fragmentos de la guerra de Troya ante la muchedumbre bárbara, que no podía entenderles.

La gente se empujó, avanzando sus cabezas para ver mejor a los *salios*, devotos danzarines de Marte, que avanzaban desnudos, armados de espada y escudo. Dos esclavos llevaban pendientes de un palo sostenido en hombros una fila de broqueles de bronce, que otro golpeaba con un mazo. A sus broncos sones, danzaban los *salios* fingiendo atacarse, golpeaban con su espada el escudo del contrario, lanzando gritos feroces, y ejecutaban otras pantomimas para recordar los principales pasajes de la vida de la diosa.

Después de este estrépito, que ponía en conmoción

las calles, haciendo rugir de entusiasmo al populacho, enardecido por los golpes, seguía un grupo de niñas sosteniendo un velo finísimo en el cual habían bordado las principales griegas de la ciudad el combate de Minerva con los Titanes. Era la ofrenda que había de quedar en el nuevo templo de la diosa como eterno recuerdo de las fiestas.

Cerrando la procesión, avanzaba el «escuadrón sagrado», los ciudadanos más ricos, montando briosos caballos, que con sus movimientos obligaban a la muchedumbre a pegarse a los muros. Los más eran jinetes arrogantes y hacían encabritarse a sus corceles, sin más guía que el freno, montándolos a pelo y oprimiendo sus ijares con las rodillas. Los jinetes más viejos iban tocados con grandes sombreros a la moda ateniense; los jóvenes usaban el casco alado de Mercurio o llevaban la cabeza descubierta, sujetos los cortos rizos con una cinta de color de fuego. Alorco ostentaba su corona de vencedor, y Acteón, que marchaba a su lado en uno de los corceles del celtíbero, sonreía a la muchedumbre, que le contemplaba con cierto respeto, como si fuese el esposo de Sónnica y dispusiera de sus enormes riquezas.

Los jinetes miraban con orgullo la espada que, ceñida a sus riñones, golpeaba los flancos del caballo. Luego abarcaban en una ojeada la alta Acrópolis y la ciudad tendida a sus pies, como si quisieran expresar con ello la confianza en su propia fuerza. Sagunto podía vivir tranquila. Ellos se encargarían de guardarla.

La muchedumbre, enardecida por el brillante desfile, aclamaba a Sónnica. Ésta, rodeada de esclavas, asomábase a la terraza del gran edificio que poseía en el barrio de los comerciantes para almacenar sus mercancías. Ella era la organizadora de la procesión, la que costeaba el velo a Minerva, la que había trasladado a Sagunto la hermosa fiesta de Atenas. Esparcíase en el ambiente el humo oloroso de los braserillos; caía de las ventanas una lluvia de rosas; brillaban las armas, y en los momentos que callaba el gentío, destacábanse a lo lejos los sones de las liras y las flautas acompañando melodiosamente las voces de los cantores de Homero.

Los rudos celtíberos llegados para presenciar la fiesta callaban, asombrados por este desfile, que les deslumbraba con el brillo de las armas y de las joyas así como por la confusión multicolor de los trajes. Los naturales de Sagunto felicitaban a sus conciudadanos los griegos, admirando el esplendor de la fiesta.

Y no terminaba el regocijo con esta brillante procesión. En la tarde iban a ser las diversiones del populacho, la verdadera fiesta de los pobres. Se realizaría a lo largo de las murallas la carrera del hacha encendida. Correrían con la antorcha inflamada, en recuerdo de Prometeo, los marineros, los alfareros, los labradores, toda la gente libre y miserable del puerto y el campo. El que consiguiera dar vuelta a la ciudad sin que la antorcha se extinguiese sería el vencedor. Los que la dejasen apagar o caminasen despacio para defender su luz sufrirían los silbidos y los golpes de la muchedumbre. Hasta los ricos hablaban con entusiasmo y regocijo de esta fiesta popular.

Cerca de la Acrópolis, cuando la mayor parte de la procesión estaba ya dentro de sus murallas, Alorco vio entre el gentío a un celtíbero, montado en un caballo sudoroso, que le hacía señas para que se aproximase.

Saliendo del escuadrón, trotó Alorco hacia él.

—¿Qué quieres? —preguntó en el áspero lenguaje de su país.

—Soy de tu tribu, y tu padre es mi jefe. Acabo de llegar a Sagunto marchando tres días, para decirte: «Tu padre va a morir y te llama.» Los ancianos de la tribu me han ordenado que no vuelva sin ti.

Acteón había seguido a su amigo, saliéndose del escuadrón sagrado, y presenciaba el diálogo sin entender una palabra. Pero adivinó algo desagradable en el pálido rostro del celtíbero.

—¿Malas noticias? —preguntó a Alorco.

—Mi padre se muere y me llama.

—¿Y qué piensas hacer...?

131

—Partir inmediatamente. Los míos reclaman mi presencia.

Emprendieron los dos jinetes el descenso a la ciudad, seguidos por el mensajero celtíbero.

Sentíase atraído el griego por la emoción de su camarada. Al mismo tiempo se iba despertando en él su curiosidad de viajero, tantas veces excitada por los relatos del celtíbero.

—¿Quieres que te acompañe, Alorco?

El joven agradeció con una mirada esta proposición. Luego se negó a aceptarla, alegando su prisa en partir. El griego querría despedirse de Sónnica. Tal vez le causaría un disgusto con la separación, y él deseaba emprender el viaje inmediatamente.

—Suprimamos la despedida —dijo Acteón con alegre ligereza—. Sónnica se resignará cuando le haga saber por un esclavo que me ausento por algunos días. ¿Quieres salir inmediatamente? Sea: partiremos juntos. Siento curiosidad por ver de cerca ese país, con sus costumbres bárbaras y sus habitantes valerosos y duros, de los cuales tantas proezas he oído contar.

Atravesaron la ciudad; las calles estaban desiertas. Toda la población había subido a la Acrópolis. Acteón se detuvo un instante en los almacenes de Sónnica para ordenar a los guardianes que hiciesen saber a su señora el viaje que iba a emprender.

Alorco estaba alojado en una de las posadas del suburbio, enorme edificio con profundas cuadras y anchos patios, donde sonaban continuamente las diversas lenguas del interior de la Península, enronquecidas y encolerizadas por el regateo de mercancías y bestias. Cinco hombres de la tribu acompañaban al joven celtíbero durante su permanencia en Sagunto, cuidando los caballos y sirviéndole como domésticos libres.

Al saber que iban a partir, estos hijos de las montañas casi gritaron de entusiasmo. Languidecían de inacción en un país rico y feraz, cuyas costumbres detestaban, y a toda prisa realizaron los preparativos para la marcha.

Caía el sol cuando emprendieron el viaje. Alorco y

Acteón marchaban al frente, con una parte del manto en la cabeza, un peto de lienzo almohadillado que defendía el pecho, a usanza celtíbera, y la espada ancha y corta, junto con el escudo de cuero, colgando de la cintura. Los cinco servidores y el mensajero cerraban la marcha armados de largas lanzas, custodiando dos mulas que llevaban las ropas de Alorco y los víveres para el viaje.

Aquella tarde aún marcharon por caminos. Estaban en el agro saguntino, y pasaban entre campos cultivados, hermosas quintas y pueblecillos compactos en torno a la torre encargada de su defensa. Al cerrar la noche acamparon junto a una aldea miserable de las montañas. Allí terminaba la dominación de Sagunto. Más allá vivían las tribus, casi siempre en guerra con las gentes de la costa.

A la mañana siguiente, el griego encontró el paisaje totalmente cambiado. Se había perdido a su espalda el mar y el llano verde, y sólo vio montes y más montes, unos cubiertos de extensos pinares, otros rojos, con promontorios de piedra azulada y espesos matorrales que, al estremecerse con los pasos de la caravana, vomitaban nubes de pájaros asustados y liebres que, locas de terror, pasaban por entre los pies de las cabalgaduras.

Los caminos no eran obra de los hombres. Marchaban las bestias trabajosamente por el rastro que otros viajeros habían dejado. Estas pistas rodeaban algunas veces las moles de piedra caídas de las cumbres y se hundían otras en los riachuelos que les cortaban el paso. Faldeaban las montañas; subían a las cumbres entre los graznidos de las águilas, que se espeluznaban de cólera al ver invadida la silenciosa región en la que sólo de tarde en tarde entraban los hombres; descendían a los barrancos, profundas grietas en las que reinaba una penumbra sepulcral y donde aleteaban los cuervos, atraídos por el cadáver de alguna res abandonada.

Los viajeros veían a lo lejos, en un pequeño valle o al margen de un riachuelo, un grupo de cabañas de paredes de barro y techo de bálago agujereado para dar luz a la habitación y salida al humo. Las mujeres, huesudas y vestidas de pieles, rodeadas de niños desnudos, salían hurañas de sus cubiles para ver de lejos a la caravana, con ojos alarmados, como si el paso de unos desconocidos sólo pudiera traer desgracias. Otras más jóvenes, con las piernas al descubierto y un delantal de harapos en los riñones, segaban el mísero trigo, que apenas si se levantaba como una película dorada sobre la tierra blanquecina y pobre. Muchachas fuertes y feas, de miembros varoniles, bajaban de los montes con grandes haces de ramas en la espalda, mientras los hombres a la sombra de nogales y robles, trenzaban nervios de toro para construir adargas, o se amaestraban en arrojar dardos y manejar la lanza, cayéndoles sobre el rostro tostado y barbudo la alborotada cabellera.

Jinetes en pequeños caballos de luengo y sucio pelaje, se mostraron en los sitios más altos del camino algunos guerreros de equívocos aspecto, mezcla de pastores y bandidos, con armadura de cuero y larga lanza. Examinaban un instante la comitiva, y después de apreciar su fuerza, convencidos de que era difícil atacarla, volvían al paso hacia sus ganados, que pastaban en las profundas quebraduras de los montes. Los rebaños de corderos y toros, acostumbrados a la soledad salvaje, huían huraños al escuchar el paso de la caravana. Por entre los romeros y tomillos de las laderas subían como pardas hormigas las bandas de codornices buscando su pasto, y al sonar en una piedra los cascos de los caballos, volaban pasando como un silbido sobre las cabezas de los viajeros.

Acteón observaba las rudas costumbres de aquellas gentes. Las cabañas eran de adobes rojos o pedruscos unidos con barro, los techos de ramas, y las mujeres, más feas y animosas que los hombres, realizaban los trabajos pesados. Sólo los niños trabajaban, imitando con esto a sus madres. Al ser adolescentes empuñaban la lanza, y bajo la dirección de los ancianos aprendían a combatir, tan pronto a pie como a caballo. Domaban los potros, saltando al suelo y volviendo a montar en mitad de la carrera y se amaestraban en permanecer de rodillas sobre sus lomos, con los brazos libres para esgrimir la espada y el escudo.

En algunas aldeas los recibían con la hospitalidad tradicional, y extremaban aún más sus agasajos al reconocer a Alorco, el heredero de Endovellico, temido jefe de las tribus de Baraeco, que apacentaban desde hacía siglos sus rebaños en las riberas del Jalón. Les cedían al llegar la noche sus mejores lechos de correas, cubiertos de hierba seca; atravesaban en el asador un becerro, haciéndolo voltear sobre una hoguera enorme, y durante la marcha les detenían las mujeres a la entrada de sus chozas, ofreciéndoles en groseras vasijas de barro la amarga cerveza fabricada en los valles y el pan de harina de bellotas.

Alorco explicaba al ateniense las costumbres de su raza. Cosechaban la bellota, su principal alimento, y la exponían al sol hasta dejarla bien seca; la mondaban, la molían, y almacenaban la provisión de harina para seis meses. Este pan, la caza y la leche de sus reses constituían los principales alimentos.

En algunas épocas, la peste les había dejado sin rebaños. Cuando los campos no daban cosechas y el hambre diezmaba las tribus, los más fuertes devoraban a los débiles para seguir viviendo. Esto recordaba Alorco haberlo oído a los ancianos de su raza como ocurrido en tiempos remotos, cuando Neton, Autubel, Nabi y otras divinidades del país, irritadas contra su pueblo, habían enviado sobre él toda clase de castigos.

El joven celtíbero continuaba el relato de las costumbres de su raza. Algunas de aquellas mujeres que con tanto vigor trabajaban en los campos tal vez habían parido el día anterior. Apenas daban a luz la criatura, la sumergían en el río más cercano, para que con esta prueba, que muchas veces causaba la muerte, creciese vigorosa e insensible al frío. Y mientras la madre saltaba de la cama para seguir sus trabajos, el esposo ocupaba su sitio en el lecho, acostándose con el recién nacido. La mujer, todavía convaleciente, cuidaba a los dos, rodeando de atenciones al fuerte esposo, como si con esto quisiera agradecerle el fruto que le había dado.

Varias veces encontró la caravana al borde de las veredas lechos de hierbas sobre los cuales estaban tendidos algunos hombres, rígidos y quejumbrosos. Las moscas zumbaban en torno a sus cabezas formando nube; una ánfora de agua estaba al alcance de sus manos. Algún niño, en cuclillas junto al lecho, espantaba los insectos con una rama. Eran enfermos que los parientes exponían, según antigua costumbre, al borde de los caminos, para implorar la clemencia de las divinidades exhibiendo su miseria, y para que los viandantes, al pasar, aconsejasen un remedio, transmitiendo así las recetas de lejanos países.

Los hombres fuertes bañábanse en orines de caballo para endurecer sus músculos. Su único lujo eran las armas, y admiraban como joyas inestimables las espadas de bronce traídas del norte de la Península y las de acero fabricadas por los de Bílbilis y templadas en las arenas de su famoso río. Las corazas, flexibles, formadas por varias telas de lino superpuestas, o las de cuero, adornadas con clavos, eran armas defensivas de las que no se despojaba el celtíbero ni aun en el lecho. Dormían con el *sagun* puesto, las glebas de metal en las piernas y las armas al alcance de la mano, prontos a pelear así que las más leve alarma turbaba su sueño.

A los tres días de marcha, la caravana entró en el territorio de la tribu de Alorco. Separáronse las montañas a ambos lados del Jalón, formando risueños valles cubiertos de pastos, por los cuales corrían los rebaños de caballos sin domar, con la melena encrespada y la cola ondeante. Las mujeres salían fuera de sus aldeas a saludar a Alorco, y los hombres, empuñando la lanza, montaban a caballo para unirse a la caravana.

En la primera aldea donde se detuvieron, un anciano dijo a Alorco que su padre, el poderoso Endovellico, estaba agonizando. En otra que encontraron a las pocas horas, supo que el gran jefe había muerto al amanecer.

Todos los guerreros de la tribu, pastores y agricultores, montaban a caballo para seguirle. Cuando llegaron a la aldea donde residía el reyezuelo, la escolta era un pequeño ejército.

En la puerta de la casa paterna, construcción baja de piedras rojas y techumbre de troncos, vio Alorco a sus hermanas con trajes de flores y en la cabeza un collar de jaula, de cuyos hierros pendían los velos de luto.

Las hermanas de Alorco, lo mismo que las otras mujeres que las acompañaban, esposas de los primeros guerreros de la tribu, ocultaban su dolor por la muerte del jefe y sonreían como si estuvieran en vísperas de una fiesta. La vejez era una desgracia para los celtíberos, despreciadores de la vida y que peleaban por diversión cuando les faltaba la guerra. Morir en el lecho casi resultaba deshonesto, y lo único que turbaba la satisfacción de la familia de Endovellico era que un guerrero tan célebre, terror de las vecinas tribus, hubiese muerto con la cabellera blanca, extinguiéndose su existencia como una antorcha que se apaga, después de haber hecho galopar su caballo al través de tantos combates, desplomando su espada como un rayo sobre los enemigos.

El traje y el rostro de Acteón atrajeron las miradas de toda la tribu. Muchos de los celtíberos no habían visto nunca a un griego, y contemplaron a éste con ojos hostiles, recordando las astucias y hábiles explotaciones que los comerciantes helénicos hacían sufrir a los de su raza cuando descendían a la costa para vender la plata de sus minas.

Alorco tranquilizó a los suyos.

—Es mi hermano —dijo en lengua del país—. Juntos hemos vivido en Sagunto. Además, no es de esa ciudad. Es de muy lejos, de un país donde los hombres son casi dioses, y ha venido conmigo únicamente para conoceros.

Las mujeres miraron a Acteón con asombro al enterarse del origen casi divino que le atribuía Alorco.

Habían desmontado los de la caravana, entrando en la enorme choza que servía de palacio al jefe. Una vasta habitación ennegrecida por el humo y sin otras luces que angostos respiraderos, semejantes a saeteras, servía de punto de reunión y consejo a los guerreros de la tribu. En un extremo había una piedra enorme, sobre la cual ardían leños, con una gran abertura en el techo que hacía las veces de chimenea. Empotrada en la pared vio el griego una lápida, y esculpida en ella groseramente la figura del dios de la tribu estrangulando a dos leones. De los muros colgaban lanzas y escudos, pieles de bestias feroces, retorcidas astaduras y blancos cráneos de animales de caza. Un banco de piedra corría a lo largo de las paredes, y cerca del hogar interrumpíase para dejar espacio a un alto poyo de mampostería cubierto con una piel de oso. Allí se sentaba el jefe.

Los guerreros iban colocándose en el banco según entraban.

Un anciano cogió la diestra de Alorco, guiándolo hacia el poyo de honor.

—Siéntate ahí, hijo de Endovellico. Tú eres su único heredero y mereces ser nuestro jefe. Su valor y su prudencia residen en ti.

Los demás guerreros apoyaron con mirada de grave aprobación las palabras del anciano.

—¿Dónde está el cadáver de mi padre? —preguntó Alorco, conmovido por la sencilla ceremonia.

—Desde que descendió el sol está en la pradera donde tú aprendiste a domar caballos y manejar las armas. Los jóvenes de la tribu lo guardan. Mañana cuando salga el sol serán sus exequias, dignas de un gran jefe. Después, tú, como nuevo rey, nos darás consejos sobre los asuntos de la tribu.

Alorco hizo sentar al griego cerca de él. Las mujeres entraron antorchas, pues apenas si el crepúsculo lograba filtrar por los estrechos tragaluces una claridad pálida y difusa. Las hermanas de Alorco, con la vista baja y ondeando las túnicas floreadas en torno a sus cuerpos de vírgenes fuertes, pasaban ante los guerreros ofreciendo en vasos de cuerno hidromiel y cerveza. Hablaron de las hazañas de Endovellico como si éste hubiese muerto muchos años antes y de las grandes empresas a que seguramente les guiaría su sucesor, aludiendo varias veces con palabras misteriosas a un asunto que había de tratarse al día siguiente en el Consejo.

Las mujeres entraron la cena. No acostumbraban los

celtíberos a comer en mesa, como las gentes de la costa. Continuaron sentados en el banco de piedra, y las mujeres les colocaron al lado panes de trigo, por ser extraordinario el banquete, sustituyendo éstos a los de harina de bellotas, que eran de uso habitual. Otras mujeres hacían circular una gran vasija llena de pedazos de carne asada que aún expelía sangre, y cada guerrero cogía un trozo con la punta de su cuchillo. Los cuernos llenos de bebida circulaban de mano en mano. El griego Acteón aceptó sonriendo cuanto le ofrecieron sus vecinos con palabras hospitalarias que él no podía comprender.

Al terminar la cena entraron varios adolescentes de la tribu con trompas y flautas y comenzaron a hacer sonar una música que participaba de la alegría de la caza y el feroz enardecimiento con que en los combates se carga sobre el enemigo. Los convidados se entusiasmaron, y muchos de ellos, los más jóvenes, saltando al centro de la habitación, empezaron a danzar con una agilidad gimnástica. Era el baile con que terminaban los celtíberos todos sus banquetes; un ejercicio violento que ponía a prueba sus músculos y les hacía recuperar su fuerza aun en los momentos de mayor molicie.

Mucho antes de media noche fueron retirándose los guerreros, dejando solos a Alorco y Acteón en aquella gran pieza cargada de humo, donde crepitaban las antorchas, tiñendo con reflejos de sangre los bárbaros adornos de las paredes. Durmieron en lecho de hierba, sin despojarse de sus ropas y con las armas junto a ellos, como dormía toda la tribu, siempre temerosa de algún ataque de los vecinos, envidiosos de la riqueza de sus rebaños.

Al amanecer bajaron a la pradera donde estaba expuesto el cadáver de Endovellico. Toda la tribu se había juntado en la llanura, al margen del río: los jóvenes a caballo, con sus lanzas y cubiertos de todas armas; los viejos sentados a la sombra de las encinas; las mujeres y los niños cerca de la pira de troncos sobre la cual estaba tendido el cadáver del jefe.

Endovellico guardaba su traje de guerra. Sus lacios

cabellos escapaban por los bordes del casco de triple cimera; la barba plateada descansaba sobre una loriga de escamas de bronce; los brazos desnudos y musculosos caían sobre la espada celtíbera, de hoja corta estrangulada en su mitad para ensancharse en la punta; las piernas estaban defendidas por las anchas correas de las abarcas. El escudo, en el que aparecía grabado el dios de la tribu luchando con dos leones, servía de cojín a su cabeza.

Al llegar los dos jóvenes, se adelantó el mismo anciano que había hablado a Alorco el día anterior. Era el sabio de la tribu, y había aconsejado muchas veces a Endovellico antes de emprender sus expediciones más audaces. En circunstancias extraordinarias, abría con el cuchillo sagrado el vientre de los prisioneros, leyendo el porvenir en las palpitaciones de sus entrañas. Otras veces cortaba las manos a los vencidos para dedicarlas al dios de la tribu, clavándolas en la puerta del jefe. El misterio hablaba por su boca, y toda la tribu le contemplaba con admiración y miedo, creyéndole capaz de cambiar el curso del sol y destruir en una noche las cosechas de los enemigos.

—Avanza, hijo de Endovellico —dijo solemnemente—. Mira tu pueblo, que te elige como el más valiente y el más digno para suceder a tu padre.

Interrogó con la mirada a la muchedumbre, y los guerreros contestaron golpeando sus escudos y lanzando los mismos alaridos con que se excitaban al entrar en combate.

—Ya eres nuestro rey —continuó el anciano—. Serás el padre y el guardián de tu pueblo. Para cumplir tu misión, apodérate de la herencia de tu padre... ¡Bajad el escudo!

Dos jóvenes treparon a lo alto de la pira, levantando la cabeza de Endovellico, para bajar su escudo con la imagen del dios y entregarlo a Alorco.

—Con este escudo —dijo el anciano— cubrirás a tu pueblo de los golpes del enemigo... ¡Ahora la espada!

Bajaron los jóvenes la espada, arrancándola de las yertas manos del jefe.

140

—Cíñetela, Alorco —continuó el hechicero—. Con ella nos defenderás y caerás como un rayo allí donde te lo digan los tuyos. ¡Avanza, joven rey!

Guiado por el viejo, llegó Alorco hasta el montón de troncos sobre cuya cima descansaba su padre. El joven volvió su rostro para no ver el cadáver, temiendo un enternecimiento que le hiciese derramar lágrimas en presencia de su pueblo.

—¡Jura por Neton, por Autubel, por Nabi, por Caulece, por todos los dioses de nuestra tribu y de todas las tribus que pueblan esta tierra y odian a los extranjeros que un día llegaron por el mar para robarnos nuestras riquezas! ¡Jura ser fiel a tu pueblo y obedecer siempre lo que te aconsejen los guerreros de la tribu...! ¡Júralo por el cuerpo de tu padre, que pronto no será más que cenizas...!

Alorco lo juró, y los guerreros golpearon otra vez sus escudos, lanzando exclamaciones de alegría.

El viejo, con un vigor extraordinario, se encaramó sobre los troncos, buscando bajo la coraza del cadáver.

—Toma, Alorco —dijo al descender, entregando al nuevo jefe una cadenilla de cobre de la que pendía un disco del mismo metal—. Ésta es la mejor herencia de tu padre: la *salvación* que le seguía a todas partes. No hay un guerrero de los nuestros que no lleve consigo su veneno, para morir antes de verse esclavo del vencedor. Yo compuse éste para tu padre. Pasé toda una luna extrayéndolo del apio silvestre, y una de sus gotas mata como el rayo. Si algún día caes vencido, bebe y muere antes que los tuyos contemplen a su jefe con la mano cortada y sirviendo de esclavo a los enemigos.

Alorco pasó la cabeza por la cadenilla, ocultando en el pecho la herencia de su padre. Después volvió al lado de Acteón, bajo las encinas donde se agrupaban los ancianos.

Los adolescentes de la tribu, que aún estaban haciendo su aprendizaje guerrero en la pradera, corrieron con antorchas encendidas en torno de la pira. Las teas lamieron los troncos resinosos, y pronto el humo y las llamas empezaron a envolver el cadáver.

Avanzaron los guerreros más famosos por su valor y sus fuerzas, haciendo caracolear sus caballos alrededor de la hoguera.

Agitando sus lanzas, proclamaron con roncos gritos las hazañas del difunto jefe, y la tribu contestaba en masa a sus belicosas oraciones. Relataban los innumerables combates de los que había salido vencedor; sus audaces expediciones, en las que sorprendía al enemigo descuidado durante la noche, quemando sus viviendas y formando interminables cuerdas de cautivos; los rebaños apresados, que casi no cabían en los límites de su pueblo; sus fuerzas colosales, la prontitud con que dominaba al potro salvaje y la prudencia con que procedía en sus consejos.

—¡Cubrió de manos de enemigos las puertas de nuestras casas! —gritaba un jinete pasando al galope, como un fantasma, entre el humo de la hoguera.

Y la multitud contestaba con un tono de lamento:

—¡Endovellico! ¡Endovellico...!

—¡Le temían todas las tribus, y su nombre era respetado como el de un dios!

La multitud volvía a repetir el nombre del jefe como si llorase.

—¡Con su puño de roca abatía al toro en mitad de su carrera, y hacía volar la cabeza del enemigo con sólo un golpe de su espada!

—¡Endovellico...! ¡Endovellico...!

Y así continuaron las exequias del jefe. La hoguera elevaba rectas sus llamas, ensuciando de humo el azul del cielo, y los heraldos, incansables en pregonar las hazañas de su jefe, pasaban y repasaban, como negros demonios coronados de chispas, haciendo saltar sus corceles sobre los leños inflamados. Vínose abajo la pira, envolviendo los restos de Endovellico en cenizas y tizones, y sobre el enorme rescoldo empezó el combate en honor del difunto.

Avanzaban los guerreros a caballo, con las riendas sueltas, el escudo ante el pecho, la espada en alto, y peleaban como si fuesen irreconciliables enemigos. Los mejores camaradas, los hermanos de armas, se asestaban tremendos golpes, con el entusiasmo de un pueblo que ha convertido la lucha en su principal diversión. Había que hacer correr la sangre para glorificar con más pompa la memoria del difunto. Caían los caballos al choque del encuentro, y los jinetes continuaban la lucha a pie, trabándose cuerpo a cuerpo, haciendo retemblar los escudos bajo los golpes de sus espadas. Cuando se hubieron retirado algunos guerreros cubiertos de sangre y el combate tomó un carácter de batalla general, en la que empezaron a intervenir mujeres y niños, enardecidos por el espectáculo, Alorco hizo sonar las trompas dando la señal de retirada y se arrojó entre los combatientes para separar a los más tenaces.

Con esto terminaban las exequias. Los esclavos de la tribu arrojaron los restos de la hoguera en una zanja, y la muchedumbre, viendo acabada la fiesta, levantó por última vez el cuerno lleno de cerveza para beber en honor del nuevo rey, retirándose luego a su aldea.

Los guerreros principales se dirigieron a la mansión del jefe para celebrar Consejo.

Caminaba el ateniense al lado de Alorco, manifestándole su asombro ante las costumbres bárbaras y belicosas de los celtíberos. Como no podía entender su lenguaje, los guerreros le vieron sin alarma sentarse en la sala, cerca del nuevo jefe.

Primeramente el hechicero habló largamente a Alorco, en medio del respetuoso silencio de todos. Acteón comprendió que estaba dando cuenta de cosas extraordinarias ocurridas pocos días antes de la llegada del nuevo rey. Tal vez un llamamiento de las tribus aliadas o alguna expedición fructuosa proyectada por los más audaces.

Vio oscurecerse ligeramente el rostro de Alorco, como si le hablasen de algo penoso que repugnaba a sus afectos. Los guerreros le miraban fijamente, mostrando en sus ojos conformidad y entusiasmo por las palabras del viejo. Alorco se repuso y siguió escuchando con serenidad al hechicero. Cuando éste terminó se mantuvo pensativo largo rato, pero al fin dijo unas palabras e hizo un signo de asentimiento.

Aquella gente ruda acogió con gritos de entusiasmo la conformidad de su jefe y salió en tropel de la casa, como si le faltase tiempo para llevar la noticia al exterior.

Cuando se vieron solos el griego y el celtíbero, éste dijo con tristeza:

—Acteón, mañana parto con los míos. Empiezo a ser rey de la tribu. Tengo que llevarla al combate.

—¿Puedo acompañarte...?

—No. Ignoro adónde vamos. Mi padre tenía un poderoso aliado, que no puedo nombrarte, y ese aliado me llama, sin decir para qué. Todos los míos muestran gran entusiasmo por esta expedición.

Alorco añadió, después de larga pausa:

—Puedes permanecer aquí todo el tiempo que quieras. Mis hermanas te obedecerán como si fueses el mismo Alorco.

—No; yéndote tú, nada me resta que hacer aquí. En un día he visto bastante para conocer tu pueblo. Regresaré a Sagunto.

—¡Feliz tú, que puedes volver a la vida griega, a los banquetes de Sónnica, a la dulce paz de aquellos mercaderes...! Que no se turbe nunca y yo pueda regresar allá como amigo.

Callaron los dos un buen rato, como si gravitasen sobre su pensamiento negras ideas.

—Volverás de esa expedición cargado de riquezas —dijo el griego—, y vendrás a gastarlas alegremente en Sagunto.

—¡Que así sea! —contestó Alorco—. Pero presiento que nunca volveremos a vernos, Acteón, y si nos vemos, tal vez sea para maldecir a los dioses, prefiriendo no habernos visto... Parto sin saber adónde voy, y tal vez marcho contra mí mismo.

Nada añadieron: temían explicar sus pensamientos más extensamente.

El griego y el celtíbero se abrazaron. Luego, como suprema despedida, se besaron en los ojos, signo de fraternal amistad.

Capítulo V

LA INVASIÓN

La hermosa Sónnica creyó haber perdido para siempre a Acteón. Su repentina partida la consideró como un capricho del veleidoso ateniense, eterno viajero impulsado por la fiebre de conocer nuevos países. ¡Sólo los dioses podían saber adónde iría aquel pájaro errante después de su visita a las tribus celtíberas! Tal vez se quedase con Alorco; tal vez guerrease con aquellos bárbaros, y éstos subyugados por su cultura y su astucia, acabarían dándole un reino.

Al creer Sónnica que el ateniense no volvería más, se imaginó que su corta primavera de amor había sido semejante a la fugitiva felicidad de las mujeres que tuvieron relaciones con los dioses cuando bajaron éstos a la tierra. Ella, tan insensible y burlona para los afectos, pasaba los días llorando en su lecho o recorría por la noche como una sombra su vasto jardín, deteniéndose en la gruta donde el griego había hecho caer por primera vez el cinturón de su túnica. Los esclavos comentaban con miedo el humor desigual y temible de su ama. Unas veces gimoteaba como una niña; otras, enfurecida por súbita crueldad, ordenaba castigos para todos. Pero de repente, una mañana, se presentaba el griego ante la quinta, montando un caballo polvoriento y sudoroso, despedía a los bárbaros de feroz catadura que venían escoltándole, corría con los brazos abiertos hacia la trémula Sónnica, y todo el inmenso dominio parecía resucitar; la señora sonreía, el jardín se mostraba más hermoso, en la terraza brillaban con mayor esplendor los plumajes de las aves raras, parecían sonar más alegres las flautas de las aulétridas, y a los esclavos les parecía más dulce el aire y más puro el cielo.

La quinta de Sónnica recobró su regocijada vida, como si su dueña hubiese resucitado. Por la noche hubo banquete en el gran triclinio, llegaron invitados los jóvenes elegantes de la ciudad, y hasta Eufobias el filósofo encontró su sitio en la mesa sin tener que luchar antes con el palo de los esclavos.

Sónnica sonreía abrazada a Acteón, escuchando sus palabras como una música dulce. Los convidados hicieron relatar a éste su viaje, admirando las costumbres de las tribus sobre las que reinaba Alorco. El parásito Eufobias no ocultaba su satisfacción por tener un amigo tan poderoso, y hablaba de ir allá algún tiempo para vivir cómodamente, sin tener que mendigar el pan a los mercaderes de Sagunto.

Volvió para el ateniense la primavera de amor. Pasaba los días en la quinta a los pies de Sónnica, viendo cómo hilaba en la rueca lanas de vivos colores, o se acicalaba el cuerpo, ayudada por sus esclavas. A la caída de la tarde paseaban por el jardín, y les sorprendía la noche en la gruta estrechamente abrazados, oyendo como una melodía dulce y monótona el canto del surtidor en la taza de alabastro.

Algunas mañanas Acteón iba a la ciudad para pasear en el Foro, escuchando a los noticieros con la curiosidad de un ateniense habituado a las murmuraciones del

Ágora. Notábase una agitación extraordinaria bajo los pórticos de la gran plaza saguntina. Los desocupados hablaban de guerras. Los ciudadanos belicosos recordaban sus hazañas en la última expedición contra los turdetanos, exagerándolas. Hasta los tranquilos comerciantes abandonaban sus mesas para inquirir noticias, acogiendo con gestos de desaliento la posibilidad de una próxima lucha. Acteón, al llegar a Sagunto por las mañanas, veía en lo alto de los muros centenares de esclavos que reparaban las almenas desmoronadas por el tiempo y cubrían las grietas que muchos años de paz habían abierto en los fuertes tapiales.

Mopso el arquero le tenía al corriente de las deliberaciones de los Ancianos. Hanníbal les había enviado por un emisario la orden de devolver a los turdetanos los territorios conquistados y el botín de la última expedición. El africano amenazaba con una altivez insufrible, y la República saguntina le había contestado con desprecio, negándose a escuchar sus órdenes. Sagunto sólo podía obedecer a su fuerte aliada Roma, y segura de su protección, miraba con indiferencia las amenazas del cartaginés. Sin embargo, como la guerra parecía inevitable y muchos temían la juventud y el carácter audaz de Hanníbal, dos senadores se habían embarcado días antes en el puerto de Sagunto, haciendo vela hacia las costas de Italia para relatar lo ocurrido, solicitando la protección del Senado romano.

En el Foro circulaban confusamente estas noticias, y la muchedumbre se burlaba de Hanníbal como de un mozuelo arrebatado que necesitaba una lección. Podía venir contra Sagunto cuando quisiera. Los cartagineses eran los vencidos de Sicilia, los que tuvieron que abandonar las costas de la Gran Grecia, expulsados por los romanos, poniendo con la derrota su propia ciudad al borde de la ruina. Si había logrado después victorias en Iberia, era contra tribus bárbaras, ignorantes del arte de la guerra y víctimas de sus astucias. Al atacar a Sagunto encontrarían un enemigo digno de ellos, y Roma, la poderosa aliada, caería a sus espaldas, exterminándolos.

Estas reflexiones enardecían a la ciudad. Llegaban

noticias de que Hanníbal había salido de Cartago-Nova, aproximándose lentamente, y con tales novedades un aire de guerra parecía soplar sobre Sagunto, inflamando el ánimo de los más prudentes. Los mercaderes, con la sorda cólera del hombre pacífico que ve en peligro sus bienes, limpiaban viejas armas en las puertas de sus tiendas o bajaban a las orillas del río para ejercitarse en su manejo confundidos con la juventud. Ésta, desde la salida del sol, hacía caracolear sus caballos y esgrimía la lanza o disparaba el arco bajo la dirección de Mopso.

Acteón empezó a pasar los días fuera de la quinta, desoyendo los ruegos de Sónnica, que deseaba verle siempre junto a ella. El Senado le había dado el mando de los *peltastas*, la infantería ligera, y al frente de algunos centenares de jóvenes descalzos y sin otra arma defensiva que una coraza de lana y un escudo de junco, corría por las riberas del río, enseñándoles a lanzar los dardos sin detenerse en la carrera, a herir al enemigo pasando por su lado rápidamente, sin dejarle espacio para que respondiese con otro golpe.

Cuando terminado el ejercicio los jóvenes, sudorosos, se lanzaban en el río para fortalecerse con la natación, el griego regresaba lentamente a la quinta, deteniéndose en los lugares más risueños del agro.

Una tarde, el ateniense encontró a Eroción el alfarero al pie de un cerezo enorme, mirando las ramas más altas, de las que caía una lluvia de rojos frutos a impulsos de una mano invisible. Desde el día en que le sorprendió trabajando ante la desnuda pastorcilla no había vuelto a verle.

El adolescente acogió al griego con una sonrisa.

—¿Ya no trabajas? —preguntó Acteón bondadosamente—. ¿Terminaste tu obra?

El muchacho contestó con un gesto de indiferencia:

—¡Mi obra...! No te burles, griego. Nada tengo que hacer...

—¿Y Ranto?

—Está en lo alto de ese árbol, cogiendo para mí las mejores cerezas. No quiere que la acompañe, pues teme que me haga daño.

Se agitaron las ramas, y ágil como una ardilla, descendió la pastora con sus piernas descubiertas, llevando en la recogida falda un montón de cerezas. Ella y su amante las comieron, con los labios teñidos de rojo. Luego se adornaban el cabello o las colgaban a pares de sus orejas, formando frescas y vistosas arracadas.

Acteón sonrió contemplando esta juventud fuerte y hermosa, que se buscaba y confundía como si viviese en un desierto, sin preocuparse del estado de la ciudad.

—Pero ¿qué hiciste de tu obra? —volvió a preguntar.

Eroción y Ranto rieron al acordarse del pasado trabajo.

—La aplasté —dijo el muchacho—. Hice añicos el barro, y me propongo no tocar otro que el de la alfarería... si es que me decido a volver a ella.

Había cogido el talle de la pastorcita y descansaba su cabeza en uno de sus hombros, frotándose contra él con suavidad amorosa de felino.

—¿Para qué trabajar? —añadió—. He pasado muchos días arrodillado ante el barro maldito, luchando por que tomase las formas de este cuerpo. Pero es inútil. El barro es barro y no puede ser carne. Cuando se tiene al alcance la suave piel de mi Ranto, es necedad desesperarse para que la tierra amasada tome la tersura de su vida. No quiero soñar más, ateniense. Me basta lo que poseo.

Y con un impudor tranquilo, acariciaba a su amiga en presencia de Acteón.

—Un día —continuó el adolescente— vi claro y comprendí la verdad. Ranto estaba desnuda ante mis ojos. Ofuscado por mi ambición, sólo había visto en ella al modelo; pero aquel día vi la mujer. ¿A qué buscar la gloria, cuando poseo la felicidad...? Aunque lograse hacer una gran estatua, ¿qué conseguiría con ello...? Únicamente que el pueblo dijese después de mi muerte: «Esto lo hizo Eroción el saguntino.» Y yo no podría oírlo, luego de haber pasado mi vida sufriendo y trabajando... No; vivamos y gocemos. Aquel día rompí la estatua y abracé a Ranto, rodando los dos por el suelo. Amarse es mejor que perder el tiempo en monigotes de barro. ¿Verdad, Ranto...?

Y volvieron a acariciarse, sin importarles la presencia del griego. Éste adivinó la gran transformación de aquella pareja en la desenvoltura del adolescente y el fuego que parecía brillar en los ojos de la pastora. El ardor amoroso había ensanchado los contornos de su cuerpo, dando a sus miembros una gracia voluptuosa, un abandono dulce que no tenía antes.

—Olvidé el arte y somos dichosos —continuó el muchacho—. Hubiera sido locura huir a Grecia, dejando aquí este tesoro que yo no conocía. Pasamos el tiempo en los campos. Tenemos en los bosquecillos rincones misteriosos con tapices de hojas; escondrijos perfumados que nos envidiaría Sónnica *la Rica*. Y cuando sentimos hambre ordeñamos las cabras de Ranto, vaciamos una colmena o subimos a los árboles en busca de fruta. Ésta es la mejor época: toda la campiña está llena de cerezas.

Se detuvo, temiendo haber dicho demasiado. Tal vez Ranto le había reprendido con una rápida mirada. Después añadió, suplicante:

—Tú eres bueno, ateniense. Ella y yo te amamos como un hermano mayor desde que te conocimos en el camino de la Sierpe. No digas nada a mi padre ni a Sónnica. Deja que seamos dichosos en esta vida digna de dioses.

Acteón consideró con cierta envidia la felicidad de estos jóvenes exentos de cuidados, buscándose bajo los árboles, como animales sanos y hermosos que sólo creían en el amor.

—Sagunto va a ser sitiada. Tenemos guerra. ¿No lo sabéis?

—Lo ignoramos —dijo Eroción—. A mí sólo me interesa Ranto.

—¿Y tu ciudad...? ¿No te preocupa su suerte?

—Me preocupan más los besos de mi pastora. Mientras haya amor, sol y frutas, ¿qué me importa lo demás del mundo...?

—¿No crees en tu país, desgraciado?

—Por ahora sólo creo en las cerezas y en esta boca roja y fresca como ellas.

Se separaron, y Acteón guardó algún tiempo el recuerdo de este encuentro. El alegre descuido de la pareja amorosa seguía inspirándole envidia.

Pasaron los meses del verano. Las vides del agro maduraban sus racimos, y los labriegos sonreían contemplando la próxima cosecha oculta bajo los pámpanos. De vez en cuando, como un trompetazo lúgubre, llegaban noticias de Hanníbal, de sus victorias sobre las tribus del interior que se habían negado a reconocerle y de las imperiosas exigencias que mostraba sobre Sagunto.

Presentía Acteón la proximidad de la guerra, y ésta, que había constituido siempre su principal medio de existencia, le causaba ahora tristeza. Había cobrado gran afecto a aquella tierra hermosa. Su alma, saturada de la dulce paz de los fértiles campos y de la ciudad rica e industriosa, se entristecía al pensar que esta vida pudiera paralizarse. Su existencia había transcurrido siempre entre luchas y aventuras; y ahora que, rico y feliz, deseaba la paz en este rincón donde quería acabar sus días, la guerra, como una amante olvidada que se presenta inoportunamente, volvía a él sin llamamiento alguno, empujándolo nuevamente a la crueldad y la destrucción.

Una tarde, al finalizar el estío, pensaba en esto marchando a caballo hacia la ciudad. En los oblicuos rayos del sol brillaban como botones de oro las industriosas abejas buscando las flores silvestres. Las vendimiadoras cantaban en las viñas, agachadas junto a sus cestos. Acteón vio llegar corriendo por la parte de la ciudad a un esclavo de los que tenía empleados Sónnica en sus almacenes de Sagunto.

Se detuvo jadeante así que reconoció al griego. Apenas podía hablar por la fatiga, y sus palabras entrecortadas revelaban el espanto. Hanníbal llegaba por la parte de Sætabis... Empezaban a entrar despavoridas en la ciudad las gentes del campo seguidas de sus rebaños. No habían visto al invasor, pero corrían asustadas por el relato de los fugitivos que iban llegando de los confines del territorio saguntino. Los cartagineses habían pasado los límites que servían de fronteras. Eran gentes de rostro feroz y extrañas armas, que robaban las aldeas y las incendiaban. Él corría a avisar a su señora para que se refugiase en la ciudad.

Y emprendió de nuevo su carrera hacia la quinta de Sónnica. El griego dudó un momento. Pensó en retroceder en busca de su amada, pero acabó por partir al galope hacia la ciudad, y al llegar a ella pasó a escape por fuera de las murallas. Iba en busca del camino de las montañas que ponía en comunicación a Sagunto con los pueblos del interior y bifurcándose llegaba a Sætabis y Denia. Al llegar a él empezó a encontrar los fugitivos de que hablaba el esclavo.

Llenaban el camino como una inundación humana y animal. Mugían los rebaños bajo el látigo, desfilando entre los carros. Las mujeres corrían llevando en la cabeza grandes fardos, y arrastraban a sus pequeñuelos, cogidos a los pliegues de sus túnicas. Los muchachos arreaban los caballos cargados de muebles y ropas, todo amontonado al azar en la precipitación de la fuga, y las ovejas saltaban a los lados del camino, librándose de las ruedas que rozaban sus vellones.

Marchando en dirección opuesta al torrente de fugitivos, partía el griego con su caballo el revuelto oleaje de carros y rebaños, campesinos y esclavos, en el que se confundían las gentes de diversos pueblos y se perdían los individuos de una misma familia, llamándose desesperadamente a través de las nubes de polvo.

La muchedumbre fugitiva empezó a aclararse. Pasaban junto a Acteón los rezagados: pobres viejas que caminaban con paso vacilante, llevando sobre los hombros el corderillo que constituía toda su fortuna; ancianos abrumados por el peso de marmitas y ropas; enfermos que se arrastraban apoyados en el báculo; animales abandonados que vagaban por entre los olivos inmediatos al camino, y de repente, como si husmeasen al lejano dueño, lanzábanse a todo correr a través de los campos; niños sentados en una piedra que lloraban viéndose abandonados de los suyos.

Pronto quedó el camino completamente desierto. Se había perdido a lo lejos la cola de los fugitivos, y Acteón sólo vio ante él una estrecha lengua de tierra roja serpenteando por las laderas de los montes, sin un ser que cortase con su silueta esta monotonía de caminos abandonados.

El galope de su corcel resonaba como un trueno lejano en el profundo silencio. Parecía que la Naturaleza hubiese muerto al sentir la proximidad de la guerra. Hasta los árboles seculares, los retorcidos olivos que tenían siglos de existencia, las grandes higueras que se ensanchaban como cúpulas verdes sobre las laderas de los montes, permanecían inmóviles, sin un estremecimiento, como aterrados por la aproximación de aquel algo que hacía abandonar a los pueblos sus viviendas, corriendo a la ciudad.

Acteón atravesó una aldea. Las cabañas estaban cerradas; las calles en silencio. Del interior de una casa le pareció que partía un débil quejido. Algún enfermo abandonado por los suyos en la precipitación de la fuga. Pasó después ante una gran quinta cerrada. Detrás de las altas tapias aullaba con desesperación un perro.

Luego, otra vez la soledad, el silencio, la ausencia de la vida, aquella parálisis arrolladora que parecía extenderse sobre los campos. Comenzaba a anochecer. A lo lejos, como arrollado y confundido por la distancia, oíase un sordo rumor; algo semejante al mugido de un mar invisible, al zumbido creciente de una inundación.

El griego se salió del camino. Su caballo empezó a escalar una altura cultivada, hundiendo los cascos en la roja tierra de las viñas. Desde lo alto abarcó una gran parte del paisaje.

Los últimos reflejos del sol teñían de anaranjado las laderas de los montes, entre los cuales serpenteaba el camino. En él brillaban como un reguero de chispas las corazas de un grupo de jinetes marchando al trote con cierta precaución, como si explorasen el terreno. Acteón los reconoció: eran jinetes númidas de blancos y flotantes mantos, y confundidos con ellos galopaban otros guerreros de estatura menos imponente, que agitaban las lanzas haciendo caracolear sus pequeños caballos. El griego sonrió reconociendo igualmente a las amazonas de Hanníbal, el famoso escuadrón que había visto en Cartago-Nova, formado por esposas e hijas de soldados, y que mandaba la valerosa Asbyte, hija de Hiarbas, el garamanta africano.

Detrás de este grupo quedaba solitario el camino un largo trecho. En el fondo, como una bestia oscura que se movía con ondulaciones de reptil, iba avanzando el ejército, inmensa faja sobre la que brillaban las lanzas como una línea de fuego. Esta faja quedaba interrumpida a trechos por masas cuadradas que avanzaban lo mismo que torres movedizas. Eran los elefantes.

Repentinamente, detrás del ejército pareció elevarse un nuevo sol para alumbrar sus pasos. Se inflamó el horizonte, marcándose sobre su fondo rojizo el dentellado contorno de la inmensa masa. Era una aldea que ardía. Las tropas de Hanníbal, compuestas de mercenarios de todos los países y tribus bárbaras del interior, deseaban aterrar a la ciudad enemiga, y apenas entradas en territorio saguntino, talaban los campos e incendiaban las viviendas.

Acteón temió ser envuelto por los númidas y las amazonas, y bajando de la altura emprendió un galope desesperado hacia Sagunto.

Llegó a la ciudad cerrada ya la noche, y tuvo que darse a conocer, llamar a su amigo Mopso, para que le abriesen una puerta.

—¿Los has visto? —preguntó el arquero.

—Antes de que canten los gallos estarán ante nuestros muros.

Presentaba la ciudad un aspecto extraordinario. Las calles estaban iluminadas con hogueras. Antorchas de resina ardían en puertas y ventanas, y la multitud de fugitivos, aglomerándose en las plazas llenaba los pórticos y se tendía en las escalinatas de los templos. Todo el pueblo saguntino se había refugiado en la ciudad.

El Foro era un campamento. Oprimíanse los rebaños entre las cuatro columnas, sin espacio para moverse, mugiendo y pataleando. Las ovejas se introducían en los santuarios. Las familias de campesinos hacían hervir sus marmitas sobre los mármoles de los atrios, y el resplandor de tantas hogueras, reflejándose en las fachadas de las casas, parecía comunicar a toda la ciudad un temblor de alarma. Los magistrados obligaban a levantarse a los fugitivos tendidos en las calles, que obstruían la circulación, para alojarlos en las casas de los ricos. Otros eran llevados a la Acrópolis, para que acampasen en sus innumerables edificios. Allí subían también los rebaños, a la luz de las antorchas, entre una doble fila de hombres casi desnudos, que apaleaban a los bueyes cuando intentaban huir por las laderas del monte sagrado.

Dominando los murmullos de la multitud, sonaba el mugido de las trompas y los caracoles marinos para llamar a los ciudadanos encargados de la defensa de las murallas. Arrancándose de los brazos de esposas e hijas, salían de sus casas los comerciantes, vestidos con loriga de bronce, el rostro bajo la máscara metálica del casco griego rematado por enorme cepillo de crines, y avanzaban majestuosos entre la muchedumbre de rústicos, con el arco en una mano, la pica en el hombro y la espada golpeándoles el desnudo muslo, cubierto hasta la rodilla por el coturno de cobre. Los adolescentes arrastraban a las murallas enormes piedras para arrojarlas sobre los sitiadores, y reían al verse ayudados por las mujeres, que deseaban tomar parte en los combates. Viejos de barba venerable, ciudadanos ricos del Senado, se abrían paso, seguidos por esclavos con grandes haces de picas y espadas, y distribuían las armas entre los campesinos más fuertes, preguntándoles antes si eran hombres libres.

La ciudad parecía contenta. ¡Ya llegaba Hanníbal...! Los más entusiastas habían dudado con cierta pena de que el africano osase presentarse ante sus muros. Pero ya se había presentado, y todos reían pensando que Cartago perecería ante Sagunto cuando Roma acudiese en auxilio de la ciudad.

Los embajadores saguntinos estaban allá, y no tardarían en llegar las legiones romanas, aplastando en un momento a los sitiadores. Algunos entusiastas, inclinados a lo maravilloso, creían que, por un milagro de los dioses, el gran hecho ocurriría dentro de pocas horas, y tan pronto como clarease el día, al extenderse el ejército de Hanníbal ante Sagunto, asomarían al mismo tiempo en el límite azul del seno Sucronense un sinnúmero de velas: la flota conduciendo a los invencibles soldados de Roma.

Casi todo el vecindario estaba en las murallas. Apiñábase en ellas la muchedumbre, hasta el punto de que muchos tenían que agarrarse a las almenas para no ser precipitados.

Fuera de los muros la oscuridad era impenetrable. Habían callado, como asustadas, las ranas que poblaban las charcas del río. Los perros vagabundos, rondadores de la campiña, ladraban incesantemente. Adivinábase la presencia de ocultos seres que se agitaban en la sombra rodeando a la ciudad.

Las tinieblas aumentaban la incertidumbre ansiosa del gentío aglomerado en las murallas. De pronto brilló un punto de luz en la oscuridad de la campiña; después otro y otros en distintos lugares, a alguna distancia del recinto. Eran antorchas guiando los pasos de los que llegaban. Sobre su rojiza mancha de luz veíanse pasar las siluetas de hombres y caballos. A lo lejos, en la cumbre de algunos montes, brillaban hogueras, sirviendo, sin duda, de señal a las tropas rezagadas.

Estas luces pusieron fin a la calma de los más impacientes. Algunos jóvenes, no pudiendo permanecer con el arco inactivo, lo tendieron, empezando a disparar flechas. Pronto respondieron desde la oscuridad. Sonaban silbidos sobre las cabezas de la muchedumbre, y de las casas inmediatas a la muralla volaron con gran estrépito algunas tejas. Eran balas de honda enviadas por los sitiadores.

Así transcurrió la noche. Cuando los gallos lanzaron sus primeros cantos anúnciando el amanecer, una parte de la muchedumbre se había dormido, cansada de escudriñar aquella oscuridad, en la que zumbaba el enemigo invisible.

Cuando apuntó el día, los saguntinos vieron todo el ejército de Hanníbal frente a sus muros, por la parte del río. Acteón, al examinar la colocación de las tropas, no pudo menos de sonreír.

—Conoce bien el terreno —murmuró—. Ha aprovechado su visita a la ciudad. En las sombras ha sabido escoger el único punto por donde Sagunto puede ser atacada.

Todo el lado del monte estaba libre de sitiadores. Su ejército había acampado entre el río y la parte baja de la ciudad, ocupando las huertas, los jardines de las casas de recreo, el hermoso arrabal de que tan orgullosos se mostraban los ricos.

Entraban y salían los soldados en las lujosas *villas*, preparando su comida de la mañana. Convertían en astillas los ricos muebles para hacer hogueras; envolvíanse en las telas que habían encontrado, y derribaban los arbolitos para plantar sus tiendas con mayor desahogo. Al otro lado del río, sobre el inmenso agro, esparcíanse los grupos de jinetes para tomar posesión de las aldeas, de las quintas, de los innumerables edificios que surgían entre el verdor de la inmensa vega, abandonados ante la proximidad del enemigo.

Lo que llamó primeramente la atención de los saguntinos, excitando en ellos una curiosidad infantil, fue la presencia de los elefantes. Estaban en fila al otro lado del río, enormes, cenicientos, como tumefacciones surgidas de la tierra durante la noche. Tenían las orejas caídas como abanicos y pintadas de verde, y agitaban de vez en cuando sus trompas, como gigantescas sanguijuelas que intentasen chupar el azul del cielo. Sus guías, ayudados por los soldados, descargaban de sus lomos las cuadradas torres y arrollaban las gruesas gualdrapas que les cubrían los flancos en los días de combate. Les dejaban libres, como si la vega fuese para ellos una inmensa cuadra, seguros sus conductores de que el sitio iba a ser empresa larga, y mientras durase no sería preciso el auxilio de estas bestias, tan apreciadas en las batallas.

Cerca de los elefantes iban llegando por la ribera del río las máquinas de guerra, las catapultas, los arietes, las torres movedizas, complicadas fábricas de madera y bronce, de las que tiraban dobles rosarios de bueyes enormes con retorcidos cuernos.

El terreno, igual a una epidermis que sufre una erupción, cubríase de vejigas de diversos colores, tiendas de tela, de paja o de pieles, unas cónicas, otras cuadradas, las más redondas como hormigueros, en torno a las cuales se agitaba la multitud armada.

Los saguntinos, desde lo alto de sus muros, examinaban el ejército sitiador, que parecía llenar toda la vega, y al cual se unían incesantemente nuevas muchedumbres a pie y a caballo que iban llegando por todos los caminos y parecían rodar de las inmediatas montañas. Era una aglomeración de razas diversas, de pueblos distintos; una deslumbradora amalgama de trajes, colores y tipos. Los saguntinos que por sus viajes conocían todas aquellas gentes las iban señalando a sus absortos conciudadanos.

Unos jinetes que parecían volar casi tendidos sobre sus pequeños caballos eran númidas, africanos de aspecto afeminado, cubiertos de velos blancos, con pendientes de mujer y babuchas. Iban perfumados y tenían los ojos pintados de negro, pero resultaban impetuosos en el combate y luchaban a la carrera, manejando la lanza con gran destreza. En torno a las hogueras de los jardines paseaban los negros de Libia, atléticos, con los cabellos crespos y la dentadura deslumbrante, sonriendo con estúpida satisfacción al ver sus miembros desnudos y envueltos en jirones de ricas telas que acababan de robar, temblando de frío apenas se apartaban del fuego, como si les martirizase la frescura del amanecer. Estos hombres de piel oscura y brillante, pocas veces vistos en Sagunto, excitaban la curiosidad de los ciudadanos casi tanto como las amazonas que pasaban audazmente al galope junto a las murallas para ver de más cerca la ciudad.

Eran jóvenes, esbeltas, de piel tostada por la intemperie. Su cabellera suelta ondeaba detrás del casco como un adorno bárbaro, y no llevaban otra vestidura que una amplia túnica hendida por el lado izquierdo, que dejaba al descubierto sus piernas nerviosas oprimiendo los ijares del caballo... Sobre el pecho llevaban algunas un justillo de escamas de bronce, pero abierto por el costado izquierdo para pelear con más desahogo, y mostrando la redondez de su seno recogido y duro. Montaban a pelo sus caballos nerviosos y salvajes, guiándolos con un ligero freno, y al marchar en grupo las feroces bestias se mordían y coceaban, animándose de este modo en su desesperada carrera. Avanzaban las amazonas hasta cerca de los muros, riendo y profiriendo palabras que no entendían los saguntinos. Luego agitaban sus lanzas y escudos, y al enviarles los sitiados una nube de flechas y piedras, huían a escape, volviendo la cabeza para repetir sus gestos de burla.

Entre la muchedumbre oscura de los soldados se distinguían las corazas de algunos jinetes, brillantes como láminas de oro. Eran los capitanes cartagineses, los ricos de Cartago que seguían a Hanníbal. Estos hijos de opulentos comerciantes marchaban con el ejército más como pastores que como caudillos, cubiertos de metal de cabeza a pies para librarse de los golpes, y más atentos, con el genio de su raza, a administrar las conquistas y repartirse el botín que a buscar gloria en los combates.

Aparte de estas gentes, los conocedores señalaban desde las murallas las demás tropas del ejército enemigo. Unos hombres con la piel de color de leche, lacios bigotes y las crines rojas anudadas en el vértice del cráneo, que se despojaban de sus sayos y sus altas botas de pieles sin curtir para bañarse en el río, eran galos. Los otros, bronceados y tan enjutos que su esqueleto se marcaba como si pretendiese desgarrar la piel, eran africanos de los oasis del gran desierto, gentes misteriosas que con el redoble de sus tamborcillos hacían descender la luna y tañendo sus flautas obligaban a bailar a las serpientes venenosas. Revueltos con ellos avanzaban los lusitanos, de piernas fuertes como columnas y anchos pechos de roca; los jinetes de la Bética, unidos a sus caballos día y noche por un amor que duraba toda su existencia; los celtíberos, hostiles, melenudos y sucios, ostentando con altivez sus harapos; las tribus del

Norte, que adoraban como dioses los pedruscos solitarios y buscaban a la luz de la luna hierbas misteriosas para hechicerías y filtros; todos combatientes de costumbres bárbaras, de las que se decían cosas horripilantes, suponiéndolas inclinadas a devorar los cadáveres de los vencidos después del combate.

Los honderos baleares inspiraban risa, a pesar de su aspecto feroz. Comentaban algunos en las murallas las costumbres extravagantes que regían en sus islas, y la multitud lanzaba carcajadas contemplando a estos mocetones casi desnudos empuñando un palo con la punta tostada, que les servía de lanzón, y llevando tres hondas, una arrollada a la frente, otra a la cintura y la tercera en la mano. Estas hondas eran de crin, de esparto y de nervio de toro, usándolas alternativamente, según la distancia a que debían tirar.

Vivían en las cuevas de sus islas o en una cavidad formada con varios peñascos amontonados, y desde niños se amaestraban en el uso de la honda. Sus padres les ponían el pan a distancia, y no debían comerlo si no lo derribaban antes de una pedrada. Su pasión era la embriaguez y su más vehemente apetito la mujer. En las batallas despreciaban a los prisioneros de buen rescate por apoderarse de las mujeres, y muchas veces cambiaban seis esclavos fuertes por una esclava. En sus islas no se conocía el oro y la plata. Los Ancianos, adivinando los males del dinero, habían prohibido que se importasen monedas, y los honderos baleares al servicio de Cartago, no pudiendo llevar las ganancias a su país, gastaban sus soldadas en bebidas o las arrojaban generosamente en manos de las rameras hediondas y miserables que seguían al ejército.

En sus bodas, según decían los saguntinos que habían visitado las islas Baleares, era uso que todos los invitados gozasen a la desposada antes que el marido y en los entierros se apaleaba al cadáver hasta magullarle los huesos y convertirlo en una masa informe, que se apelotonaba a viva fuerza en estrecha urna, enterrándola bajo un montón de pedruscos. Sus hondas eran terribles. Arrojaban a grandes distancias balas de arcilla cocidas al sol, cónicas por sus extremos y con grotescas inscripciones dedicadas al que recibía el golpe. En los combates disparaban piedras de a libra con tal fuerza, que no podía resistirlas la armadura mejor templada.

Detrás de esta muchedumbre belicosa se esparcían por la campiña mujeres desarrapadas de todos colores, niños desnudos y enflaquecidos que no conocían a su padre: los parásitos de la guerra marchando a la cola del ejército para aprovecharse de los despojos de la victoria. Eran hembras que al llegar la noche se tendían en un extremo del campamento para amanecer en el extremo opuesto, y envejecidas en plena juventud por las fatigas y los golpes, morían abandonadas al borde de un camino. Sus pequeñuelos miraban como padres a todos los soldados de su raza, encargándose de llevar a cuestas durante las marchas la leña o la marmita de los guerreros. En los momentos de lucha difícil, cuando se reñía cuerpo a cuerpo, deslizábanse entre las piernas de los contrarios para morderlos como gozquecillos rabiosos.

Acteón encontró a Sónnica en la muralla mirando el campamento enemigo a los primeros rayos del sol. La hermosa griega se había refugiado en Sagunto la noche anterior, seguida de esclavos y rebaños, trasladando a su casa comercial gran parte de las riquezas de su quinta. Habían quedado allá las habitaciones con sus pinturas y mosaico; los muebles ricos, las suntuosas vajillas, que caerían en poder del vencedor. Y ella y el griego, por entre el follaje del agro, alcanzaban a ver la terraza de la quinta con sus estatuas, la torre de las palomas y los tejados de las casas de los esclavos, sobre las cuales empezaban a correr algunos hombres semejantes a insectos. Los invasores ya estaban allí. Tal vez se divertían matando a flechazos los pájaros asiáticos de plumaje deslumbrante y golpeaban a los esclavos enfermos y viejos abandonados en la fuga. Sobre los plátanos del jardín se elevaba el humo de una hoguera. La griega y su amante presentían la destrucción y la rapiña. Sónnica se entristeció, no por la pérdida de una parte de sus riquezas, sino por creer que estaban matando su amor al destruir un lugar que había presenciado sus primeros arrebatos de pasión con el ateniense.

Bien entrada la mañana, la gente saguntina prorrumpió en gritos de indignación. Por el camino de la Sierpe venían algunos grupos de mujeres ebrias y vociferantes abrazando a los soldados. Eran las *lobas* del puerto, las cortesanas miserables que pululaban de noche en torno al templo de Afrodita, y a las que se prohibía la entrada en la ciudad. Al presentarse en el puerto los primeros jinetes cartagineses, los habían seguido con entusiasmo. Habituadas a las caricias brutales de los hombres de todas las naciones, no les causaba extrañeza la presencia de estos soldados de tan distintos trajes y razas. Iguales eran para ellas los lobos de la tierra que los del mar. Adoraban a todos los hombres fuertes, aves de presa que las destrozaban entre sus garras, y a la zaga de las avanzadas cartaginesas marcharon al campamento, satisfechas de poder aproximarse a la ciudad sin miedo al castigo, de burlarse de sus habitantes sitiados, con el odio de largos años de humillación.

Cantaban como locas, agitándose entre las manos ávidas de deseo que se las disputaban como si fuesen a desgarrarlas. Se embriagaban con las ánforas de ricos vinos sacadas de las quintas; caían sobre sus hombros telas con hilos de oro robadas momentos antes. Los númidas las admiraban con sus húmedos ojos de gacela, coronándolas de hierbas. Ellas, prorrumpiendo en carcajadas de bacante, acariciaban a su vez la cabeza de crespa lana de los etíopes, que reían como niños, mostrando sus agudos dientes de antropófagos.

Se entregaban al amor bajo los árboles, junto a las filas de caballos amarrados al borde de las tiendas, mostrando al rodar por el suelo sus desnudeces, como un insulto impúdico a la sitiada ciudad. Y los saguntinos, que habían presenciado impávidos el largo desfile del enemigo, temblaban ahora de ira detrás de sus almenas al ver estas ofensas de sus cortesanas.

—¡Las miserables...! ¡Las perras...!

Pálidas de furor, las insultaban las virtuosas ciudadanas avanzando sus bustos fuera de los muros, como si deseasen saltar al campo para caer sobre las prostitutas. Y éstas, excitadas por la cólera de la ciudad, redoblaban sus carcajadas, tendidas de espaldas en la hierba, abiertos sus miembros, como si invitasen al ejército entero a pasar sobre sus cuerpos.

Un nuevo motivo de indignación vino a inflamar otra vez el ánimo de los saguntinos. Algunos creyeron reconocer a un guerrero celtíbero que marchaba al frente de varios grupos de jinetes. Su gallardía sobre el caballo, la arrogancia con que galopaba pegado a la silla, recordaron a muchos el vistoso desfile de la fiesta de las Pantheas. Cuando echó pie a tierra y se despojó del casco, limpiándose el sudor, todos le reconocieron, lanzando un grito de indignación. Era Alorco. ¡También éste...! Otro ingrato para la ciudad que le había colmado de atenciones y honores. Sus deberes de reyezuelo le hacían olvidar la fraternal acogida de Sagunto.

Y ciegos de ira, dispararon sus arcos contra él, pero las flechas no podían llegar al sitio donde acampaban los celtíberos.

La enfurecida muchedumbre experimentó repentinamente un ligero consuelo. Abríanse los grupos a lo largo de la muralla, y con la majestad de un dios iba avanzando Therón, el sacerdote de Hércules, fijos los ojos en el enemigo, insensible a la adoración popular que le rodeaba.

Los saguntinos creyeron ver al propio Hércules que había abandonado su templo de la Acrópolis para bajar a las murallas. Iba desnudo; una piel enorme de león cubría sus espaldas. Las garras de la fiera cruzábanse sobre su pecho, y cubría su cabeza con el cráneo de la bestia, una faz espantable, de erizados bigotes, agudos dientes y ojos amarillos de vidrio que brillaban entre la revuelta melena de oro. Su diestra sostenía sin ningún esfuerzo un tronco entero de roble, que le servía de cachiporra, como la maza del dios. Sus hombros sobresalían por encima de todas las cabezas. La muchedumbre admiraba sus pectorales redondos y fuertes como escudos, los brazos, en los que se marcaban las venas y tendones como sarmientos arrollados a los músculos, y las piernas, semejantes a columnas, entre las cuales pendía la enorme virilidad con el soberano impudor de la fuerza. Era tan gigantesco, que su cráneo parecía pequeño en medio de los inmensos hombros, abultados por la almohadilla de los músculos; su pecho mugía al respirar como una fragua, y todos, instintivamente, echaban un paso atrás, temiendo el roce de aquella máquina de carne arrolladora.

Los jóvenes elegantes amigos de Sónnica, que ni aun en esta ocasión suprema habían olvidado pintarse el rostro, le seguían y admiraban, ordenando a la muchedumbre que abriese paso.

—¡Salve, Therón! —gritaba Lacaro—. Veremos qué hace Hanníbal cuando te encuentre en el combate.

—¡Salud al Hércules saguntino! —contestaban los otros jóvenes, apoyándose con desmayo en las espaldas de sus muchachuelos.

El gigante miró al campamento, en el que empezaban a sonar las trompas y corrían los soldados para formarse en grupos. Avanzaban los honderos cautelosamente, amparándose en los edificios y las desigualdades del terreno. Iba a iniciarse el combate. En las murallas tendían sus arcos los flecheros, y los adolescentes amontonaban piedras para arrojarlas con sus hondas. Los viejos obligaron a las mujeres a retirarse. Cerca de una escalera interior del recinto amurallado peroraba el filósofo Eufobias en medio de un grupo, sin hacer caso de la indignación de sus oyentes.

—Va a correr la sangre —gritaba—. Pereceréis todos, ¿y para qué...? Quiero saber que ganáis no obedeciendo a Hanníbal. Siempre tendréis un amo, y lo mismo da ser amigos de los cartagineses que de Roma. Se prolongará el sitio y moriréis de hambre. Yo seré el último en sobreviviros, porque conozco de antiguo la miseria como una fiel amiga... Pero otra vez os pregunto: ¿qué más os da ser romano que cartagineses? Vivid y gozad. Quede para los carniceros el derramar sangre, y antes que pensar en dar muerte a otro hombre, estudiaos a vosotros. Si hicierais caso de mi sabiduría, si en vez de despreciarme me alimentaseis a cambio de mis consejos, no os veríais encerrados en vuestra ciudad como zorras en el cepo.

Un coro de imprecaciones y una fila de puños amenazantes contestaron al filósofo.

—¡Parásito! ¡Esclavo de la miseria! —gritaban—. Eres peor que esas *lobas* que se prostituyen a los bárbaros.

Eufobias, cuya insolencia crecía al mismo tiempo que la indignación de los otros, quiso contestar; pero se detuvo viendo que una masa oscura le privaba de la luz del sol. El gigantesco Therón estaba ante él, mirándole con el mismo desprecio que uno de aquellos elefantes que los sitiadores tenían junto al río. Levantó su mano izquierda indolentemente, como si se propusiera alejar a un insecto de un papirotazo. Apenas si rozó la cara insolente del filósofo, y éste cayó por la escalera de la muralla con la cabeza roja de sangre, sin una queja, rebotando de peldaño en peldaño, como hombre convencido de que el dolor no es más que una apariencia y acostumbrado a tales caricias.

En el mismo instante, una nube de objetos negros silbó sobre las murallas como una bandada de pájaros. Volaron tejas, saltaron yesones de las almenas y cayeron con la cabeza rota algunos de los que estaban en el muro. De entre las almenas salieron como impetuosa contestación las piedras y las flechas.

Empezaba la defensa de la ciudad.

Capítulo VI

ASBYTE

Hanníbal se agitaba entre las mantas de colores de su lecho, sin poder conciliar el sueño.

Habían anunciado los gallos la media noche, rasgando con su grito el silencio del campamento, y el caudillo permanecía desvelado, cerrando los ojos sin poder dormir. Le tenía en vela el canto de un ruiseñor posado en un gran árbol, de cuyo ramaje pendía su tienda.

Una lámpara de barro iluminaba la aglomeración de los objetos en torno a su lecho. Centelleaban en el suelo corazas, glebas y cascos cubiertos con pedazos de ricas telas robadas en las quintas saguntinas. Los muebles griegos, las ánforas de tocador sutilmente cinceladas, los tapices con escenas mitológicas, estaban revueltos y confundidos con los látigos de piel de buey sin curtir, los escudos de cuero de hipopótamo y los harapos de Hanníbal, tan amante del brillo de sus armas como descuidado y sucio en sus ropas. Vasos de rica labor estaban destinados a los más bajos usos. Una crátera de alabastro cubierta por un escudo servía de asiento; un gran vaso de arcilla roja decorado por un artista helénico con las aventuras de Aquiles lo empleaba el africano con desprecio para sus desahogos más íntimos; pedazos de estatuas y columnas destrozadas por el furor de la invasión se hundían en el suelo, ofreciendo asiento a los capitanes de Hanníbal cuando celebraban Consejo en la tienda del caudillo. Era el botín, amontonado y magullado por la fiebre del robo. De este botín, sólo una pequeña parte había llegado hasta el héroe, que sentía un absoluto desprecio por la belleza artística cuando no estaba impresa en metales preciosos. Reía de los dioses de aquella tierra lo mismo que de los dioses de su país y del mundo entero, y escupía sobre los mármoles de las divinidades que llenaban su campamento, viendo en ellos únicamente pedazos de piedra, buenos para enviarlos con la catapulta contra los enemigos.

A impulsos de aquella excitación nerviosa que no le permitía dormir, se incorporó en el lecho, y la luz de la lámpara dio de lleno en su rostro. Ya no era el pastor celtíbero greñudo y feroz que Acteón había encontrado en el puerto de Sagunto. Libre del disfraz, se mostraba tal como era: un joven de estatura regular, de miembros proporcionados y fuertes, sin alardes de exagerada musculatura, pero revelando en su cuerpo el temple del acero; una vitalidad capaz en momentos supremos de los más inauditos esfuerzos. Tenía la tez de un color ligeramente bronceado, y su cabellera, de cortos y gruesos rizos, formaba a modo de un turbante negro y lustroso en torno a su cráneo, cubriéndole por completo la frente y dejando al descubierto los lóbulos de las orejas, de los que pendían grandes discos de bronce. La barba era espesa y rizosa; la nariz recta y poco saliente; sus ojos, grandes e imperiosos, miraban siempre de lado, con una expresión de profunda astucia, de inarbordable recogimiento. El cuello, musculoso, se torcía habitualmente, inclinando la cabeza a la derecha, como si quisiera percibir mejor el sonido de cuanto le rodeaba.

Vestía un sayo deshilachado y sucio, como el de cualquier celtíbero de los que roncaban en las tiendas inmediatas, y únicamente, como signo de poder, brillaban en sus muñecas dos anchos brazaletes de oro, dando nuevo vigor con su opresión a los tendones y músculos del brazo.

Más de un mes llevaba ante los muros de Sagunto sin obtener ventaja alguna. Aquella misma tarde la había pasado guiando sus máquinas de guerra sin ningún éxito, y esto era lo que en la soledad excitaba sus nervios, no dejándole dormir. Hijo mimado de la victoria, había vencido a campo raso las tribus más salvajes de la Iberia; había llevado sus elefantes por las cumbres de las montañas más altas, atravesando ríos, rompiendo bosques, viendo muchedumbres antes belicosas prosternarse ante él como si fuese un dios, y por primera vez en su vida tropezaba con un enemigo tenaz que al abrigo de sus muros se burlaba de él no dejándole avanzar.

Aquella ciudad de comerciantes y labradores, que había estudiado de cerca, despreciando su opulenta molicie, amenazaba acabar con su buena suerte. Y el caudillo, viéndola inquebrantable, pensaba con ansiedad en sus enemigos de Cartago, en la cólera de Roma, en que el tiempo transcurría sin que él realizase un avance decisivo.

Había buscado hábilmente el punto vulnerable de Sagunto. Sus máquinas de guerra estaban colocadas ante la parte baja de la ciudad, allí donde ésta avanzaba sus murallas en el valle, terreno llano y descubierto que permitía la aproximación de los arietes. Pero apenas se adelantaban los centenares de hombres desnudos encargados de tirar de las pesadas máquinas, caía sobre ellos tal lluvia de flechas, que habían de huir los que no quedaban clavados en el suelo.

Algunas veces, al abrigo de los manteletes que avanzaban sobre ruedas y por cuyas saeteras disparaban los arqueros cartagineses, conseguían los arietes llegar al pie del muro. Pero como este lado de la ciudad resultaba el más expuesto a un ataque, las murallas, que en la parte alta de Sagunto eran de tapial, tenían en él una robusta base de rocas, y en vano las cabezas de carnero de bronce que servían de remate a los arietes topaban y topaban, movidas por centenares de brazos. Una lluvia de flechas y piedras caía sobre los sitiadores, rompiendo los escudos con que se cubrían. Además, una gran torre dominaba todo el terreno en que se movían los asaltantes, sembrando entre ellos a mansalva la muerte. Y no satisfechos con esto los sitiados, lanzábanse muchas veces, arrastrados por su coraje, fuera de los muros, acuchillando a los cartagineses.

Cada una de estas salidas costaba grandes pérdidas al ejército de Hanníbal. Los africanos empezaban a hablar con un temor supersticioso de cierto gigante desnudo, cubierto con una piel de león y esgrimiendo un tronco de árbol, que salía al frente de los saguntinos y a cada golpe abría ancho surco en los asaltantes. Los etíopes veían en él una divinidad terrible y sanguinaria como las que adoraban en sus oasis; los celtíberos aseguraban que era Hércules, descendido del Olimpo para ayudar a su ciudad.

Hanníbal le reconoció muchas veces en los combates. Era Therón, el sacerdote que había visto una mañana en la Acrópolis, admirando su vigor extraordinario. Pero a pesar de que afirmaba a gritos su origen humano, no lograba evitar el terror de sus tropas apenas veían sobresalir sobre los cascos aquella cabeza de león invulnerable, que parecía torcer el curso de las flechas y las piedras.

Además, los sitiados contaban con el auxilio de las *faláricas*. ¡Bien se adivinaba que entre los comerciantes y rústicos agricultores figuraban hombres expertos en la guerra, que habían corrido muchos países! El recuerdo de Acteón, el aventurero griego, compañero de su infancia, surgía en la memoria de Hanníbal. Él era seguramente el introductor de la *falárica*, dardo arrojadizo rodeado de estopa empapada en pez. Partía la flecha, ardiendo como un reguero ígneo, y su hierro largo era capaz de atravesar escudos y corazas. Pero aunque el terrible dardo no penetrase en las armaduras, sus llamas se pegaban a las ropas y los combatientes arrojaban las armas para librarse del fuego, quedando de este modo expuesto a los golpes del enemigo. Los mismos que habían peleado con las tribus más invencibles y bárbaras de Iberia huían ahora, arrojando su escudo, ante las colas de fuego que llegaban silbando y esparciendo chispas desde los muros de Sagunto.

Así transcurría el tiempo, sin que los sitiadores avanzasen, y Hanníbal temblaba de impaciencia. ¡Fuego de Baal! ¡Él encadenado a aquellos muros que no podía hacer suyos, y mientras tanto, la facción de Hanón conspirando en Cartago, preparando la ruina de los Barca si no conseguía apoderarse de Sagunto, y proyectando tal vez la entrega de su persona a Roma cuando ésta protestase viendo violados los tratados...!

Su despecho le hizo arrojarse de nuevo en la cama, buscando el sueño con el ansia del que desea olvidar. Apagó la luz de la lámpara, pero en la oscuridad siguió con los ojos abiertos. La azulada luz de la luna se filtraba por una rendija de la cúpula de la tienda, cayendo sobre las corazas, que brillaban en la oscuridad como peces plateados. Fuera seguía cantando el ruiseñor.

Hanníbal se encolerizó: le desvelaba el maldito pájaro. Él era capaz de dormir en medio del estrépito de los combates. Acostumbrado desde niño al campamento, le arrullaban las ásperas trompas de guerra. Las roncas canciones de los mercenarios y el relincho de los caballos no lograban despertarle. Pero el canto dulce de aquel pájaro, su trino incesante, le molestaba como el zumbido de un abejorro.

Saltó del lecho, buscó a tientas un arco en el revoltijo de armas, telas y muebles, y salió de la tienda. La frescura de la noche calmó su nerviosidad.

Brillaba la luna en un ambiente puro, sin una nube. El viento era tibio, a pesar de que terminaba el otoño; parpadeaban las estrellas; al trino del ruiseñor contestaban otros y otros, esparcidos en los árboles del inmenso valle. El campamento descansaba. Extinguíanse las hogueras, cerca de las cuales dormían los soldados en horrible promiscuidad con las mujeres y los niños del ejército, envueltos en harapos o en pedazos de ricas telas. Los caballos, unidos al suelo por amarras y estacas, alineaban en filas sus cabezas soñolientas. En el fondo, la ciudad sitiada permanecía oscura y silenciosa, como si durmiese. El débil resplandor escapado por algunas saeteras de sus muros evocaba la imagen de unas pupilas ligeramente entreabiertas que vigilan fingiendo dormir.

Hanníbal saltó por encima de los soldados escogidos que dormían ante la puerta de su tienda. Se incorporaban al sentir su paso; luego, reconociendo al caudillo, volvían a unir su cabeza a la tierra y continuaba roncando. Eran veteranos de las guerras de Hamílcar, que miraban con veneración casi religiosa al «leoncillo» de su antiguo capitán.

Armó el arco al dar vuelta a la tienda, para disparar contra el pájaro oculto en el ramaje; pero se detuvo asombrado, viendo junto al tronco del árbol una figura que brillaba bajo el resplandor lunar.

Era una mujer, una amazona. Centelleaban en su cabeza y su pecho el casco de oro y la coraza de escamas; descendía a lo largo de sus piernas, marcando su vigoroso contorno, una túnica de blanco lino; los brazos fuertes y desnudos se apoyaban en una lanza con el regatón clavado en el suelo. Sus ojos negros estaban fijos en la tienda de Hanníbal con extraña persistencia, sin parpadear, como si soñase despierta. El viento de la noche agitaba levemente la cabellera que descendía por sus espaldas. Detrás de ella estaba un caballo negro, de pelo brillante, piernas nerviosas y ojos inyectados de sangre, sin silla ni freno, sueltas las crines y bajando la cabeza para lamer el borde de la túnica de la amazona y sus desnudos pies, como un perrillo que la siguiera a todas partes.

—¡Asbyte! —exclamó Hanníbal, sorprendido por la aparición—. ¿Qué haces aquí...?

La reina de las amazonas pareció despertar, y al ver al caudillo fijó en él la mirada húmeda y apasionada de sus grandes ojos.

—No podía dormir— dijo con voz lánguida y cadenciosa—. He pasado la primera parte de la noche soñando cosas horribles. La diosa Thanit no guarda mi reposo, y he visto la sombra de mi padre Hiarbas, anunciándome una muerte próxima.

—¡Morir! —dijo Hanníbal, riendo—. ¿Quién piensa en morir?

—¿Soy acaso inmortal...? ¿No combato como cualquiera de tus soldados? Me arrojo con ímpetu sobre los bosques de lanzas; las flechas silban en torno a mis hombros, como si arrastrase un manto de invisibles pájaros; desprecio las *faláricas* con sus cabelleras de fuego... Pero algún día moriré: los sueños me lo anuncian.

Asbyte, como si temiera mostrar demasiada melancolía ante Hanníbal, añadió enérgicamente:

—Venga la muerte cuando quiera. No me asusta, como a los mercaderes de Cartago que te odian. Si ha turbado mi sueño, es porque al despertar pensé en ti. No puedo explicarme por qué causa pensé que tú podías morir igualmente, y ante tu muerte, Hanníbal, no me resigno. Tú debes vivir tanto como un dios. Recordé que duermes solo en tu tienda; que para ocultar mejor tus salidas no tienes guardias que velen despiertos tu sueño, y sentí la necesidad de hacer algo por ti, de pasar la noche apoyada en la lanza cerca de tu lecho, para impedir la traición de un enemigo.

—¡Qué locura! —exclamó riendo el africano.

—Hanníbal —dijo con gravedad la hermosa amazona—, acuérdate de Hasdrúbal, el esposo de tu hermana. Bastó el puñal de un esclavo para acabar con él.

—Hasdrúbal debía morir —dijo el caudillo con la convicción del fatalismo—. Lo quería la suerte de Cartago. Era preciso que Hasdrúbal desapareciese para dejar paso a Hanníbal. Pero no tiene quien le remplace, y vivirá, aunque duerma rodeado de enemigos. Mi sueño es ligero y mi brazo pronto. El que se deslice en la tienda de Hanníbal entra en su tumba.

Contempló Asbyte con amorosa admiración al joven héroe. Había arrojado el arco, y al hablar de su fuerza elevaba los brazos poderosos. La luna agrandaba su sombra de tal modo, que al mover estos brazos parecía abarcar en ellos el campamento, la ciudad, todo el valle, como un ser sobrenatural.

La amazona se aproximó a él, dejando la lanza sobre el tronco del árbol. Al abandonar su arma parecía haber depuesto su belicosa fiereza, y avanzó hacia Hanníbal dulce y femenil, mirándolo con los mismos ojos tímidos y húmedos de los antílopes que había visto triscar en los oasis de su patria.

—Además, he venido —murmuró— porque necesitaba estar cerca de ti. Me causa un placer dulcísimo velar tu sueño; siento la voluptuosidad de un sacrificio grato guardándote sin que tú lo sepas... Nunca puedo hablarte. Te contemplo de día a caballo entre esos cartagineses de armaduras doradas que te rodean; a pie, guiando a los que empujan las máquinas de guerra, ayudándoles muchas veces para excitar su entusiasmo; pero siempre te veo de lejos, como caudillo, como héroe, nunca como hombre. ¿Te acuerdas de aquellos días en la ciudadela de Cartago-Nova, cuando acababa yo de venir de África con los refuerzos que te hicieron lanzar gritos de entusiasmo?

—¡Asbyte! ¡Asbyte! —murmuró Hanníbal moviendo las manos para rechazarla, como si le molestasen tales recuerdos.

—Óyeme, Hanníbal; necesito hablarte. Dame el consuelo de verte de cerca, de decir lo que siento. Si no, ¿a qué he venido a Iberia, uniendo mi suerte a la tuya?

El caudillo miraba en torno, como si le molestase que alguien pudiera escuchar su conversación con la amazona.

—No temas —dijo Asbyte, adivinando su pensamiento—. Magón, tu hermano, duerme lejos de aquí con Marbahal, tu capitán predilecto. Mis númidas están al otro extremo del campamento. Tú te rodeas únicamente de iberos, para excitar su fidelidad con esta prueba de confianza, y ellos no entienden el fenicio.

Hanníbal, convencido por la observación de Asbyte, bajó la cabeza y cruzó los brazos, resignándose a escucharla.

—Eres huraño y duro como un dios —suspiró la ama-

zona—. Quien te ama siente para siempre el fuego de
Moloch en sus entrañas, sin que te dignes apagarlo con
una sonrisa. Eres de bronce; tus ojos miran eternamente
a lo alto, y no puedes ver a los que se arrastran queriendo llegar hasta ti. Crees haberme hecho feliz porque me llevas de combate en combate, de conquista en
conquista, y consideras que mi dicha consiste en tener
encallecidas por la lanza mis manos, que antes se adornaban con sortijas, endurecidas por las carrilleras del
casco mis mejillas, que en otros tiempos se cubrían con
ungüentos costosos traídos de Egipto por mis caravanas. Soy ahora ruda y feroz como un hombre. Poseyen-
do allá lejos jardines en los que vive una primavera
eterna, he sufrido hambre y sed a tu lado. No sé ya
quién soy; dudo de mi sexo, viendo afeado mi cuerpo
por la fatiga. La piel sobre la que se deslizaban antes
las manos de mis esclavas como si fuese un espejo, es
dura como la del cocodrilo. Si no parezco horrible como
el tropel de hembras envejecidas que siguen a tus soldados, es porque aún vive poderosa en mí la juventud...
Y todo esto, ¿por quién? Por ti, que has olvidado nuestro primer encuentro, que sólo ves en Asbyte un fiel
amigo, un aliado apreciable que llegó hasta ti trayendo
buen golpe de combatientes. ¡Hanníbal! ¡Rayo de Baal!
Eres grande como un dios, pero conoces mal a los seres
humanos. Tú sólo ves en mí una amazona, una virgen
guerrera como las que cantaron los poetas de Grecia...
y yo soy una mujer.

Calló Asbyte algunos momentos, contemplando con
tristeza al silencioso Hanníbal.

—Has olvidado sin duda cómo nos conocimos —añadió melancólicamente, después de larga pausa—. Vivía
feliz en mis oasis, hasta que corrí hacia ti, como si ema-
nase de tu persona un hechizo irresistible. Era la hija
del garamanta Hiarbas. Cansada de las dulzuras de mi
casa, del canto de mis esclavas, de los esplendores que
arrojaban a mis pies los mercaderes de las caravanas,
iba con Hiarbas a cazar el león en el desierto, y los
guerreros se asombraban al ver cómo se movían, obe-
dientes y tímidos, los potros más salvajes al sentirme so-

174

bre sus lomos. Era fuerte, era hermosa. Apenas salida de la niñez, los caudillos más fieros de la Numidia venían a pedir hospitalidad a mi padre para verme de cerca, y le hablaban de sus rebaños y sus guerreros, proponiendo una alianza a Hiarbas. Y yo me mostraba indiferente, fría, con el pensamiento puesto en Cartago, donde había vivido unos días acompañando a mi padre para ajustar el tributo con los ricos del Senado. ¡Ah, la ciudad grandiosa, la ciudad inmensa, con sus templos como pueblos y sus dioses gigantes!

Y desviando el curso de sus ideas, hablaba con entusiasmo de Cartago, como si después de tantos viajes y aventuras belicosas se conservase fresca en su memoria la imagen de la gran ciudad. Recordaba la vivienda de los cartagineses ricos, con los muros policromos rematados por esferas brillantes de metal y de vidrio; los grandes templos de mármol, con sus bosques misteriosos, en los cuales resonaban las liras y los címbalos de los sacerdotes; el templo de Thanit, rodeado de rosales, escondrijos perfumados que servían de albergue a la prostitución sagrada en honor de la diosa; y finalmente, el puerto, el inmenso puerto, con todo un pueblo de naves que arrojaban a borbotones las riquezas del mundo entero: el estaño de Bretaña, el cobre de Italia, la plata de Iberia, el oro de Ofir, el incienso de Saba, el ámbar de los mares del Norte, la púrpura de Tiro, el ébano y el marfil de Etiopía, las especias y perlas de la India, las telas brillantes de los pueblos del Asia, misteriosos y sin nombre, que permanecían en el último confín del mundo envueltos en una vaguedad de leyenda.

Ella adoraba la ciudad, más aún que por sus esplendores, porque en ella vivían los partidarios de los Barca, los sostenedores de la familia heroica, de cuyas hazañas hablaban por la noche a la luz de la luna los guerreros númidas, y de la que era vástago glorioso aquel Hanníbal todavía niño que hacía sonar su nombre en las guerras de Iberia.

—Los míos amaron siempre a los tuyos —continuó la amazona—. Si mi padre Hiarbas soportó la dominación de Cartago, fue porque al frente de ella estaba Hamílcar, un africano, un númida como nosotros. Yo odio tanto como tú a los mercaderes de Cartago, antiguos fenicios que se amontonaron y reprodujeron como gusanos en el peñón de Arad, para venir después a apoderarse por el mar de nuestro hermoso suelo de África. Odio la nave grabada en muchas de vuestras monedas, porque es el signo de los avarientos que vinieron a explotarnos, y adoro el corcel cartaginés, el caballo númida, como un signo de nuestro pasado.

Después habló del encanto que había ejercido sobre ella desde lejos la gloria de los Barca. Amó a Hanníbal antes de conocerlo, influenciada por los relatos de hazañas llegados hasta ella. Le veía luchando como un leoncillo al lado de su padre, entre manadas de toros con los cuernos inflamados y tropeles de carros ardiendo que los iberos arrojaban contra el invasor cartaginés; le contemplaba loco de furor ante el cadáver de Hamílcar y después languideciendo de inacción al lado del hermoso Hasdrúbal, conciliador y pacífico, hasta el momento en que, asesinado éste por el puñal de un galo, aclamaba todo el ejército al joven jefe.

Acababa de morir su padre Hiarbas, y ella era reina de sus tribus, cuanto supo que Hanníbal, ansioso de gloria y batallas, estaba aislado en la fortaleza de Cartago-Nova, sin otras tropas que las últimas reliquias del ejército que Hamílcar había llevado a Iberia. Los ricos de Cartago, enemigos de los Barca, no se atrevían, por miedo al populacho, a despojar al hijo de Hamílcar de la jefatura que le habían conferido sus soldados, y la confirmaban con su mutismo; pero al mismo tiempo le dejaban aislado, sin recurso alguno, para que los indígenas acabasen con él, o cuando más, consiguiera sostener en las costas de Iberia un pequeño Estado, en cuyo seno se extinguiría lentamente la ambición de los Barca.

—Entonces volé hacia ti —continuó Asbyte—. Deseaba conocer al hombre y salvar al héroe. Entregué una parte de mis riquezas a los mercaderes de Cartago para que me prestasen sus naves; inflamé el entusiasmo de los más belicosos de mis hombres para que me siguie-

me, iban a la caza del león y galopaban días enteros, empuñaron la lanza, sintiéndose arrastrados a mi loca aventura... Y una tarde, cuando tal vez creías muertas para siempre tus ilusiones de gloria, viste desde lo alto de la ciudadela de Cartago-Nova toda una flota que llegaba del África. ¿Te acuerdas...? Di: ¿te acuerdas de cómo me recibiste?

—Sí; jamás lo olvidaré —dijo Hanníbal con dulzura—. Aquellos días son mi mejor recuerdo.

—Me recibiste como una divinidad, como si Astaroth, que alumbra nuestras noches, hubiese descendido del cielo para darte su protección. Olvidaste a mis guerreros para verme sólo a mí, y despreciando por el momento tus ambiciones, pasamos las noches tendidos en la terraza de la ciudadela y las estrellas fueron testigos de nuestros interminables abrazos. Pero ¡ay! aquella felicidad fue como esas rosas de Egipto que sólo duran un día en los búcaros de las ricas de Cartago. Pronto resucitó en ti el orgullo de la dominación, el afán del caudillo. Admirabas, más que mi belleza, la apostura de mis númides, cuando por las tardes, fuera de los muros, asombraban a tus viejos guerreros arrojando dardos de rodillas sobre sus caballos, que corrían levantando el polvo con sus vientres. Salimos a pelear con los Olcades, los Vaceos, todas esas tribus iberas que ayer te combatían y hoy te siguen; guerreé detrás de ti como un soldado, y me consideraba feliz cuando en las largas marchas, imitando a nuestros caballos que juntaban amorosamente sus cabezas, te inclinabas hacia mí, chocando tu casco con el mío para besarme... Después, ni esto. ¿Qué soy yo? Un guerrero más en tu campamento; un amigo digno de gratitud que te trajo su auxilio al verte abandonado de Cartago, sin otra fuerza que un puñado de veteranos y algunos elefantes. En los combates, si me ves en peligro, vuelas a defenderme; pero después, en el campamento, en las marchas, algunas palabras de amistad nada más, una fría sonrisa, como a cualquiera de tus capitanes. Tu corazón se ha cerrado para mí: ¿es que ya no soy Asbyte, la que conociste en Cartago-Nova? ¿No me amas al verme afeada y endurecida por la guerra? Dímelo, y volveré a ser mujer, me llenaré de joyas, abandonaré mis amazonas para rodearme de esclavas griegas, me cubriré de ungüentos que devuelvan a mi piel su primitiva frescura, te seguiré en tus marchas tendida en una litera con cortinas de púrpura.

—No —se apresuró a decir Hanníbal con entusiasmo—. Te amo tal como eres. La amada de Hanníbal sólo puede ser una amazona como tú, que has hecho rodar bajo las patas de tu corcel a muchos guerreros.

—Entonces... ¿por qué me abandonas, olvidando las dulzuras de nuestros primeros días? Mira ese ruiseñor que hace poco querías matar. En medio de un campamento, frente a una ciudad sitiada, canta y canta llamando a su hembra, sin importarle los horrores de la guerra, sin percibir el hedor de sangre que sale de los campos. Seamos como él; hagamos la guerra, pero amándonos, y paseemos a través de las batallas nuestros cuerpos fundidos por el amor.

—No, Asbyte —dijo el africano con acento sombrío—. Esa felicidad es imposible; te amo, pero no podemos comprendernos. Tú te quejas de que sólo veo en ti a una amazona, cuando eres una mujer; tú, en cambio, sólo ves en mí a un hombre, y yo soy más que un hombre. No soy el dios que tú imaginas; soy algo más: una formidable máquina de guerra, sin corazón ni misericordia, creada para aplastar a los hombres y a los pueblos que se opongan a su paso.

Y Hanníbal dijo esto con convicción, golpeándose el duro pecho, irguiendo su figura con sombría majestad al afirmar su potencia destructora.

—Te amaría si fuese un hombre capaz de perder mi tiempo en tales dulzuras. Pero, ¿cuándo has visto que el águila pase toda su vida en el nido acariciando a la hembra, sin sentir el anhelo de remontarse para caer sobre el contrario? Los que tienen garras no pueden acariciar, y yo nací para hacer presa del mundo o que el mundo me aplaste... ¡Amar! ¡Dulce ocupación, lo reconozco! En mi pasada existencia, llena de sangre y de luchas, el único oasis de felicidad fueron aquellos días de Cartago-Nova, en los cuales creí que la propia Thanit, con toda su belleza divina, se dignaba descender hasta mis brazos. Pero aquello se acabó; Hanníbal tiene otros amores que le atraen y le dominan: ama a su espada, ama todo que posee el enemigo, y no puede dormir con tranquilidad pensando en Roma, a la que ansía estrujar entre sus brazos... ¡Cuán lejos está...!

La amazona hizo un gesto de desesperación ante el apasionamiento con que el caudillo hablaba de sus ambiciones.

—Podías quejarte —continuó Hanníbal— si vieses que mi pensamiento estaba ocupado por la imagen de otra mujer. ¿A quién he amado sino a ti? Para atraerme a estos bárbaros que me siguen, para ligarles por el parentesco a mis empresas, hice mi esposa a la hija de un reyezuelo ibero. Y bien; ¿dónde está? ¿Me sigue acaso como tú? Permanece en Cartago-Nova, hilando sus lanas de colores, y apenas si me acuerdo de ella, pues ni por un momento me conmovieron sus gracias de virgen bárbara. Yo sólo te amo a ti. Hanníbal sólo pudo caer entre unos brazos como los tuyos, endurecidos por el manejo de la lanza. Pero sé digna de él: no pienses como las otras mujeres; no busques nuevos enternecimientos; únete a mí para que los dos pensemos en poseer y odiar, en hacer el mundo nuestro.

Y como exaltado por sus palabras, el africano, con los ojos brillantes, se aproximó a Asbyte, acariciando sus brazos, mientras soplaba junto a su rostro palabras de entusiasmo.

—Yo quiero ser el dueño del mundo; quiero que sobre la tierra sólo exista Cartago, porque Cartago es mi patria. Si hubiese nacido romano, sería Roma la señora. Quiero con mi nombre borrar el recuerdo de Alejandro el macedonio; ser más grande que él, conquistar mayores territorios, y sueño empresas menos fáciles que dominar los pueblos asiáticos, ablandados por la molicie del sol y de las riquezas. Roma es dura, es más fuerte que nuestra república de mercaderes, roída por la avaricia y los placeres; sus manos están endurecidas por la esteva y la lanza... ¡Pues contra

Roma voy...! ¡Alejandro! ¡Cuán débil me parece su gloria! Es fácil marchar a la conquista del mundo cuando se ha nacido hijo de Filipo, que deja por herencia un ejército amaestrado en cien victorias; cuando se tiene un reino obediente a la espalda y hasta se goza la suerte en la niñez de recibir las lecciones de Aristóteles. Lo difícil es ser Hanníbal, viéndose abandonado de su patria, sin otros recursos que los que él mismo pueda buscarse, teniendo que hacer frente al mismo tiempo a la furia de los enemigos y a la traición y las intrigas de los compatriotas. Criado lejos de mi patria, entre mercaderes astutos que, al conservarme como en rehenes, querían evitarse futuros peligrosos, procuraron todos ellos torcer mis instintos belicosos, y no me dieron otra cultura que un poco de griego que me enseñó Sosilón el espartano. Y a pesar de esto, Hanníbal riñe con la fatalidad y acabará venciéndola. Si Alejandro admira por sus conquistas en el país del sol, algún día se asombrará el mundo viéndome dominar a la Naturaleza. Para aplastar a mis enemigos me siento capaz de atravesar las más altas nieves y cambiar de sitio las montañas. Mírame bien, Asbyte, y te convencerás de que es tan inútil querer despertar en mi corazón sentimientos humanos, como ablandar el pecho del enorme Moloch de bronce que tenemos en Cartago. Hace un momento, en la soledad de mi tienda, me sentía débil y desconfiado; hablando ahora contigo renace mi fuerza. Mírame bien; estás en presencia del que no teme a los hombres ni a los dioses.

—¡Los dioses! —exclamó con temor Asbyte—. ¿No temes que te castiguen...?

Una carcajada ruidosa, sarcástica, de inmenso desprecio, contestó a la amazona.

—Vivo entre guerreros de todos los pueblos —continuó Hanníbal—. Cada uno adora sus dioses, y conozco tantos, ¡tantos! que no creo en ninguno y me burlo de todos ellos. Cartago adoraba a Moloch; aquí me has visto muchas veces dedicar sacrificios a las divinidades íberas, para atraerme a sus pueblos. Si algún día entro como vencedor en esa ciudad donde vive continuamente mi pensamiento, el populacho me aclamará viéndome subir al Capitolio para dar gracias a sus divinidades... Yo únicamente creo en la fuerza y la astucia; sólo tengo un dios tutelar, la guerra, que agiganta los hombres, dándoles la omnipotencia de la divinidad. Si al ser dueño de toda la tierra no encontrara con quien reñir, moriría, creyendo que el mundo estaba vacío.

La amazona bajó la cabeza con triste expresión.

—Me convenzo de que nunca serás mío, Hanníbal. Amas la guerra sobre todas las cosas y permanecerás fiel a ella mientras vivas. Eres un hombre de presa; te gusta la posesión momentánea de la esclava; basta para saciarte la mujer llorosa y herida que cae en poder de tus soldados al entrar por asalto en una ciudad. Nunca comprenderás el amor con sus dulzuras.

Hanníbal se encogió de hombros.

—Amo la victoria, el éxito. El laurel que los héroes griegos se ceñían en el triunfo tiene para mí un perfume más penetrante que las rosas de los poetas. Cesa, Asbyte, en tus lamentos; sé guerrera y olvida que eres mujer; te amaré más, serás mi hermano de armas... ¿A qué pensar en aquellas noches de amor, cuando estaba en la desgracia y carecía de soldados, ahora que toda Iberia viene a mí y comienzo a ver realizados mis ensueños de dominación...? Mira ese campamento, donde se hablan tantas lenguas y cada uno viste diverso traje. Las tribus llegan como riachuelos que engrosan un torrente. Cada día se presentan nuevos guerreros ¿Cuántos son...? Nadie lo sabe. Marbahal decía ayer que eran ciento veinte mil; yo creo que pronto serán ciento ochenta mil. Les arrastra la ciega confianza en Hanníbal; presienten que conmigo se marcha a la victoria. Tal vez sus dioses le han dicho que esto no es más que el principio de una serie de hazañas que asombrarán al mundo. Admírate, Asbyte. Esas gentes han pasado su vida guerreando entre sí; se odiaron siempre, y ahora la espada de Hanníbal es como un cayado que las guía formando un rebaño común. ¿Y quieres, después de este prodigio, que pierda el tiempo amándote, que permanezca en mi tienda acostado a tus pies, con la cabeza sobre tus rodillas, oyéndote cantar las soñolientas canciones del oasis...? No, ¡rayo de Baal! La ciudad está enfrente de nosotros, burlándose del ejército más grande que jamás se reunió en los campos de Iberia, y es preciso acabar. Es necesario que la tienda de lienzo aplaste a la torre de piedra. Afila bien tu lanza, hija de Hiarbas; prepara tu fiel caballo, amada mía. Sopla en torno de mí ese aliento misterioso que percibo siempre en las vísperas de la victoria. Hoy mismo entraremos en Sagunto.

Y miró a lo lejos, como impacientado por la tardanza del amanecer. Brillaba la luna con menos intensidad; oscurecíase el cielo, tomando su azul un tono más denso, y por la parte del mar empezaba a marcarse una faja de claridad violácea.

—Pronto empezará el nuevo día —continuó el africano—; y esta noche, Asbyte, dormirás en el lecho de marfil de alguna rica griega, teniendo a tus pies los Ancianos de la ciudad para que te sirvan como esclavos.

—No, Hanníbal. No terminará para mí el día que ahora empieza. Veo aún la sombra de Hiarbas, tal como se me apareció antes del primer canto del gallo. ¡Moriré, Hanníbal!

—¡Morir...! ¿Y eres tú quien lo dice? Para que el enemigo llegue hasta ti será preciso que pase sobre Hanníbal. Eres mi hermano de armas. Yo estaré a tu lado.

—Aun así, moriré. Mi padre no puede engañarme.

—¿Tienes miedo...? ¿Tiemblas, hija del garamanta...? ¡Al fin, mujer! Quédate en tu tienda: no te aproximes a los muros. Iré a buscarte cuando llegue el momento de tu entrada en la ciudad como señora.

Asbyte irguió su gallarda figura, cual si acabase de recibir un latigazo. Sus grandes ojos brillaron de cólera.

—Te dejo, Hanníbal. Prepáralo todo para el asalto, y ya me encontrarás cuando tus trompas den la señal. Al convencerme de que voy a morir, sólo quería pedirte un beso, el último... No, no te acerques. Ahora no lo deseo: me haría daño. Si caigo y puedes encontrarme entre los cadáveres, ya sabes cuál fue mi último pensamiento.

Se alejó apoyada en su lanza por entre las filas de tiendas, seguida del negro caballo, que husmeaba la huella de sus plantas como una bestia apasionada.

Ya era de día. Se fueron extinguiendo las hogueras, y en torno a las últimas llamas los hombres se levantaban del suelo estirando sus miembros entumecidos y sacudiendo los pedazos de tela que estaban envueltos. Relinchaban los caballos tirando de las cuerdas, y los guerreros los dejaban en libertad, conduciéndolos al río para abrevarlos y limpiarlos.

Por todos los caminos llegaban al campamento grandes carretas cargadas de víveres y forraje. El chirrido de sus ejes confundíase con las voces de los soldados, que, al empezar un nuevo día, sentían la necesidad de recordar el lejano país, cantando en la lengua natal.

El despertar del ejército era una confusión de canciones y de gritos. Cada pueblo ocupaba un lugar distinto. Se saludaban con aullidos regocijados de una nación a otra. Sobre el campamento elevábase un vaho de carne desnuda y sudorosa, de guisos raros hirviendo en marmitas. Resonaban las grandes mazas de los carpinteros componiendo los artefactos de asedio, que a las pocas horas habían de disparar piedras y dardos contra las murallas. Algunos guerreros de flotante manto, jinetes en veloces caballos, corrían entre la ciudad y el campamento, mirando las murallas de Sagunto. Detrás de sus almenas, enrojecidas por los primeros rayos del sol, empezaban a rebullir los defensores. Hanníbal, a pie, con la cabeza descubierta, contemplaba también la ciudad desde el límite del campamento, sentado en un trozo de muro, último resto de una quinta arrasada por los sitiadores.

Estaba resuelto a dar el asalto tan pronto como su ejército hubiese terminado los preparativos matinales. Quinientos africanos armados con picos se formaban en las afueras del campamento. Iban a acometer el punto de la ciudad que avanzaba su muralla en un terreno llano y despejado, lo que les permitiría llegar hasta su base sin obstáculo alguno. En otros sitios del campamento se agolpaban los infantes celtíberos con largas escalas para intentar el asalto por distintos lados a la vez. Avanzaban las máquinas de guerra: las catapultas, con el robusto balancín oprimido por tirantes cuerdas, pronto a disparar los pedruscos depositados en la cavidad de su largo brazo; los arietes, que al ser arrastrados temblaban pendientes de sus cadenas. Las torres de asedio, ligeras, de paredes de juncos entrelazados, marchaban sobre discos macizos, coronados por los escudos de los sitiadores, que se ocultaban detrás de ellos para disparar los dardos.

Hanníbal corrió a su tienda, pasando entre los jinetes, que limpiaban sus caballos y sus armas con lentitud, convencidos de que no habían de tomar parte en el asalto hasta el último momento. El caudillo se armó a la ligera con una corta loriga de escamas de bronce. Luego se cubrió con el casco, tomó un escudo, y al salir de la tienda encontró a Marbahal y a su hermano Magón, encargados de las reservas que permanecerían en el campamento.

—Llevas las piernas descubiertas —dijo el hermano—. ¿No te las cubres con las glebas?

—No —contestó el caudillo—. Vamos a un asalto, y para trepar por los escombros hay que tener los pies ligeros. Los dardos me respetarán, como siempre.

Al salir del campamento creyó ver entre dos tiendas a la reina de las amazonas, que le seguía con sus ojos tristes. Pero Asbyte, al cruzar su mirada con la de Hanníbal, se alejó, tornándole la espalda.

Sonaron las trompas, y el campamento pareció moverse, marchando contra la ciudad.

Avanzaban los manteletes, verdaderas murallas de madera, por cuyos intersticios disparaban los arqueros. Al abrigo de estos baluartes movibles iban adelantando los africanos armados de picos, mientras por otros lados del valle corrían los celtíberos llevando al frente sus escalas.

Se cubrieron las murallas en un instante de ruidosos defensores. Por encima de las almenas asomaban brazos nervudos arrojando dardos, culebreaban las hondas disparando piedras y se combaban los arcos despidiendo agudos silbidos.

Hanníbal, para animar a los asaltantes, iba detrás de los quinientos africanos, riendo de los proyectiles de toda clase que chocaban con la madera de los manteletes. Varias noches, arrastrándose y a riesgo de caer prisionero, había llegado hasta el pie de aquel muro que cubría la parte del valle y era el más fuerte de la ciudad. La base estaba formada de grandes piedras unidas con barro. Convencido el caudillo de que era difícil escalar los muros, quería abrir brecha por los cimientos, derrumbando la rojiza muralla ante la que se había estrellado su ejército.

Al llegar cerca de ella, los africanos abandonaron el abrigo de los manteletes, arrojándose con furor contra la barrera de enormes piedras. Desnudos, negruzcos, vociferantes, subiendo y bajando sus brazos musculosos, al final de los cuales brillaba el hierro del pico, parecían espíritus infernales enviados por los dioses kabiros de Cartago para la destrucción de la ciudad. Encarnizados y tenaces en su tarea de destrucción, rugían y trabajaban, insensibles a los golpes que venían de arriba.

Los sitiados, enfurecidos por tanta audacia, despreciaban a los honderos baleares y a los arqueros que desde lejos disparaban contra las almenas, y sacando el cuerpo fuera, arrojaban sobre los africanos dardos y pedruscos. Estos proyectiles, cayendo verticalmente, nunca dejaban de producir víctimas. Rodaban los africanos con la cabeza partida o las espaldas aplastadas; rompíanse los brazos y las piernas como cañas bajo el peso de los pedruscos, y más de un asaltante quedaba con el vientre clavado al suelo por un dardo que le atravesaba los riñones. Por encima de los cuerpos palpitantes, de las carnes magulladas, de la sangre amalgamada con el barro de los muros, nuevos asaltantes cogían el pico de manos de un moribundo y emprendían contra la muralla la obra de destrucción, golpeándola furiosamente. Confundíanse los africanos, los celtíberos, los galos, hombres de todos colores y razas, jurando cada cual en su idioma, con espumarajos de rabia, y sintiendo cernerse la muerte sobre sus espaldas a cada instante. Entre el estrépito de aullidos, lamentos y piedras desplomadas, las *faláricas* incendiaban las ropas y se agarraban a la carne desnuda, haciendo arder a los hombres. Muchos de éstos, retorciéndose de dolor, corrían hacia el río como antorchas animadas.

¡Ya se movía un bloque del muro...! ¡Ya rodaba fuera de su alvéolo...! Lo más importante era sacar la primera piedra. Detrás de ella saldrían las otras. Los asaltantes prorrumpieron en exclamaciones de salvaje alegría. Oían la voz de Hanníbal animándolos. Pero antes de poder levantar la cabeza para descansar un instante, un rugido inmenso se elevó entre ellos. Llovía; pero eran gotas ardientes, infernales, que penetraban en los cuerpos como interminables cuchillos. Arriba, entre las almenas, humeaba una hoguera. Era que los comerciantes derretían los grandes lingotes de plata de sus almacenes, enviando el metal fundido como una lluvia de muerte sobre los que osaban destruir los muros de la ciudad.

Los asaltantes retrocedieron rugiendo de rabia, y fueron a refugiarse detrás de los manteletes. Hanníbal levantó su espada, queriendo con sus golpes hacerles volver al trabajo. Pero en vano se esforzaba hablando de próxima victoria y de la necesidad de destruir el muro. Sus soldados retrocedían de espaldas, mirando con respeto al caudillo, que parecía invulnerable, y quejándose del atroz tormento de sus quemaduras. Algunos se revolcaban en el suelo con los labios cubiertos de espuma, pataleando de dolor.

De pronto pareció que Sagunto estallaba, expeliendo lejos de ella a todos sus habitantes. A lo lejos huían los celtíberos arrojando sus escalas. La ciudad salía en masa contra los sitiadores. Eran pequeñas sus puertas para dar paso a la muchedumbre en armas arremolinada en ellas. Luego, esta multitud se extendía como un torrente que corre encajonado entre montañas y de pronto encuentra una llanura. Muchos impacientes se descolgaron de las almenas para caer más pronto sobre el enemigo.

En un momento quedó cubierto por los saguntinos que atacaban y los sitiadores que huían todo el espacio entre las murallas y el campamento. Hanníbal se sintió arrastrado por la fuga de sus soldados. Ardían los manteletes, y una muchedumbre de mujeres y niños empuñando antorchas rodeaba las torres de asedio, incendiando sus paredes de juncos.

Los saguntinos, formados en masas, avanzaban, barriendo a los sitiadores, que huían a la desbandada. Ante su movible frente de picas y brazos armados de anchas espadas, sólo se veían hombres fugitivos que arrojaban sus armas y caían alcanzados por dardos y lanzas.

El gigante Therón avanzaba aislado, como si él solo fuese una falange. La piel de león y su enorme estatura atraían todas las miradas. Su maza subía y bajaba, acosando los grupos de fugitivos y abriendo en ellos grandes claros.

—¡Es Hércules! —gritaban con terror supersticioso los sitiadores—. ¡El dios de Sagunto que viene contra nosotros...!

Y la presencia de este gigante aceleraba aún más la dispersión que los golpes de los saguntinos.

Hanníbal intentó avanzar, oponer una resistencia a los sitiados; pero en vano rugía, blandiendo su espada. Estaba preso en el torrente de la fuga. Le empujaban sus propios soldados, ciegos por el contagio del terror; le pisaban los talones o le golpeaban la espalda con sus cabezas, abatidos por la velocidad de la carrera, y le era necesario hacer grandes esfuerzos para no verse derribado y pisoteado. Un momento más, y los saguntinos, después de destruir todas las obras de asedio, entraban en el campamento.

El caudillo rugía maldiciones y amenazas contra su hermano y Marbahal, que no acudían con las reservas a sostener el torrente de la derrota. Vio cómo salían tropas del campamento, pero apresuradamente, a pie y sin orden, con la precipitación de un suceso inesperado, ajustándose muchos las correas de sus corazas, confundidos con los de otros pueblos y sin sus jefes, que en vano hacían sonar los cuernos para ordenar las huestes.

Los saguntinos, con el impulso ciego de la victoria, empujaron a este refuerzo, y casi lo arrollaron al primer encontrón.

Hanníbal, que había conseguido reunir un grupo de soldados más animosos, hacía frente a los saguntinos.

—¡A mí! ¡A mí! —gritaba a los que llegaban del campamento y en su turbación no sabían dónde acudir.

Pero sus gritos atrajeron al mismo tiempo a los enemigos. Therón, como si le guiase su dios, se dirigió hacia Hanníbal, y pronto su maza empezó a caer sobre los escudos del grupo cartaginés. Se arrojaba con un coraje frío contra los enemigos, quebrando sus lanzas con sólo un revés de su maza. Se hería con sus espadas, pero éstas parecían embotarse en sus músculos poderosos. Chorreaba sangre por debajo de su piel de león, feroz y magnífico, como una divinidad. Siempre que levantaba el nudoso tronco, un enemigo caía a sus pies.

Siguieron retrocediendo los sitiadores ante el empuje de los saguntinos. Hanníbal se vio arrastrado de nuevo por los suyos, que parecían aterrados por la acometividad de aquel gigante invulnerable, cuando algo inesperado cambió la faz del combate. Tembló la tierra bajo un desenfrenado galope tan ruidoso como el tableteo de un trueno, y encorvadas sobre los cuellos de sus caballos, al aire las cabelleras ondeantes que se escapaban de los cascos, y arremolinadas las blancas túnicas en torno a sus piernas desnudas, cayeron contra los enemigos las amazonas de Asbyte con la impetuosidad del huracán. Gritaban tremolando sus lanzas, llamándose unas a otras para cargar sobre los grupos más compactos, y los enemigos retrocedían asombrados ante estas mujeres que por primera vez veían de cerca y tenían a su favor la fuerza de la sorpresa.

Hanníbal, por entre las cabezas de los que le rodeaban, vio pasar como un rayo a Asbyte, completamente sola. La luz del sol, quebrándose en su casco, la rodeaba de un nimbo de oro. Su instinto de amante le había hecho adivinar dónde estaba Hanníbal cercado de enemigos, y corría allí para darle auxilio.

Lo que pasó después fue rápido, instantáneo. Apenas si Hanníbal pudo verlo entre el polvo de la carga, con la vertiginosa impresión de un ensueño. La amazona, con la lanza baja, se dirigía al galope contra el sacerdote de Hércules, que, en el reflujo del desordenado combate cuerpo a cuerpo, había quedado solo en un gran espacio de terreno.

—¡Ohooó...! —gritaba la amazona excitando al caballo con su exclamación de guerra.

Y apretando las piernas en los ijares de la bestia, elevábase sobre sus lomos para herir mejor al gigante.

Asustado el caballo al ver la espantosa cabeza de león sobre la testa del coloso, se encabritó relinchando, y en el mismo instante cayó sobre sus ojos la enorme maza, produciendo un chasquido semejante al de una ánfora que se rompe.

Rodó el caballo sobre sus patas traseras con la cabeza partida, y la amazona, despedida de sus lomos, cayó de rodillas algunos pasos más allá cubriéndose con el escudo. Si podía defenderse unos momentos, estaba salvada. Hanníbal, olvidado de los suyos, que se agitaban en la confusión del combate, corría en su auxilio. Del campamento salían grupos de jinetes para apoyar a las audaces amazonas, y la masa de los sitiados retrocedía en desorden hacia la ciudad.

Púsose en pie Asbyte y avanzó un paso, levantando la lanza para herir al gigante; pero en el mismo momento, la enorme maza, blandida a dos manos, cayó sobre ella como un muro que se desploma. Resonó quejumbrosamente el escudo de bronce al quebrarse, cayó en pedazos el casco de oro, y Asbyte quedó doblada en el suelo con la túnica cubierta de sangre, como una ave blanca que pliega sus alas.

Therón, a pesar de su ferocidad, permaneció inmóvil apoyado en su maza, sin ver lo que pasaba a su alrededor, como arrepentido del horrible destrozo que su fuerza había causado en aquella mujer hermosa.

—¡A mí, Therón! ¡Defiéndete, carnicero de Hércules...! Mátame si puedes: soy Hanníbal.

Volvióse el sacerdote, y vio a un guerrero que, cubierto el rostro con el escudo y la espada de punta, avanzaba con asombrosa agilidad, trazando círculos en torno de él, como un tigre que ataca a un elefante y busca con su movilidad hacer presa en un punto flaco. Había terminado la batalla; los saguntinos se replegaban sobre la ciudad. Los jinetes sitiadores cargaban cerca de las murallas, dejando solos a los dos combatientes en aquella parte del campo. Algunos soldados se aproximaban con lentitud para detenerse a alguna distancia, intimidados por el terror supersticioso que inspiraba el gigante.

Therón no se inmutó al verse aislado. ¡Hanníbal! ¿Era Hanníbal aquel guerrero que iba a luchar con él completamente solo...? Este encuentro singular, a la vista de toda la ciudad asomada a las murallas, parecía preparado por su dios. Iba a librar a Sagunto de su principal enemigo... Hércules le proporcionaba esta gloria. Y levantó la maza, marchando rectamente contra el africano.

Éste le eludió retrocediendo con felina agilidad, evitando el encuentro, hasta que, al fin, cansado el sacerdote y deseando acabar antes que llegaran nuevos combatientes, se afirmó sobre sus piernas de coloso y arrojó la maza contra Hanníbal. El enorme tronco rasgó el aire, al mismo tiempo que el caudillo, viéndole venir sobre él, saltaba a un lado. Todavía alcanzó su escudo, produciendo el choque un estrépito atronador, y fue a caer lejos, levantando una nube de polvo. El africano, bajo la violencia del golpe, dobló las rodillas; pero se repuso, y arrojando su escudo roto, corría con la espada levantada contra Therón.

El sacerdote de Hércules, al verse desarmado, tuvo un momento de debilidad. Sintió miedo, creyóse en presencia de un ser superior contra el que nada podían sus fuerzas, y volviendo la espalda a Hanníbal, huyó hacia Sagunto. Desde las murallas le llamaban a gritos viéndolo en peligro. Algunos armaban los arcos para detener con sus flechas a Hanníbal, pero no osaban disparar por miedo a herir a Therón.

Respiraban angustiosamente los saguntinos al ver huir a su hércules perseguido por aquel guerrero, que le acosaba, cerrándole el paso para que no llegase a la ciudad.

El gigante, pesado y musculoso, corría difícilmente por el campo cubierto de cadáveres y despojos del combate. Tropezó con un escudo, sus rodillas se doblaron y volvió a levantarse, pero esta vez completamente desnudo. La piel de león había caído de sus hombros, quedando entre los restos de la lucha.

Su perseguidor le alcanzaba. Sintió en sus espaldas el frío del hierro penetrando entre los músculos, y para no morir perseguido como un esclavo a la vista de toda la ciudad, volvióse rápidamente y extendió sus brazos como columnas, deseoso de ahogar entre ellos al enemigo.

Pero Hanníbal, antes de que cayeran en torno de él aquellas dos moles, magullándole, hundió su espada varias veces en el costado del coloso, y Therón se desplomó, llevando sus manos a las heridas para contener su sangre, de un rojo oscuro.

Miró sin cólera a Hanníbal, con una expresión infantil de dolor. Luego fijó sus ojos turbios por la muerte en la alta Acrópolis, sobre cuyas techumbres se reflejaba el sol.

—¡Padre Hércules! —murmuró con desaliento—, ¿por qué abandonas a los tuyos...?

Su cabeza enorme, al caer en el suelo, levantó una nube de polvo. Hanníbal se inclinó sobre ella, y con su espada empezó a cortar el robusto cuello, teniendo que dar muchos golpes para partir la maraña de tendones y músculos resistentes, en la que el hierro parecía embotarse.

Una nube de flechas comenzó a clavarse en el suelo en torno de Hanníbal.

El caudillo se despojó del casco, dejando suelta su cabellera de gruesos rizos; agarró después la cabeza de

Therón por su ensangrentada melena, y poniendo un pie con ademán de vencedor sobre el cuerpo del sacerdote, la enseñó a los que ocupaban las murallas.

Se mostraba majestuoso con la espada en la diestra y avanzando el otro brazo, que sostenía la cabeza del gigante. Sobre la oscura tez relampagueaban de orgullo sus ojos, brillantes como los discos de metal que pendían de sus orejas.

Los sitiados le reconocieron y un grito de sorpresa y de rabia corrió a lo largo de la muralla.

—¡Hanníbal...! ¡Es Hanníbal!

Aún permaneció inmóvil algunos instantes, como la estatua de la Victoria, desafiando mudamente a los enemigos, sin hacer caso de la nube de proyectiles que zumbaba en torno a él, hasta que, bruscamente, soltó la cabeza de Therón y cayó de rodillas, abandonando su espada.

Mopso el arquero acababa de atravesarle una pierna de un flechazo.

Todos vieron desde las murallas cómo, en un arranque de dolorosa cólera, se arrancaba el mástil de la flecha, haciéndolo añicos y arrojando lejos los pedazos. Luego ya no vieron más. Una gran parte del ejército sitiador corrió a él para cubrirle y sus honderos y arqueros comenzaron a disparar contra la muralla.

Acteón, fatigado por la salida reciente, contemplaba detrás de una almena lo que ocurría en torno de Hanníbal, sin prestar atención a los proyectiles de los honderos baleares, que, enfurecidos por la herida del caudillo, enviaban una tempestad de piedras contra los muros.

Vio cómo se alejaba Hanníbal sostenido por dos capitanes cartagineses de coraza dorada y custodiado por una muchedumbre.

De repente, el caudillo repelió a los que le sostenían y cojeando dolorosamente, anduvo hacia un bulto blanco y rojo que se destacaba sobre la tierra como un harapo ensangrentado. Se inclinó sobre él, y los númidas que le rodeaban vieron llorar al terrible Hanníbal por primera y última vez, uniendo su boca a la destrozada cabeza de la amazona Asbyte, besando aquel rostro amado, en torno de cuyas facciones aplastadas y ennegrecidas por la sangre seca empezaba a revolotear un enjambre de fúnebres moscas.

Capítulo VII

LAS MURALLAS DE SAGUNTO

La herida de Hanníbal proporcionó a la ciudad algunos días de calma. Los sitiadores permanecían en su campamento, inactivos, mirando a Sagunto de lejos. Salían los honderos por las mañanas para ejercitar sus brazos disparando contra la muralla; pero aparte de esto y de los flechazos con que les respondían los de la ciudad, no se cruzaban otras hostilidades entre sitiados y sitiadores.

La caballería recorría el agro forrajeando, y la turba inmensa de tribus feroces acababa su obra de devastación destruyendo las *villas* y casas de campo. Se aclaraban los grupos de árboles: cada día derribaban los invasores nuevos troncos para llevar leña al campamento, y en los espacios descubiertos ya no se veían tejados ni torres. Sólo ruinas humeantes y negruzcas surgían sobre los abandonados campos. Un mosaico a flor de tierra era muchas veces el único vestigio de una quinta elegante, arrasada hasta los cimientos.

Los sitiados veían engrosar rápidamente el ejército de Hanníbal. Todos los días llegaban nuevas tribus. Parecía que la Iberia entera, subyugada por el prestigio del cartaginés, fuese a acampar en torno a Sagunto, famosa por sus riquezas. Llegaban a pie o a caballo, sucios, feroces, cubiertos de pieles, vestidos de esparto, con el escudo de media luna y la espada corta de dos filos, ansiosos de pelear y trayendo consigo vistosos presentes para el africano, cuya gloria les deslumbraba.

Los saguntinos que habían comerciado con las tribus del interior reconocían desde las murallas a los recién llegados. Venían de muy lejos; algunos habían marchado más de un mes para llegar a Sagunto; y señalaban a los lusitanos, de figura atlética, de los que se relataban horrorosas ferocidades; a los galaicos, que vivían de la pesca o de fundir el oro de sus ríos; a los astures, que fabricaban el hierro, y a los vascos sombríos, cuya lengua no podían aprender los otros pueblos. Mezclados con ellos llegaban nuevas tribus de la Bética, que se habían retrasado en acudir al llamamiento del cartaginés; infantes ágiles, de piel aceitunada, con la cabellera esparcida sobre la espalda, vistiendo faldellines cortos y blancos rematados por ancha franja de púrpura y embrazando grandes escudos redondos que les servían de barcos para pasar los torrentes. El campamento, que se extendía a lo largo del río, acabó esparciéndose por el inmenso valle, formando grupos de tiendas y chozas hasta perderse de vista. Era una verdadera ciudad, más grande que Sagunto, que avanzaba y avanzaba como si fuera a tragarse sus murallas.

Al día siguiente de la victoriosa salida de los saguntinos, notaron éstos gran movimiento en el campo sitiador. Eran las honras fúnebres de la reina de las amazonas. Vieron cómo el cadáver de Asbyte era paseado por sus guerreras llevándolo en alto sobre un escudo. Después, en el centro del campamento se elevó la columna de humo de la enorme pira que consumió sus restos.

Los sitiados adivinaban el desaliento de sus enemigos. Hanníbal estaba tendido en su lecho, y el ejército parecía anonadado por el dolor del héroe. Los hechiceros del campamento entraban en la tienda para examinar su herida, buscando después en los montes cercanos hierbas misteriosas para confeccionar sus emplastos milagrosos.

En Sagunto, los más audaces hablaban de hacer una salida, de aprovechar estos días de desaliento para caer sobre los enemigos, poniéndolos en fuga. Pero el campo sitiador estaba bien vigilado; el hermano de Hanníbal, con los principales capitanes, velaba para evitar una sorpresa. El ejército estaba tan seguro al amparo de los baluartes de tierra del campamento como en una plaza fuerte, y aprovechaba su inacción para realizar nuevas obras que le pusieran a cubierto de un ataque.

Además, la ciudad no estaba menos desanimada y triste por la muerte del sacerdote de Hércules. No podían explicarse los saguntinos cómo el caudillo africano había dado muerte al gigantesco Therón a los ojos de todo Sagunto. Los más supersticiosos veían en esto una señal celeste, el aviso de que los dioses tutelares de la ciudad iban a abandonarla.

Todos mostraban igual firmeza que al principio, resueltos a defenderse; pero había desaparecido la alegría burlona de los primeros días del asedio. Creían husmear la desgracia en torno a ellos y les entristecía el número de enemigos, siempre en aumento. Cada mañana veían crecer el campo sitiador. ¿Cuándo cesarían de llegar nuevos aliados de Hanníbal...?

La alegre ciudad griega de los ricos comercios y las pomposas fiestas Panatheas presentaba el triste aspecto de las poblaciones sitiadas. La muchedumbre de los campos acampaba en calles y plazas, esparciendo un hedor de rebaño enfermo y miserable. En los templos se arrastraban los heridos al pie de las columnas lanzando gemidos. Arriba, en la Acrópolis, humeaba la hoguera día y noche consumiendo los cadáveres de los que morían en las murallas o caían en las calles víctimas de inexplicables dolencias desarrolladas por el hacinamiento.

Aún abundaban los víveres, pero faltos de frescura. Los ricos, adivinando el porvenir, acaparaban lo que podían, viendo en lontananza días de escasez. En los barrios pobres mataban los caballos, las bestias de carga, asando sus carnes en las fogatas encendidas en medio de las calles para los fugitivos sin techo.

Lo mismo en las murallas que en la Acrópolis, todos miraban al mar con impaciencia. ¿Cuándo llegarían los auxilios de Roma? ¿Qué hacían los legados enviados por Sagunto a la gran República...?

La impaciencia hacía caer frecuentemente a toda la ciudad en dolorosos engaños. Por las mañanas, los vigías apostados en la Acrópolis sobre la torre de Hércules daban furiosos golpes en sus discos de metal al ver en el horizonte algunas velas. Corría la muchedumbre a la cumbre del monte, siguiendo con mirada ansiosa la marcha de los lienzos blancos o rojos sobre la azul superficie del golfo Sucronense. ¡Eran ellos...! ¡los romanos...! ¡las avanzadas de la flota de socorro que navegaba hacia el puerto! Pero después de algunas horas de angustiosa expectativa llegaba la decepción, al saber que eran naves mercantes de Marsella o Ampurias que pasaban de largo, o trirremes enemigas que Hasdrúbal, el hermano de Hanníbal, enviaba desde Cartago-Nova con vituallas para el ejército.

Cada uno de estos desengaños aumentaba la tristeza de los saguntinos. El enemigo siempre en aumento y los aliados no llegaban. La ciudad iba a perderse. Únicamente se reanimaba el entusiasmo de los defensores al encontrar en las murallas al viejo Mopso, que por su certero flechazo a Hanníbal era el héroe de la ciudad. También el animoso Acteón, con sus burlas de ateniense, ligero y gracioso ante el peligro, sabía comunicarles nuevos ánimos.

Sónnica aparecía con frecuencia entre los saguntinos en los lugares más peligrosos. Recorría las murallas cuando silbaban las flechas sobre ellas, y los ciudadanos pobres hacían elogios de su audacia.

El amor a Acteón y el odio a los sitiadores la hacían ser valerosa. Desde lo alto de la Acrópolis había visto una tarde cómo salían llamas de la techumbre de su quinta, cómo se derrumbaba la roja torre del palomar, cómo eran abatidos los hermosos bosques que rodeaban su casa, quedando todo convertido en un montón de escombros y troncos carbonizados. Ansiaba vengarse, no de la riqueza perdida, sino de la destrucción del retiro misterioso de sus amores, de la suntuosa vivienda llena de recuerdos. Además, le producía una continua irritación de ánimo su nueva existencia dentro de la ciudad sitiada. Tenía que comer viandas groseras y dormir en su almacén, entre las riquezas amontonadas con el desorden de la fuga, confundida casi con sus esclavas y privada del baño, pues en la ciudad no había más agua que la de las cisternas, y los magistrados la distribuían con parsimonia, previniendo su próxima escasez.

Esta vida de miseria la excitaba, haciéndola distinguirse por su belicosidad. Veía de tarde en tarde a su amante, pues Acteón, alma de la defensa, tan pronto estaba en las murallas dirigiendo a los esclavos que las reparaban, como subía a la Acrópolis con Mopso para enterarse de los preparativos del enemigo. Quería el griego aprovechar la tregua proporcionada por la herida de Hanníbal para poner a la ciudad en mejores condiciones de defensa. Y mientras tanto, Sónnica paseaba por las murallas hablando con los jóvenes, prometiendo valiosos premios a los que más se distinguiesen, y excitando a todos a hacer una salida sin ejemplo: la ciudad en masa arrojándose fuera de las murallas, aplastando a los enemigos, barriéndolos hasta arrojarles en el mar.

Iba escoltada siempre por Eroción y Ranto. La vida en un espacio estrecho y la comunidad del peligro la hacían aproximarse a los dos muchachos, y éstos seguían a su ama, acogiendo con sonrisas de entusiasmo sus propósitos belicosos.

Ranto ya no era pastora. Una tras otra, habían devorado todas sus cabras en la casa de Sónnica, y sin más oficio que seguir a su señora, cogida siempre de la mano de Eroción, consideraba el asedio de Sagunto como una felicidad, y su deseo era que no terminase nunca. Hasta el ceñudo Mopso, el padre de su amante, los encontraba juntos sin protestar, y muchas veces sonreía al verles tranquilos en las murallas sin miedo a los sitiadores.

El peligro había hecho más bondadosa a la gente. Los comerciantes ricos se codeaban con los esclavos al disparar el arco desde las almenas. Más de una griega opulenta rasgaba su túnica para vendar las heridas a los rudos mercenarios. Sónnica *la Rica*, que despreciaba antes a las mujeres de la ciudad, solicitaba a las esclavas para que formasen una tropa igual a la de aquellas amazonas que seguían a Hanníbal. Satisfecha Ranto de la nueva situación, ciega de felicidad hasta el punto de no ver las angustias y miserias que sufría todo un pueblo, tiraba de su amante en los momentos de combate, le arrancaba el arco de las manos, y arrastrándolo fuera de las murallas escondíase en el hueco de una escalera, al pie del muro. Allí se acariciaban con nueva voluptuosidad, pareciéndoles más intenso su placer mezclado con el silbido de las flechas y los gritos de dolor y rabia que sonaban arriba.

La tregua sólo duró veinte días. En el silencio del campamento resonaban sin cesar los mazos de los carpinteros y los sitiados vieron elevarse poco a poco una gran torre de madera de varios pisos, más alta que las murallas de la ciudad.

Hanníbal se sentía más vigoroso y ansiaba reanudar su ofensiva. Con el deseo de que los enemigos le viesen cuanto antes, abandonó su tienda, a pesar de que aún tenía abierta la herida, y montado a caballo salió del campamento, para galopar cerca de los muros, seguido de sus capitanes.

Los saguntinos sintiéronse deslumbrados al verle. Brillaba como un ascua de fuego sobre su caballo negro. El sol le envolvía en una luz cegadora, como si fuese una divinidad. Llevaba la coraza y el casco que las tribus galaicas le habían traído como presente, fabricados con oro puro de sus ríos. El caudillo amaba más las armaduras de bronce que había paseado a través de tantas batallas; pero su cabalgada en torno de Sagunto equivalía a una resurrección, y deseaba que los sitiados le contemplasen deslumbrador y magnífico como un dios.

Con la reaparición de Hanníbal continuó el asedio, más fuerte que antes. No tardaron los saguntinos en darse cuenta de que los sitiadores habían aprovechado la tregua para aumentar su poder ofensivo. Avanzaron con grandes esfuerzos la enorme torre de madera que acababan de construir. Tenía varios pisos para los arqueros, que disparaban por las saeteras abiertas en los troncos. La plataforma superior dominaba de tal modo la muralla, que su catapulta podía arrojar sobre las almenas grandes piedras, sembrando la muerte entre los defensores.

Multiplicábase Hanníbal encolerizado por la tenacidad de los saguntinos y ansiando terminar cuanto antes el sitio.

Resultaba imposible permanecer al descubierto sobre las murallas. La torre había sido colocada cerca de aquel punto saliente de la ciudad que Hanníbal consideraba el más flaco. Caían sin cesar dardos y piedras sobre el camino de ronda, y mientras los defensores se veían obligados a mantenerse ocultos detrás de las almenas, abajo, en la base, trabajaban los arietes al abrigo de la torre, topando contra los muros y deshaciéndose lentamente. Los africanos que sobrevivieron a la primera intentona atacaban ahora con más seguridad los bloques, abriendo poco a poco una brecha.

Se agitaban en vano los saguntinos para impedir esta destrucción. La torre de asedio, movida en un terreno llano por los hombres que se ocultaban detrás de ella, iba de un sitio a otro, sembrando la muerte. A veces se aproximaban tanto, que los sitiados podían oír las voces de los arqueros cartagineses a través de sus saeteras. Mientras tanto, continuaba abajo, en la base de los muros, el trabajo lento y obstinado para derribarlos.

Los más audaces entre los defensores de la ciudad, al ver cómo destruían impunemente sus muros, sacaban el cuerpo fuera de las almenas para disparar contra los que manejaban el ariete o los picos; pero apenas quedaban al descubierto, caía sobre ellos un pedrusco o se desplomaban con el cuerpo atravesado por una flecha. La muralla estaba cubierta de cadáveres. Se arrastraban los heridos, contemplando con mirada turbia el mástil del dardo que les había atravesado el cuerpo.

En vano disparaban los sitiados contra la torre. Las piedras rebotaban sobre sus paredes de troncos con sordo ruido, pero sin causarle gran quebranto. Mostrábase erizada de flechas, moviéndose como un elefante monstruoso, insensible a las heridas. Inútilmente partían contra ellas las *faláricas* rasgando el espacio con su cabellera de humo y chispas, pues no lograban inflamar las pieles húmedas de que estaba forrada parte alta de la torre.

Huían los más prudentes de un lugar donde se concentraban los esfuerzos del sitiador y acudían a él los más audaces, sin saber ciertamente cómo repeler al enemigo, pero con la tenaz idea de morir antes de permitirle que avanzase un paso.

Mopso el arquero era el único que en tan difícil situación causaba daño a los cartagineses. Con el arco tendido avanzaba un instante su cabeza fuera de las almenas y disparaba, consiguiendo introducir sus flechas por las saeteras de la torre, lo que esparcía la muerte entre los soldados que se creían seguros. Eroción estaba a su lado. Al ver a su padre en aquel lugar de peligro, había repelido a Ranto al pie de la escalinata de la muralla, sin hacer caso de sus lágrimas, y empuñando el arco, pretendía imitar a su padre, hostilizando a los de la torre.

Pero, menos prudente, con el ardor de la juventud, sacaba casi todo su cuerpo fuera de las almenas, y cuando lograba introducir una flecha en la torre, reía, completamente al descubierto, insultando a los sitiadores con sus carcajadas de pilluelo audaz.

Una piedra de la catapulta de la torre pasó silbando y chocó con su cabeza, produciendo un chasquido fúnebre. La sangre y las piltrafas salpicaron a los más cercanos, y el muchacho, doblándose com si fuese hecho de trapos, resbaló entre dos almenas, cayendo fuera de la muralla. Las flechas de su carcaj se esparcieron en torno del cadáver con triste vibración de hierro.

—¡Mopso! ¡Mopso! —gritó Acteón intentando detener al arquero.

Pero el viejo se había lanzado en medio del camino de ronda, completamente al descubierto, con los ojos vidriosos, trémula la barba gris, imponente de dolor y de furia.

Intentó tender por tres veces su arco para disparar contra la plataforma de la torre donde estaba la catapulta, y por más esfuerzos que hizo no logró preparar su arma. El dolor, la sorpresa, la desesperación por no poder exterminar de un solo golpe a todos los enemigos, le arrebataban sus fuerzas.

Mientras pugnaba por doblegar el duro arco, que parecía rebelarse contra él, silbaban en torno a su cabeza los proyectiles del enemigo. Impotente y aviejado en un instante por el dolor, viendo al pie de la muralla el destrozado cadáver de su hijo sin poder vengarle, exhaló un gemido. Luego, se lanzó fuera de la muralla, cayendo sobre los restos de Eroción. Su cabeza chocó en las piedras, salió de ella un hilo de sangre, y padre e hijo formaron un solo cuerpo inmóvil a corta distancia de los asaltantes, que seguían empujando el ariete y socavando la base de la muralla.

Duró casi todo el día esta lucha desigual. Los saguntinos no lograban evitar los avances del enemigo. Oían el sordo choque de los picos, la muralla parecía bambolearse bajo sus pies, y nada podían hacer para impedir los progresos del sitiador.

Lentamente iban retirándose los defensores. Acteón, entristecido por la muerte de su compatriota y seguro de que era inútil permanecer allí, aconsejaba la retirada al interior de la ciudad. Empezó a retroceder con algunos de los suyos, y a los pocos momentos un torreón, carcomido en su base por el ariete, se bamboleó, cayendo al fin al suelo con gran estrépito de escombros que llenaron de polvo el espacio. Detrás de él se abatieron dos torreones más y un gran lienzo de muralla, sepultando entre sus ruinas a los defensores más tenaces.

Una exclamación formidable, un alarido de salvaje alegría contestó desde fuera al derrumbamiento de los muros. A través de la brecha abierta vióse desde las calles de la ciudad la campiña desolada y un extremo del campamento. Brillaban las armas en el denso ambiente, enrojecido por el polvo de los escombros. Veíanse avanzar oscuras masas y resonaba el bramido de los cuernos.

—¡El asalto...! ¡Los cartagineses que entran...!

Y de todos los puntos de la ciudad acudían defensores. Las estrechas calles vecinas a la muralla vomitaban grupos y más grupos vociferantes, blandiendo espadas y hachas, con el aspecto resuelto del que ha decidido morir. Escalando los escombros, fueron a colocarse de pie en la brecha, y este espacio abierto, quedó tapado por una muchedumbre abigarrada que blandía sus armas, formando una masa sólida e inquebrantable.

Acteón estaba en la primera fila. Cerca de él vio al prudente Alco, que había cambiado su báculo por la espada, y también a muchos de aquellos tranquilos comerciantes, cuyos rostros astutos parecían ennoblecidos ahora por la heroica resolución de morir antes que dejar paso a los enemigos.

Cuando éstos subieron al asalto, chocaron con la ciudad entera. De nada les servían la torre de asedio, los arietes y catapultas; la lucha era cuerpo a cuerpo, y los mismos sitiados no empleaban la *falárica*, sino la espada y el hacha.

Hanníbal, a pie, iba guiando las falanges, que avanzaban con las picas bajas o la espada en alto. Peleaba como un soldado, ansioso de terminar aquel sitio que retardaba sus planes. Estaba en el momento decisivo y un esfuerzo supremo podía hacerle dueño de la ciudad. Con palabras entrecortadas fue hablando a los soldados en los distintos idiomas de sus tribus. Recordaba las grandes riquezas de la ciudad, la hermosura de las griegas, el considerable número de esclavos que había dentro de los muros... Y los baleares acometían con la cabeza baja, avanzando sus picas de madera con la punta endurecida por el fuego; los celtíberos rugían sus cantos guerreros, golpeándose el pecho como un sonoro tambor y descargando reveses con sus cortantes espadas de dos filos; los númidas mauritanos, descendidos de sus caballos, iban de un lado a otro, astutos y recelosos, arrojando sobre los sitiados los dardos de su cinturón, oculto bajo sus velos blancos.

Todo en vano. La brecha era una garganta angosta. El ejército cartaginés, a pesar de su numérica superioridad, tenía que estrechar el frente para batirse en tan reducido espacio. Equilibradas de este modo las fuerzas, eran los saguntinos los que llevaban la mejor parte, rechazando a los sitiadores todas las veces que intentaron subir la pendiente de escombros. Hundíanse las espadas en las carnes, produciendo las atroces heridas de las guerras de la antigüedad; rasgábanse los pechos bajo las perforantes picas; agarrábanse los combatientes, enredando sus brazos lo mismo que sarmientos, trabándose las piernas, haciendo crujir sus pechos jadeantes como fuelles, y rodaban por el suelo mordiéndose el rostro. Al levantarse algunas veces el vencedor, ostentaba con orgullo entre los dientes una piltrafa sangrienta.

Ascendían las tropas de Hanníbal como una inundación por la pendiente de la brecha, y a su choque conmovíase la masa de defensores. Pero ninguno retrocedía. Todos debían morir forzosamente sin abandonar su puesto. La compacta muchedumbre aglomerada a sus espaldas obligaba a ser valiente, no dejando espacio para huir.

Así duró el combate largas horas. Los cadáveres amontonados entre los saguntinos y los asaltantes dificultaban el avance de éstos. Empezaba a ponerse el sol, y Hanníbal se sintió cansado de esta resistencia, contra la que se estrellaban sus esfuerzos. Confiando aún en su suerte, hizo sonar las trompas para un último asalto; pero en el mismo instante ocurrió una cosa inaudita, que desconcertó al caudillo, sembrando la confusión en sus tropas.

Acteón no supo realmente de dónde partió la voz. Tal vez fue una alucinación de la fe; la invención de algún entusiasta cansado de permanecer a la defensiva.

—¡Los romanos! —gritó una voz—. ¡Nuestros aliados que llegan...!

La noticia se esparció rápidamente con la credulidad que infunde el peligro. Corría de unos a otros la versión de que los vigías de la torre de Hércules acababan de ver una flota navegando hacia el puerto. Y nadie preguntó quién había traído a la brecha la agradable nueva; todos la aceptaban, añadiéndole por cuenta propia nuevos detalles. Brillaron los ojos de alegría, se colorearon los rostros, y hasta los heridos, al arrastrarse entre los escombros, levantaban los brazos gritando:

—¡Los romanos! ¡Ya vienen los romanos!

De repente, sin orden alguna, siguiendo su instinto, como si los empujase una fuerza invisible, se arrojaron los saguntinos fuera de la brecha, escombros abajo, cayendo como una avalancha sobre los sitiadores, que se agrupaban para dar el último asalto.

Lo inesperado del choque, la fuerza de la sorpresa, aquel grito «¡Los romanos! ¡Los romanos!» que lanzaban con tanta convicción los sitiados, sembraron el desorden en las tribus bárbaras de Hanníbal. Se defendieron, pero toda la ciudad caía sobre ellos. Hasta las mujeres y los muchachos combatían, como en la mañana que murió Therón. Y los soldados de Hanníbal, esparcidos en pequeños grupos, sin ver ni oír a sus jefes, emprendieron la fuga hacia el campamento.

Hanníbal gritó de furor al ver que los sitiados repelían por segunda vez sus tropas. Tanta era la ceguera de su cólera, que se metió entre los enemigos, viéndose próximo varias veces a caer bajo sus golpes.

Empezaba a anochecer. Los combatientes saguntinos llegaron en su avance hasta los linderos del campamento, mientras la gente menuda de la ciudad se esparcían por el campo, rematando a los heridos, e intentaba incendiar las máquinas de asedio. Las hubieran destruido a no ser por Marbahal, el lugarteniente de Hanníbal, que salió del campamento con algunas tropas de jinetes. Los sitiados, no pudiendo resistir a la caballería en campo raso, fueron retirándose lentamente. Al cerrar la noche ocupaban de nuevo la brecha, comentando a gritos aquella victoria, que templaba su desaliento por la ausencia de los romanos.

Acteón, con algunos saguntinos de los que más se distiguían en los combates, se ocupó en fortificar de nuevo la ciudad, no ocultando a los Ancianos del Senado que resultaba difícil defender largamente aquella abertura. El prodigio de aquella tarde no podía repetirse... Y a la luz de las antorchas pasó la muchedumbre toda la noche trabajando dentro de la brecha, abatiendo tejados y derribando muros.

Los comerciantes y los esclavos, las ricas ciudadanas y las mujeres de los arrabales, todos confundidos, empuñaban picos, rodaban piedras, acarreaban espuertas de barro. Hasta los personajes del Senado tomaban parte en este trabajo, que duró toda la noche y gran parte del día siguiente.

Eufobias el filósofo, que permanecía inactivo sin hacer caso de los insultos de los que trabajaban, evocó irónicamente el recuerdo de los primitivos fundadores de la ciudad, cíclopes que movían piedras como montañas y habían labrado la base de la Acrópolis.

En la tarde del día siguiente, cuando cesaban estos trabajos, empezó a moverse el ejército sitiador. Marchaba en masa al asalto, silencioso, sombrío, resuelto a apoderarse con sólo un empuje de aquella brecha que el día anterior había sido su vergüenza.

Atravesando las nubes de flechas y piedras que los sitiados enviaban, corrieron las primeras cohortes hasta lo alto de los escombros, batiéndose cuerpo a cuerpo con los saguntinos que todavía les disputaban la brecha. Al quedar los sitiadores dueños de la entrada de la ciudad prorrumpieron en exclamaciones de triunfo.

Hanníbal, que seguía a sus soldados, al llegar a la cresta de la brecha no pudo ocultar un gesto de disgusto.

Frente a él extendíase un vasto espacio de casas arrasadas, y más allá elevábase un segundo muro de escombros monstruoso, construido de prisa, como si un enorme escobazo hubiese amontonado a la entrada de la ciudad todos los despojos de su interior. Grandes sillares, masas de mampostería, columnas rotas, apilábanse con la misma regularidad que los bloques de una muralla, y los intersticios estaban cubiertos de barro todavía fresco. Este muro, levantado a toda prisa por el supremo esfuerzo de la ciudad entera, era más alto que el anterior, y formando una curva, se unían con las dos continuas de las antiguas murallas que aún estaban de pie.

Palideció de rabia Hanníbal al ver que todos sus esfuerzos sólo habían servido para hacerle dueño de un pedazo de suelo de la ciudad, y que, por arte prodigioso, los muros que él derribaba volvían a levantarse más allá en una sola noche. Sagunto destruiría sus casas para fortificarse con nuevos recintos, cortándole el paso. Tendría que conquistar el terreno palmo a palmo, calle por calle, y le costaría meses y años ir estrechándola, primero en torno del Foro, después en lo alto de la Acrópolis, antes de lograr que se rindiese.

En la cima de la nueva muralla mostrábanse los saguntinos tan resueltos a defenderse como el día anterior. Sus arcos y hondas detuvieron el empuje de los asaltantes, y éstos acabaron por retroceder, manteniéndose al abrigo de los escombros de la brecha.

Reflexionó Hanníbal fuera del recinto de la ciudad contemplando las alturas de la Acrópolis. Adivinaba la posibilidad de perder todo su ejército lentamente si seguía atacando a Sagunto por la parte llana y débil, donde los sitiados defendían tenazmente el terreno. Y llamando a Marbahal y a su hermano Magón, les habló de la necesidad de apoderarse de la altura, de asaltar una parte de la inmensa Acrópolis, para desde allí hostilizar a la ciudad, obligándola a rendirse.

Transcurrieron algunos días sin que se reanudaran las hostilidades por la parte del río. Las máquinas de guerra se habían trasladado al pie del monte y enviaban sus pesados proyectiles contra los muros más avanzados de la Acrópolis. Éstos eran viejos y no habían sido reparados, por fiar los saguntinos en lo inexpugnable de su altura.

Además, el número de defensores no bastaba para atender a todo el extenso recinto de Sagunto, mientras que el sitiador disponía de inmensa muchedumbre armada, capaz de lanzarse sobre varios puntos a la vez.

Una noche, Acteón encontró en el Foro a Sónnica, que le buscaba, seguida de Alco *el Prudente.*

—Los Ancianos necesitan de ti —dijo con tristeza la griega—. He aquí a Alco, que desea hablarte.

—Escucha, ateniense —dijo con gravedad el saguntino—. Los días pasan, y no llega de Roma el ansiado socorro. ¿Es que nuestros legados no pudieron llegar al territorio de la nación aliada y el Senado de la gran República ignora nuestra suerte...? ¿Es que en Roma se imaginan que Hanníbal, arrepentido de su audacia, ha levantado el sitio...? Necesitamos saber qué es lo que nuestra aliada piensa de nosotros. Queremos que el Senado de Roma conozca lo que hace Sagunto, y los Ancianos, por indicación mía, han pensado en ti.

—¿En mí...? ¿Y qué quieren? —preguntó Acteón con extrañeza, mirando a Sónnica.

—Quieren que esta misma noche partas para Roma. Aquí tienes oro; toma estas tablillas, que servirán para que el Senado te reconozca como mensajero de Sagunto. No te enviamos a una fiesta. La salida es difícil, y más difícil aún encontrar en esas costas, infestadas de enemigos, quien te lleve hasta Roma. Debes partir esta noche, ahora mismo si es posible, descolgándote de las murallas de la Acrópolis por la parte del monte, donde apenas hay enemigos. Mañana tal vez sea tarde. Huye, y vuelve pronto con el auxilio que necesitamos.

Acteón tomó el oro y las tablillas que le ofrecía Alco. Al mismo tiempo se excusó modestamente, comprendiendo la gravedad de su misión.

—Nadie mejor que tú puede hacer eso —dijo el saguntino—. Por eso hemos pensado en ti. Has pasado la vida corriendo el mundo; hablas muchas lenguas, no te faltan astucia y valor... ¿Conoces Roma?

—No; el padre de mi padre hizo la guerra contra ella a las órdenes de Pirro.

—Ve, pues, ahora a ella como un amigo, como un aliado, y quieran los dioses que algún día bendigamos el momento que llegaste a Sagunto.

El griego no parecía resuelto a partir. Le pesaba como una vergüenza abandonar la ciudad en aquel trance supremo, dejando a Sónnica dentro de ella.

—Yo soy un extranjero, Alco —dijo con sencillez—. Ningún vínculo de sangre me une a vuestra suerte. ¿No temes que huya para siempre, dejándoos abandonados...?

—No; te conozco y por esto he respondido de tu fidelidad ante los Ancianos. Sónnica también ha jurado que volverás si no se apoderan de ti los enemigos.

El griego miró a su compatriota como preguntándose si debía partir, y ella bajó la cabeza, resignada al sacrificio. Acteón, después de esto, se mostró resuelto.

—Salud, Alco. Di a los Ancianos que el ateniense Acteón morirá crucificado en el campo de Hanníbal o comparecerá ante el Senado de Roma para repetir vuestras quejas.

Besó a Sónnica en los ojos varias veces, y la hermosa griega, conteniendo sus lágrimas, quiso seguirle con Alco hasta lo alto de la Acrópolis para verle algunos instantes más.

Marcharon los tres en la oscuridad por las explanadas de la ciudad antigua, a lo largo de los muros de la Acrópolis. Habían apagado su antorcha para no llamar la atención de los sitiadores y caminaban guiados por la difusa luz de las estrellas, que parecían brillar con más intensidad, como aguzadas por el frío de aquella noche, que era de las primeras de invierno.

Alco buscó un lugar de la muralla que le habían indicado los Ancianos más conocedores de la Acrópolis. Cuando llegaron a él, el saguntino encontró a tientas el extremo de una gruesa soga atada a una almena y lo arrojó en el espacio.

La partida se realizaba en el secreto más absoluto. Los mismos Ancianos que habían acordado el viaje del mensajero y preparado su fuga se ocultaban para no presenciarla. Sónnica se abrazó sollozando al cuello de Acteón.

—Márchate pronto, ateniense —dijo el saguntino con impaciencia—. Esta primera hora de la noche es la mejor; aún circulan por el campo grupos de soldados antes de entregarse al sueño. Ahora podrás pasar sin que te reconozcan. Más tarde, en el silencio de la noche, te sorprenderían los centinelas.

Acteón se libró de los brazos de Sónnica, y echando el cuerpo fuera de los muros, agarró la cuerda en la oscuridad.

—Ten confianza en nuestros dioses —dijo Alco como última recomendación—. Aunque parezca que nos abandonan, siempre velan por Sagunto. Hace poco, un esclavo fugitivo del campamento ha revelado ante los Ancianos que los vacceos y los calpenses, hartos de sufrir las rapiñas de los destacamentos que envía Hanníbal para adquirir víveres se han sublevado contra él, degollando a sus emisarios. Parece que el africano, con una parte de su ejército, tendrá que abandonar el sitio para ir a castigarles. Con esto quedarán enfrente de nosotros menos enemigos, y si tú vuelves con las legiones de Roma, Sagunto será para los cartagineses lo que las islas Egatas en su guerra de Sicilia... Pero ¡ay! ¡Cuánto mejor es la paz!

Con esta melancólica exclamación se despidió Alco del griego, mientras éste descendía por la cuerda silenciosamente. Al poco rato sus pies tropezaron con una de las peñas en las que descansaba el muro. Soltó la cuerda y empezó a deslizarse a tientas. En su descenso, que más bien parecía una caída, se agarró a los míseros y retorcidos olivos que vegetaban en aquellas alturas, oprimidos por los peñascos.

A los pies del griego, en la negra soledad de la llanura, llameaban algunas hogueras. Eran tal vez de fuerzas avanzadas del campamento que vigilaban aquella parte de la montaña. También podían haber sido encendidas por los merodeadores que formaban la cola del ejército y se habían establecido allí, lejos de las miradas de Hanníbal.

Cuando Acteón llegó a la llanura empezó a caminar, agachado, a lo largo de un ribazo de piedras, deteniéndose muchas veces para escuchar, conteniendo su respiración. Creyó que le seguían, que alguien marchaba detrás de él cautelosamente. Veía cerca una gran hoguera, y destacándose sobre su humo rojo algunas siluetas de hombres y mujeres.

Al erguirse para explorar los oscuros campos y dar un rodeo que le alejase de la hoguera, sintió que le cogían por los hombros, y una voz ronca murmuró en su oído, entre estúpidas risotadas:

—¡Ya te tengo...! ¡En vano te ocultas...!

Acteón repelió aquellas manos, y tirando del ancho cuchillo que llevaba en el cinto, dio un salto atrás, hasta quedar frente al desconocido en actitud defensiva. Era una mujer. El griego adivinó a la difusa luz de las estrellas su inquietud y su sorpresa.

—¿No eres Gerión el hondero? —murmuró, tendiendo sus manos hacia el ateniense.

Se miraron tocándose casi en la oscuridad, y el griego reconoció en aquella mujer a la infeliz *loba* que le había alimentado la primera noche de su llegada a Sagunto. Ella se mostró más sorprendida aún que el ateniense por este encuentro.

—¿Eres tú, Acteón...? Parece que los dioses me ponen en tu camino, a pesar de que me desprecias... Huyes de la ciudad, ¿verdad? Te has cansado de Sónnica *la Rica*; no quieres perecer como todos esos mercaderes que Hanníbal *el Invencible* pasará a cuchillo. Haces muy bien: huye cuanto antes. ¡Que no te vean!

Y miraba con zozobra la cercana fogata, como si temiese la aproximación de los soldados que se calentaban en torno a ella, riendo y bebiendo con un grupo de *lobas* del puerto.

La mísera cortesana, ahogando su voz, relató al griego por qué estaba allí. Era la amante de Gerión, un hondero balear. Éste había huido de ella momentos antes, para no entregarle el dinero de su última soldada, y buscándolo, había tropezado con Acteón. Podía volver el hondero, podían aproximarse sus compañeros, que estaban junto a la hoguera, si es que oían el susurro de sus voces. Debía alejarse el griego cuanto antes... ¿Qué pensaba hacer?

—Quiero llegar a la costa, seguir por ella hasta que

encuentre una barca de pescadores que me lleve a Emporión o Denia. Tengo dinero para pagarla. Después buscaré una nave para irme lejos, muy lejos.

—No volverás, ¿verdad...? Deseo que no vuelvas. ¡Si supieras que algunas veces, mientras los hombres se mataban en las murallas, yo he pensado en ti...! No te veré más; pero prefiero no verte, antes que perezcas dentro de Sagunto o seas esclavo de mi amante el balear... Hanníbal acabará con todos. ¡Ah, ciudad cruel! ¡Cómo deseo ver esclavas de las tropas de Hanníbal a todas esas ricas que nos hacían dar de latigazos cuando nos aproximábamos a ellas en el puerto...!

La pobre cortesana, dando la mano al griego, empezó a guiarle a través de los campos.

—Ven —murmuró—. Yo te conduciré hasta la playa, y allí seguirás tu camino, sin otro amparo que el de los dioses. Viéndote conmigo, creerán que eres un soldado celtíbero que busca con su amante un lugar para pasar la noche... Yo te alimenté la primera noche que llegaste y te salvaré la noche de tu huida.

Se aproximaban al mar. Pasaron cerca de varias hogueras, siendo saludados por las pullas soeces de los soldados y las mujerzuelas, que les creían una pareja amorosa en busca de refugio. Algunos grupos armados les dejaron pasar sin la menor sospecha. Oíase cada vez más próximo el rumor de las olas sobre la arena de la playa. Caminaban entre juncos, hundiéndose en el tibio y pegajoso fango de las marismas.

La pobre *loba* se detuvo.

—Te dejo, Acteón. Si quisieras, iría contigo como una esclava. Pero no querrás... nada valgo para ti. Te alejas para siempre, pero estoy contenta porque huyes de Sónnica. Antes de partir... ¡bésame, mi dios...! En los ojos no... En la boca... así.

Y el ateniense, conmovido por la bondad de aquella mísera criatura, besó sus labios secos y fláccidos, que dejaban escapar el avinagrado hedor del vino de los honderos baleares.

Capítulo VIII

ROMA

Al enrojecer los primeros rayos del sol las murallas del Capitolio, la vida de Roma había empezado ya una hora antes.

Los romanos abandonaban el lecho a la luz de las estrellas. Rodaban en las oscuras y tortuosas calles los carros de la campiña; desfilaban los esclavos con sus cestos y útiles de labranza, despertados por el canto de los gallos, y cuando apuntaba el día, todas las casas tenían ya abiertas sus puertas de par en par y los ciudadanos sin ocupación en los campos marchaban a reunirse en el Foro, centro del tráfico y de los negocios públicos, que comenzaba a adornarse con los primeros templos y conservaba grandes espacios yermos, sobre los cuales se habían de elevar, siglos después, las magnificencias de la Roma señora del mundo.

Hacía dos días que Acteón estaba en la gran ciudad,

alojado en una posada de extramuros propiedad de un griego. Aún no se había extinguido en él la admiración que le causó desde el primer momento esta República severa viviendo casi en la pobreza; pueblo duro de agricultores y soldados que llenaba con su fama el mundo y se mantenía con mayor parquedad que cualquier lugarejo de los alrededores de Atenas.

Esperaba Acteón comparecer ante el Senado aquel mismo día. Muchos de los Padres de la República vivían en el campo, en las rústicas *villas* con paredes de adobes y techo de ramaje, vigilando el trabajo de sus esclavos, empuñando el arado como Cincinato y Camilo. Cuando las necesidades del país les llamaban al Senado, venían a Roma en su carreta tirada por bueyes, entre cestos de legumbres y sacos de grano, y con sus manos encallecidas por el trabajo vestíanse la toga antes de entrar en el Foro, quedando como transfigurados por la majestad que les daba su alta investidura.

El griego llegó al amanecer al Foro, encontrando la misma muchedumbre de todos los días: venerables romanos envueltos en su toga que hablaban a los jóvenes del arte de colocar prudentemente el dinero sobre buenas prendas, sabiduría principal de todo ciudadano; pedagogos griegos, famélicos e intrigantes, siempre en busca de una colocación en este pueblo sombrío, más apto para la lucha que para las artes; viejos legionarios, con el pardo sayo lleno de remiendos, pensando nostálgicamente en las pasadas guerras contra Pirro y Cartago, perseguidos por deudas y amenazados de esclavitud por sus acreedores, a pesar de las cicatrices que cubrían su cuerpo; y la plebe, sin otro vestido que la *lacerna* (corta capa de paño burdo rematada por el *cuculus*, capucha puntiaguda), la inmensa plebe romana explotada y oprimida por los patricios, soñando siempre como remedio a sus males con nuevos repartos de las tierras públicas, que lentamente, por medio de la usura, iban a parar al fin a manos de los ricos.

En las gradas de los Comicios se estaban reuniendo los ciudadanos de una tribu para hablar del testamento de uno de los suyos que acababa de morir. Cerca de la tribuna de las arenas, algunos centuriones viejos, con coturnos y casco de bronce, apoyados en bastones de sarmientos trenzados, divisa de su categoría militar, discutían el sitio de Sagunto y la audacia de Hanníbal, deseando marchar inmediatamente contra el cartaginés.

Sobre los grandes bloques de piedra azul que pavimentaban el Foro establecían los vendedores de bebidas calientes sus grandes cráteras, golpeándolas con el cazo para atraer al gentío. Al pie de las gradas del templo de la Concordia, unos bufones etruscos, enmascarados con horrorosas carátulas, iniciaban su mímica grotesca, haciendo acudir niños y desocupados de todos los extremos de la plaza.

Hacía frío. Soplaba el viento helado y húmedo de las lagunas Pontinas; el cielo era gris, y de la muchedumbre agolpada en el Foro salía un zumbido opaco y continuo. Acteón comparó mentalmente esta plaza con la alegre Ágora de Atenas y hasta con el Foro de Sagunto en sus días de paz. Faltaba en Roma la alegría griega, la dulce y regocijada ligereza de un pueblo artista que desprecia las riquezas, y si comercia es para vivir mejor. Era un pueblo frío y triste, dado al lucro y al ahorro, desdeñoso del ideal, sin más industria que la agricultura y la guerra, exprimiendo el propio terruño y robando los bienes del enemigo; rutinario, sin iniciativa y sin juventud.

—Este pueblo —se dijo el ateniense— parece que no ha tenido nunca veinte años. Hasta los niños nacen viejos.

Y Acteón recordó lo que había visto en dos días con su sagacidad de griego: la cruel disciplina de la familia, de la religión y del Estado a que vivían sometidos todos los ciudadanos; su total desconocimiento de la poesía y el arte; aquella educación férrea, triste, basada únicamente en el deber, que obligaba a todo romano a una larga y penosa obediencia para poder mandar algún día.

El padre, que era en Grecia un amigo, resultaba en Roma un tirano. Para la ciudad latina no existía más persona que el padre de familia; la esposa, los hijos, los clientes, vivían casi al nivel de los esclavos: eran instrumentos de trabajo sin voluntad y sin nombre. Los dioses sólo le oían a él; era en su casa sacerdote y juez; podía matar a la mujer, vender los hijos por tres veces, y su autoridad sobre la prole persistía a través de los años, temblando el cónsul vencedor o el senador omnipotente cuando estaba en presencia de su padre. Pero en esta organización sombría y despótica, más triste aún que la de Esparta, adivinaba Acteón una fuerza latente incubada en el misterio, que algún día rompería su envoltura, abarcando al mundo en un abrazo de hierro. El griego detestaba a este pueblo sombrío, pero lo admiraba al mismo tiempo.

Su rudeza, el espíritu belicoso y duro de la raza, se revelaba en el Foro. En lo alto del monte sagrado, el Capitolio era una verdadera fortaleza, con muros desnudos y sombríos, limpios de los adornos que hacían brillar con eterna sonrisa la ciudadela de Atenas. El templo de Júpiter Capitolino apenas sobresalía sobre las murallas, con su techo bajo y sus filas de columnas achatadas y robustas como si fuesen torreones. Abajo, en el Foro, igual fealdad grave y sombría. Los edificios eran bajos y vigorosos; más bien parecían construcciones de guerra que templos dedicados a los dioses y edificios públicos. Del Foro partían las grandes vías romanas, el único embellecimiento que podía interesar a Roma, por la utilidad que reportaban para el pronto movimiento de las legiones y para los arrastres de la agricultura. Desde el Foro veíase partir en línea recta la vía Apia, pavimentada de piedra azul con sus dos hileras de tumbas que empezaban a elevarse en las inmediaciones de la ciudad, perdiéndose a través de la campiña con dirección a Capua. Del extremo opuesto del Foro partía la vía Flaminia, que iba a buscar la costa, remontándose hasta la tierra de los cisalpinos. Sobre la inmensa campiña destacábanse, con fajas ondulantes y rojas, los primeros acueductos construidos bajo la censura de Apio Claudio para surtir la ciudad de fresca agua de las montañas, combatiendo así los aires corrompidos de las lagunas Pontinas.

Pero aparte de estos rudos monumentos, la ciudad extensa, gigantesca, capaz de poner por sí sola sobre las armas más de ciento cincuenta mil combatientes, presentaba un aspecto salvaje y miserable, casi semejante al de aquellas tribus que había visto Acteón en su viaje por la Celtiberia.

Escaseaban los edificios con un piso superior: la mayoría eran grandes cabañas de muros redondos de piedra o barro y techumbres cónicas formadas con tablas y troncos. Después que los galos incendiaron Roma, la ciudad había sido reconstruida en un año, al azar, con precipitación. Amontonábanse las casas en determinados barrios, hasta el punto de no dejar más que el espacio de un hombre para circular entre ellas, y esparcíanse en otros como si fuesen *villas* campestres, rodeadas de pequeños campos, dentro del recinto de las murallas. Las calles no existían: eran prolongaciones tortuosos de los caminos que conducían a Roma; arterias formadas por la casualidad que se enroscaban, siguiendo las sinuosidades de una caprichosa construcción, para desembocar repentinamente en grandes terrenos baldíos, donde iban amontonándose las suciedades del vecindario y graznaban por la noche los cuervos picoteando las carroñas de los perros y los asnos muertos.

La ruda pobreza de esta ciudad de agricultores, prestamistas y soldados reflejábase en el exterior de sus habitantes. Las altivas matronas hilaban lana o cáñamo a la puerta de sus casas, sin otro traje que una túnica de burdo tejido y algunos adornos de bronce en el pecho y las orejas. Las primeras piezas de plata se habían acuñado luego de la guerra con los samnitas. El *as* de cobre grosero y pesado era la moneda corriente, y los ricos objetos griegos traídos por las legiones después de la guerra de Sicilia casi recibían adoración en las casas de los patricios, mirándolos de lejos, como amuletos que podían corromper la virtud de las costumbres romanas. Senadores que poseían grandes territorios y centenares de esclavos paseaban por el Foro con cívico orgullo su toga llena de remiendos. En toda Roma sólo existía una vajilla de plata, propiedad de la República, que pasaba de la casa de un patricio a la de otro cuando llegaba un enviado de Grecia, un embajador de Sicilia o un mercader opulento de Cartago, habituado a los refinamientos asiáticos, y había que dar banquetes en su honor.

Acostumbrado Acteón a las disputas filosóficas del Ágora, o a los diálogos sobre poesía y misterios del alma que se entablaban inmediatamente entre dos griegos sin ocupación, iba por el Foro atento a las conversaciones mantenidas en un latín rudo e inflexible que molestaba sus oídos de ateniense. En un grupo hablaban de la salud de los rebaños y el precio de la lana; en otro se ajustaba la venta de un buey, en presencia de cinco ciudadanos de edad adulta que servían de testigos. El comprador ponía en una balanza el bronce precio de la compra, y tocando con su diestra al animal, decía solemnemente, como si recitase una oración:

—Esto es mío, según la ley de los Quirites; lo pagué con este metal bien pesado.

Más allá, un legionario de cara famélica ajustaba un préstamo con un viejo, ofreciéndole como prenda su casco y sus glebas, y pronunciaban las fórmulas de la ley para tal caso.

—¿*Dari spondes?* (¿Prometes dar?) —preguntaba el soldado.

—*Spondeo* (Prometo) —contestaba el prestamista.

Y el trato quedaba cerrado con estas solemnes palabras, de las cuales una sola sílaba cambiada era suficiente para anular la operación, pues los romanos profesaban un respeto supersticioso a la letra de sus leyes.

En otro grupo se discutían las condiciones que debe tener un esclavo para ser útil a su señor y que éste lo conserve; y en todo el Foro, aquel pueblo grave, austero, sin ideal, sólo hablaba de bienes y de la manera de acrecentarlos.

Se fijó el griego en un joven que, apenas llegado a los veinte años, mostraba la gravedad de un viejo. Sus cabellos cortados al rape eran rojos y su mirada dura tenía una expresión de inteligencia y astucia. Caminaba lentamente al lado de un muchacho que le escuchaba como si fuese su maestro.

—Aunque tu padre es cónsul —decía el rojo—, debes

tener presente, Scipión, que para ser buen ciudadano y servir a la República, no sólo hay que manejar la lanza y el caballo, sino saber trabajar la tierra y conocer los secretos del cultivo. Tal vez algún día mandes nuestros ejércitos, y no sólo tendrás que conquistar tierras para Roma, sino cultivarlas y que produzcan mucho. ¿Me comprendes?

—Sí, Catón —dijo el adolescente.

—Cada día debes aprenderte un mes del calendario que hicieron nuestros antepasados. Cuando todo él quede fijo en tu memoria, te será más fácil ordenar pronto y bien a tus esclavos lo que deben hacer en los campos. Ayer te enseñé el mes de Mayo; repítelo, Scipión.

—«Mes de Mayo —recitó el muchacho frunciendo las cejas para concentrar su memoria—. Treinta y un días. Las nonas caen el séptimo día. El día tiene catorce horas y media; la noche nueve horas y media. El sol está en el signo de Tauro; el mes, bajo la protección de Apolo. Se escardan los trigos. Se esquilan las ovejas. Se lava la lana. Se ponen en yugo los toros nuevos. Se cortan de los prados las arvejas. Se hace la lustración de las cosechas. Sacrificios a Mercurio y a Flora.»

—Lo recuerdas bien, Scipión. Nuestros antecesores no tenían ni deseaban otra ciencia; les bastaba saber lo que debe hacerse en todos los meses del año, y con esto, y mucho valor y audacia para conservar sus campos y apoderarse de las tierras de los vecinos, fundaron nuestra ciudad, que crece y crecerá hasta ser la primera de la tierra. No somos charlatanes como los griegos, que se arrodillan con admiración ante los monigotes de mármol y disputan como bufones sobre lo que hay más allá de la muerte. No somos locamente ambiciosos como los cartagineses, que basan su vida en el comercio y entregan todas sus riquezas al mar. Nuestra vida está en la tierra. Somos más rudos, pero más sólidos que los otros pueblos; caminamos más despacio, pero iremos más lejos. Cuando pisamos una tierra por primera vez no plantamos la tienda como hacen otros; empezamos por hundir en ella el arado, y por esto lo que toma Roma nadie se lo quita.

El ateniense les seguía de cerca. Las palabras de aquel viejo de veinte años le enseñaban más que sus observaciones. Roma parecía hablar por su boca en aquella lección dedicada al hijo de uno de sus cónsules.

—Debes saber también —continuó Catón— las reglas domésticas de todo buen ciudadano. Cuando nuestros padres querían alabar a un hombre de bien, le llamaban «buen labrador». Éste era el mayor elogio. Entonces se vivía en las mismas tierras, en las tribus rústicas, que eran las más honorables de todas, y no se venía a Roma más que en días de mercado o de comicios. Aún quedan buenos ciudadanos que hacen la vida sana de Cincinato y de Camilo, y sólo vienen cuando se reúne el Senado. Pero la guerra, con sus expediciones a países nuevos, ha corrompido a muchos, que sólo quieren vivir en la ciudad, y el antiguo hogar romano con su techo de tablas y sus sencillos penates lo sustituyen con casas llenas de columnas, como si fuesen templos, y adornadas con dioses y diosas que se hacen traer de Grecia.

El gesto austero de Catón mostró su inmenso desprecio por estos refinamientos importados que comenzaban a quebrantar la rudeza de su país.

—En el campo, el buen ciudadano no debe perder ni un día. Si el tiempo le impide salir, debe entretenerse limpiando los establos y corrales, componiendo los enseres viejos y vigilando a las mujeres para que remienden la ropa. Aun en días de fiesta, se puede hacer algo útil: regar los espinos, bañar el ganado, ir a la ciudad a vender aceite o fruta. No hay que perder el tiempo consultando a los arúspices o los augures, ni entregarse a cultos que obliguen al ciudadano a abandonar su casa. Bastan los dioses del hogar o de la más próxima encrucijada. Los Lares, los Manes y los Silvanos son suficientes para proteger a un buen ciudadano. Nuestros padres no tuvieron otros, y sin embargo fueron grandes.

El pequeño Scipión le escuchaba atentamente, pero sus ojos se fijaban al mismo tiempo en dos mocetones de la Campania que, con el *cuculus* caído sobre los hombros, se daban de puñetazos junto a un vendedor de vino cocido. Las mejillas del adolescente se colorearon de emoción viendo los golpes que cambiaban los dos atletas, estremeciendo sus duros músculos.

—Si el ciudadano vive en Roma —continuó Catón sin fijarse en este incidente, que no alteraba la gravedad del Foro—, debe abrir desde la aurora la puerta de su casa para explicar la ley a los clientes y colocar con prudencia su dinero, enseñando a los jóvenes el arte de aumentar los ahorros y evitar ruinosas locuras. El padre de familia debe hacer dinero de todo y no dejar que se pierda nada. Si da sayos nuevos a sus esclavos, debe recoger los viejos para otros usos. Debe vender el aceite y lo que le quede de vino y trigo al final del año. Venda también los bueyes viejos, las terneras, corderos, la lana, las pieles, los carros inservibles, el herraje enmohecido, los esclavos valetudinarios y las esclavas enfermas: venda siempre. El padre de familia debe ser vendedor, no comprador. Fíjate bien en esto, Scipión.

Pero Scipión estaba inquieto y apenas le oía.

Los campesinos habían cesado de golpearse, y el adolescente miraba lejos, a la parte del río, deseando marcharse.

—Catón, es la hora de la lucha. Tengo que ir a la orilla del Tíber para amaestrarme en la carrera y el pugilato y hacer después una hora de natación.

—Vete cuando quieras y guarda mis consejos. Después de la lección sienta bien la lucha y el baño frío, que endurecen el cuerpo. El ciudadano que quiera servir a su país, no sólo ha de ser prudente, sino fuerte.

Se alejó el muchacho, y Catón, al volver sobre sus pasos, encontró al ateniense, que le seguía. El aspecto de Acteón le atrajo, y se aproximó a él.

—Griego —le preguntó—, ¿qué te parece nuestra ciudad?

—Es un pueblo triste, pero un gran pueblo. Sólo estoy en Roma tres días.

—¿Eres acaso ese mensajero de Sagunto que hoy se presentará al Senado?

Acteón contestó afirmativamente, y el romano se apoyó en su brazo con grave familiaridad, como si fuese un amigo antiguo.

—Conseguirás muy poco —dijo—. El Senado sufre ahora una enfermedad: el exceso de prudencia. Yo aborrezco las locuras. No creo que Hanníbal sea un gran capitán desde que le he visto cometer audacias como el sitio de Sagunto; pero no puedo tolerar en silencio la timidez con que procede Roma en sus asuntos. Quiere apurar todos los medios para sostener la paz; teme la guerra, cuando la guerra con Cartago es inevitable. Ella y nuestra ciudad no caben en el mismo saco. El mundo es estrecho para las dos. Siempre digo lo mismo: «Destruyamos Cartago», y las gentes ríen mis palabras. Hace algunos años, al estallar allá la guerra de los mercenarios, podíamos haberla aplastado con gran facilidad. Con enviar a África un par de legiones, los númidas sublevados y los mercenarios hubiesen acabado con Cartago. Pero tuvimos miedo. Roma sólo se ocupaba después de su victoria en restañar sus heridas. Temimos no fuese peor el triunfo de la soldadesca de todos los países, y salvamos Cartago, ayudándola a destruir sus mercenarios sublevados.

—Ahora es diferente —dijo Acteón con energía—. Sagunto es una aliada, y si Hanníbal la hostiliza, es por el amor que la ciudad profesa a Roma.

—Sí; por eso los romanos nos interesamos por su suerte; pero no esperes gran cosa del Senado. Le preocupan más los piratas del Adriático que asolan nuestras costas, la sublevación de Demetrio de Faros en la Iliria, contra el cual vamos a enviar un ejército mandado por el cónsul Lucio Emilio.

—Pero ¿y Sagunto? Si la abandonáis, ¿cómo va a resistir al audaz Hanníbal, que acaudilla las tribus más belicosas de Iberia? ¿Qué pensarán aquellos infelices de la seriedad con que Roma cumple sus alianzas...?

—Procura convencer al Senado con tus razones. Yo estoy convencido y veo en Cartago la única enemiga de Roma... ¡Si todos fuesen como yo...! Aceptaría con gusto las audacias del hijo de Hamílcar porque esto me permitiría declarar la guerra a Cartago, yendo a buscarla en su propio territorio. Ocurra lo que ocurra, nosotros somos invencibles. Italia es una masa compacta.

Como centinelas avanzados de nuestro campo, tenemos por Oriente la Iliria, por la parte que mira al África la Sicilia y al Occidente la Cerdeña, mientras que los terrenos que domina Cartago forman una cinta extensa de novecientas leguas, que recorre gran parte de las costas de África y todas las de Iberia; pero tan estrecha y poblada por diversas razas, que con facilidad puede romperse. Aunque Roma pierda cien batallas, siempre será Roma, y una derrota de Cartago basta para que se disuelva como pueblo...

—¡Si todos pensasen como tú, Catón...!

—Dices bien; si el Senado pensase como yo, despreciaría a Demetrio de Faros y hace días que sus legiones estarían en Sagunto. Con eso evitaríamos un peligro, porque ¡quién sabe hasta dónde llegará en su audacia ese joven africano y qué no osará si consigue conquistar sin obstáculos una ciudad aliada de Roma...! Por eso yo, que soy un ciudadano libre, ejerzo el oficio de pedagogo, como has visto hace poco. Ese muchacho es hijo del cónsul Publio Cornelio Scipión, y reviven en él con nueva fuerza todas las virtudes de su familia. Tal vez sea este niño el destinado a cortar el paso a Hanníbal, destruyendo el insolente poderío de esa Cartago con la que tropezamos a todas horas.

Aún vagaron algún tiempo por el Foro hablando de las costumbres de Roma y discutiendo acaloradamente al compararlas con las de Atenas. El severo romano tenía que avistarse con varios patricios para sus asuntos particulares, cuidados con gran escrupulosidad, y se despidió del griego.

Al quedar sólo, Acteón sintió hambre. Aún faltaba mucho tiempo para la hora en que se reunían los senadores; y cansado de la sorda agitación del Foro, salió de él, rodeando la falda del Capitolio. Siguió una calle más ancha que las otras, con edificios de piedra, que mostraban a través de sus puertas la relativa abundancia de las familias patricias.

Entró en una panadería, golpeando con un *as* la piedra del mostrador abandonado. Desde una especie de cueva le contestó una voz quejumbrosa. El griego vio en el lúgubre antro la muela de triturar el trigo, y uncido a ella un hombre, un esclavo, que la empujaba con gran esfuerzo. Salió el esclavo casi desnudo, limpiándose el sudor que chorreaba de su frente, y cogiendo el dinero del griego, dio a éste un pan redondo. Después quedó contemplando a Acteón con curiosidad.

—¿Es tuya la panadería? —preguntó éste.

—No soy más que un esclavo —repuso con tristeza—. Mi amo ha tenido que ir al Foro para hablar con los comerciantes de trigo... Tú eres griego, ¿verdad?

Y antes de que Acteón contestase, se apresuró a añadir, con melancólico orgullo:

—Yo no he sido siempre esclavo. Hace poco que lo soy, y cuando gozaba de libertad, mi mayor deseo era visitar tu país. ¡Oh Atenas! La ciudad donde los poetas son dioses...

Y recitó en griego algunos versos del *Prometeo* de Esquilo, asombrando a Acteón por la pureza de su acento y la expresión que sabía comunicar a sus palabras.

—¿Es que en Roma os dedican vuestros amos a la poesía? —dijo el ateniense riendo.

—Yo era poeta antes de ser esclavo. Mi nombre es Plauto.

Y mirando en torno de él, como si temiera ser sorprendido por la familia de su amo, continuó hablando, contento de librarse por algunos instantes del tormento de la muela.

—He escrito comedias. Intenté establecer en Roma el teatro, que es entre vosotros como una religión. Los romanos son poco sensibles a la poesía. Aman las farsas. Una tragedia que a vosotros os hace llorar les dejaría fríos; una comedia de Aristófanes les haría dormir. Sólo gustan, ateniense, de los bufones etruscos, de los grotescos personajes de las farsas que llaman *atelanas* o de los mascarones de agudos dientes y cabeza deforme que desfilan rugiendo obscenidades en las pompas del triunfo. Apedrearían a un héroe de vuestras tragedias, y en cambio braman de entusiasmo cuando en la entrada de un cónsul victorioso pasan los soldados disfrazados con una piel de cabrón y un penacho de crines, y ríen al ver cómo se vengan de su humildad insultando al vencedor detrás de su carro triunfal. Yo escribí comedias para este pueblo y aún las escribo en los momentos que mi amo cesa de maltratarme para que dé vueltas al molino. Los patricios, los ciudadanos libres, no gustan de verse sobre la escena. Aquí despedazarían a Aristófanes, que sacaba a las tablas a los primeros hombres de su país. Mis héroes son esclavos, extranjeros, mercenarios, y hacen reír mucho al público. He acabado una comedia ahí dentro, en ese antro, ridiculizando las fanfarronadas de los guerreros. Te la recitaría si no temiese que de un momento a otro llegue mi amo.

—¿Y cómo has caído en tan mísera situación después de divertir a tu pueblo...?

—Cometí la locura de fundar en Roma el primer teatro a imitación de los de Grecia. Era una cerca de tablas en las afueras de la ciudad. Pedí dinero prestado, contraje deudas; el populacho venía a reír, pero daba poco. Me arruiné, y las sabias leyes de Roma condenan al que no puede pagar a ser esclavo de su acreedor. Este panadero, que antes reía mis comedias y me prestaba gustoso algunos sacos de cobre, se venga ahora de su pasada admiración haciéndome dar vueltas a la muela, porque resulto más barato que un asno. Cada carcajada del pasado se trueca ahora en un golpe sobre mis espaldas. Es el destino de los poetas. También vosotros, al gran Esquilo, que siempre fue un hombre libre, le agradecíais los versos a pedradas.

Quedó en silencio Plauto, y sonriendo melancólicamente dijo después:

—Confió en el porvenir. No siempre he de ser esclavo; tal vez encontraré quien me devuelva la libertad. Los romanos que hacen la guerra y ven nuevos países vuelven con más dulces costumbres y aman las artes. Seré libre, fundaré un nuevo teatro, y entonces... ¡entonces...!

En su mirada brillaba la esperanza, como si viese ya realizados los ensueños con que embellecía la lobreguez de su antro, mientras rodaba, jadeante como una bestia, el enorme cono de piedra.

Sonó ruido en el interior de la casa, y antes de que pudieran verle los hijos de su amo, Plauto corrió a uncirse de nuevo a la barra de la muela, mientras el griego salía de la panadería asombrado de tal encuentro.

¿Qué pueblo era este que convertía al deudor en esclavo y hacía de los poetas bestias de carga...?

El griego devoró su pan paseando por el Foro. Aguardaba la hora de la reunión del Senado, y para entretenerse subió a la cumbre del Palatino, el terreno sagrado donde estaba la cuna de Roma. Allí vio el antro lupercal en cuyo fondo habían sido amamantados por la loba Rómulo y Remo. En la entrada de la angosta cueva extendía sus añosas ramas, desnudas por el invierno, la higuera Rumeal, árbol famoso a cuya sombra habían jugueteado los dos gemelos fundadores de la ciudad. Junto al árbol, sobre un pedestal de granito, elevábase la loba de bronce oscuro y lustroso, obra de un artista etrusco, con las espantables fauces entreabiertas y el vientre erizado por una doble hila de ubres, a las cuales se agarraban, arrastrándose, dos niños desnudos.

Acteón contempló desde esta altura la inmensa ciudad. Era un oleaje de tejados entre las siete colinas, invadiendo las alturas y esparciéndose por las profundas depresiones del terreno. Casi al lado del Palatino levantábase el Capitolio, la gran fortaleza de Roma, sobre las desnudas fragosidades de la roca Tarpeya, y el griego pasó de una altura a otra, para ver de cerca el templo de Júpiter Capitolino, más célebre por su fama que por su hermosura.

Dejó a sus espaldas el rudo templo de Marte, que ocupaba el lugar más alto del Palatino, y siguiendo una vereda entre abruptas rocas, llegó al Capitolio. En su camino encontró a los sacerdotes de Júpiter, que caminaban con hierática rigidez, como si estuvieran ofreciendo en todos los momentos sacrificios a su dios. Vio las vestales arrebujadas en sus amplios velos blancos, caminando con paso varonil. Algunos *miletes* subían al tempo de Marte, con el ancho pecho forrado de fajas superpuestas de cobre, los desnudos muslos cubiertos por tiras de lana que pendían del talle, una mano apoyada en el pomo de su corta espada y hablando con entusiasmo de la próxima campaña de Iliria, sin acordarse de la situación de sus aliados de Iberia.

Acteón entró en el sagrado recinto del Capitolio, cercado de oscuras murallas. Era el antiguo monte *Tarpeyus*, con sus dos cumbres unidas por una extensa meseta. La parte más alta, que era la septentrional, estaba ocupada por el *Arx*, o sea la ciudadela de Roma; en la meridional estaba el templo de Júpiter Capitolino, rodeado de gruesas columnas.

El griego entró en la ciudadela, famosa por su resistencia cuando la invasión de los galos. Al borde de una balsa, ante los templos que se aglomeraban en el fuerte recinto, vio las aves sagradas, los gansos que, con sus graznidos en medio del silencio de la noche, habían librado a Roma de la sorpresa de los invasores. Después atravesó toda la meseta baja, que parecía dividir en dos partes la colina, y se aproximó al gran Fano de Roma.

Una escalinata de cien gradas conducía al templo construido en tiempos del último Tarquino para honrar a las tres divinidades de Roma: Júpiter, Juno y Minerva. Constaba el edificio de tres *cellœ* o santuarios paralelos, con las tres puertas abiertas bajo el mismo frontón. El de en medio era el de Júpiter, y los de ambos lados pertenecían a las dos diosas. Una triple fila de columnas sostenía el frontón, en cuyos ángulos se encabritaban algunos caballos de piedra de grosera labor. Dos filas de columnas corrían por los lados del templo, formando un pórtico, a cuya sombra paseaban los romanos viejos hablando de los asuntos de la ciudad.

El templo había sido construido por artistas llamados de la Etruria, y bajo sus columnas veíanse estatuas traídas de las expediciones a Sicilia y de las diversas guerras sostenidas por Roma. Aquel pueblo rudo era incapaz de crear artistas, pero tenía soldados para proporcionarse el arte por medio de la guerra y la rapiña.

Penetró el ateniense en el santuario de en medio, perteneciente a Júpiter, y vio la imagen del dios hecha de barro cocido, con una lanza dorada en la diestra. Ante él humeaba continuamente el altar de los sacrificios. Al salir del templo miró el *gnomon* o reloj de sol que en aquella altura marcaba la hora a toda Roma.

Ya era tiempo de bajar al *Senaculum*, antiguo edificio al pie de la colina Tarpeya, entre el Capitolio y el Foro, que muchos años después se convirtió en templo de la Concordia. Al llegar ante las gradas que daban acceso a él, encontró Acteón a los dos legados enviados por Sagunto antes de comenzar el sitio. Eran dos viejos agricultores que por primera vez habían abandonado sus casas, y se mostraban como abrumados por los largos meses de permanencia en Roma, con tantas visitas que no terminaban nunca y entrevistas y súplicas sin resultado. Aturdidos los dos saguntinos por la política indecisa de aquella ciudad que nunca respondía definitivamente a sus palabras, siguieron como autómatas al desenvuelto griego. Éste penetraba en todas partes como en casa propia, hablando distintos idiomas, cual si el mundo entero fuese su patria.

Fueron llegando los senadores. Unos venían de sus negocios de la ciudad, y se presentaban vistiendo la toga blanca con franja de púrpura, seguidos de sus clientes, que volvían la vista a todos lados para atraer la atención pública sobre su majestuoso protector. Otros llegaban del campo, detenían su carro ante las gradas del *Senaculum*, y entregando las riendas a sus esclavos, subían al templo con la toga arrollada sobre el brazo, vistiendo el corto sayo de lana burda de los agricultores y esparciendo en torno de ellos el hedor de sus establos y cosechas. Eran hombres maduros, que mostraban en la dureza de los recios músculos los esfuerzos de su vida en continua lucha con la tierra y los enemigos. Otros eran ancianos de luenga barba y rostro apergaminado, que, trémulos por la vejez, revelaban aún en su mirada una confianza ilusoria en las fuerzas ya perdidas. La muchedumbre del Foro, corriendo hacia las gradas del *Senaculum*, los contemplaba con admiración y respeto. Eran los Padres de la República: la cabeza de Roma.

Los legados de Sagunto subieron la escalinata del templo. Bajo las columnas sostenedoras del frontón amontonábanse los despojos de las últimas guerras, depositados por los vencedores al desfilar en el Foro entre la muchedumbre, que les saludaba agitando ramas de laurel. Acteón vio escudos atravesados por el hierro, espadas enmohecidas por la sangre, carros de guerra con el timón roto y las doradas ruedas sucias del barro de las batallas. Eran los despojos de la guerra de los samnitas. Más allá mostrábanse en fila, a lo largo del muro, espantosos enanos de madera teñidos de rojo y azul, arrancados de las proas de las naves cartaginesas después de la gran victoria de las islas Egatas. También se veían allí las barras de hierro que habían cerrado las puertas de muchas ciudades conquistadas por los romanos; los estandartes de oro con animales fantásticos que guiaban a las tropas de Pirro; los enormes colmillos de los elefantes que este descendiente de Aquiles había hecho marchar contra las legiones de Roma; los yelmos con cuernos o alas de águila de los ligurios; los dardos de las tribus de los Alpes; y al lado de la puerta, como un trofeo de honor, la armadura del glorioso Camilo, paseada por la ciudad en triunfo después que el gran romano arrojó a los galos del Capitolio. De la cornisa pendía un extenso harapo negruzco y apergaminado. Era la piel de la gran serpiente que durante un día entero había hecho retroceder a todo el ejército de Atilio Régulo, cuando éste, en su expedición al África, marchaba a la conquista de Cartago. El horrible monstruo, insensible a las flechas, devoró a muchos soldados, hasta quedar aplastado por una lluvia de piedras. Régulo había enviado después a Roma la piel del reptil como testimonio de la aventura.

Los embajadores de Sagunto esperaron un buen rato, hasta que un centurión les hizo entrar en el *Senaculum*.

El griego, al mirar el hemiciclo, quedó turbado por la majestad de aquella asamblea. Recordó la entrada de los galos en Roma; el asombro de los bárbaros ante aquellos ancianos, firmes en sus sillas de mármol, envueltos como fantasmas en nítidos velos que sólo dejaban al descubierto sus barbas de plata, y empuñando el cetro de marfil con la misma autoridad divina que parecía brillar en sus ojos. Sólo los bárbaros, ebrios de sangre, podían osar el exterminio de una ancianidad tan imponente.

Eran más de doscientos. Quedaban entre ellos espacios libres, los de los senadores que no habían podido asistir, y sobre el alto graderío de mármol extendíanse las blancas togas como una nevada nueva sobre un suelo ya helado. Detrás de ellos elevábase una fila de columnas en semicírculo sosteniendo la cúpula, por la que se filtraba una claridad crepuscular, favorecedora de la meditación y el recogimiento. Una balaustrada baja de piedra cerraba el hemiciclo, y al otro lado de ella se agolpaban los ciudadanos importantes que no tenían la investidura de senador. Esta barrera tenía cortado su centro por un pedestal cuadrado sosteniendo la loba de bronce con los gemelos agarrados a sus pechos. En su base figuraba, en grandes letras, el lema de la suprema autoridad de Roma: S. P. Q. R. Un trípode sostenía un braserillo ante el pedestal, y sobre sus tizones ondeaba una nube azul de incienso.

Los tres legados se sentaron en sillas de mármol, junto a la imagen de la loba, ante la triple fila de hombres blancos e inmóviles. Algunos apoyaban la barba en la mano, para oír mejor.

Podían hablar: el Senado les escuchaba. Y Acteón, obedeciendo a las miradas suplicantes de sus dos compañeros, se levantó. En su ánimo no duraban mucho las impresiones; se había amortiguado ya la emoción que le produjo en el primer instante la majestad de la asamblea.

Habló con lentitud, preocupado, como buen griego, de no incurrir en faltas de estilo al expresarse en aquella lengua ruda, y procurando dar a sus palabras la emoción que deseaba infundir a los representantes de Roma. Describió la desesperada resistencia de Sagunto y su confianza en los auxilios de la República. Esta fe ciega la había hecho arrojarse fuera de sus murallas y vencer al enemigo al solo anuncio que se presentaba en el horizonte la flota de Roma. Cuando él salió de la ciudad aún tenían víveres para subsistir y alientos para defenderse. Pero iba transcurrido mucho tiempo desde entonces: cerca de dos meses. El mensajero había tenido que hacer su camino a través de aventuras y peligros, unas veces por mar, aprovechando los itinerarios de las naves comerciales, otras a pie por las costas, y en aquel momento la situación de Sagunto debía ser desesperada. Iba a caer si no acudían en su socorro; ¡y qué responsabilidad para Roma si abandonaba a su protegida, después de haber provocado ésta la cólera de Hanníbal por querer ser romana! ¿Cómo podrían fiarse los demás pueblos de la amistad de Roma conociendo el triste fin de Sagunto...?

Calló el griego, y el Senado se mantuvo en un silencio penoso, revelador de la impresión causada por sus palabras.

Entonces, Lentulus, un viejo senador, se levantó para hablar. En medio del silencio, su aguda voz de anciano recordó el origen de Sagunto, que si era griega por los mercaderes de Zazintho que en ella establecieron sus factorías, era también italiana por los rótulos de Ardea que en remotos tiempos habían ido allá a fundar una colonia. Además, Sagunto era la amiga de Roma. Para serle más fiel, había decapitado a alguno de sus ciudadanos que trabajaban por Cartago... ¿Qué audacia era la de aquel jovenzuelo, hijo de Hamílcar, que, olvidando los tratados de Roma con Hasdrúbal, osaba levantar su espada sobre una ciudad amiga de los romanos...? Si Roma miraba con indiferencia este atentado, el cachorro de Hamílcar crecería en audacia, pues la juventud no tiene freno cuando ve que el éxito corona sus imprudencias. Además, la gran ciudad no podía tolerar tales atrevimientos. En la puerta del *Senaculum* estaban los gloriosos despojos de muchas guerras, como una demostración de que todo aquel que osaba levantarse contra Roma caía vencido a sus pies. Había que ser inexorables con el enemigo y fieles con el aliado. Era preciso llevar la guerra a Iberia para destruir al mozuelo audaz que desafiaba a Roma.

Toda la cólera de la ciudad sombría, belicosa y dura habló por la boca de este anciano, que avanzaba el rígido brazo por encima de las cabezas de sus compañeros, amenazando al invisible enemigo. El vigoroso soldado de las antiguas guerras contra los samnitas y contra Pirro despertaba en el viejo débil, estremeciendo sus músculos y haciendo llamear sus ojos.

Los dos compañeros de Acteón, que no comprendían la lengua latina, adivinaron sin embargo las palabras de Lentulus, y se sintieron emocionados por los elogios a la abnegación de su ciudad. Sus ojos se empañaron con lágrimas, sus manos rasgaron los mantos oscuros en que iban envueltos, como lúgubres enviados, y echándose al suelo con la vehemencia de los antiguos para expresar el dolor, agitáronse convulsos, gritando a los senadores:

—¡Salvadnos! ¡Salvadnos!

La desesperación de los dos ancianos y la actitud digna del griego, que, ceñudo y silencioso, parecía la personificación de Sagunto esperando el cumplimiento de la promesa, conmovieron al Senado y a la masa que se agolpaba en el balaustre de la loba. Todos se agitaron, cambiando palabras de indignación. Bajo la cúpula del *Senaculum* resonó el zumbido del desorden, el eco de mil voces confundidas. Querían declarar la guerra a Cartago inmediatamente, llamar a las legiones, reunir las naves, embarcar la expedición en el puerto de Ostia y lanzarla contra el campamento de `Hanníbal.

Un senador reclamó silencio para hablar. Era Fabio, uno de los patricios más famosos de Roma, descendiente de trescientos héroes de su mismo nombre que habían muerto en un día peleando por Roma en las riberas del Cremera. La prudencia hablaba por su boca, y sus consejos eran seguidos siempre como lo más sanos. Por esto el Senado recobró su calma apenas le vio de pie.

Con reposada palabra, después de lamentar la situación de la ciudad aliada, dijo que no se sabía si era Cartago la que había roto las hostilidades contra Sagunto o simplemente Hanníbal por su propia cuenta. Una guerra en Iberia resultaba asunto grave para Roma, ahora que iba a emprender una lucha más próxima con el rebelde Demetrio de Faros. Lo oportuno era enviar una embajada que visitase a Hanníbal en su campamento, y si el africano se negaba a levantar el sitio, que los embajadores pasasen a Cartago para preguntar a su gobierno si aceptaba la conducta del caudillo y exigir que éste fuese entregado a Roma.

La solución pareció agradar al Senado. Los mismos que antes se mostraban belicosos e intransigentes inclinaron la cabeza aprobando las palabras de Fabio. El recuerdo de la insurrección de Iliria hacía prudentes a los más exaltados. Todos pensaron en el enemigo que se alzaba cerca de ellos, al otro lado del Adriático, y podía intentar con sus flotas dedicadas a la piratería la invasión del territorio latino. Su egoísmo les hizo mirar esta empresa como anterior a todo juramento. Y para engañarse, ocultando la propia debilidad, exageraron la importancia de la embajada que iban a enviar al campo de Hanníbal. El africano levantaría el sitio de Sagunto y pediría perdón a Roma apenas viese aparecer a los enviados del Senado.

Acteón acogió este cambio de la asamblea con visibles muestras de impaciencia.

—Conozco a Hanníbal —gritó—. No os obedecerá; hará burla de vosotros. Si no enviáis un ejército, es inútil el viaje de vuestros legados.

Pero los senadores, con el ansia de ocultar la debilidad a que les impulsaba su egoísmo, protestaron indignados de las palabras de Acteón... ¿Quién podía tener valor para burlarse de la República romana? ¿Cómo se atrevería Hanníbal a despreciar a los enviados del Senado...? Debía callar aquel extranjero, que ni siquiera era hijo de la ciudad en cuyo nombre hablaba.

Acteón bajó la cabeza. Luego murmuró, dirigiéndose a sus dos compañeros, que no comprendían la resolución:

—Nuestra ciudad está perdida. Roma teme declarar la guerra a Hanníbal y retrasa el rompimiento. Cuando quieran socorrernos, Sagunto ya no existirá.

Los tres legados saguntinos recibieron la orden de salir del hemiciclo. Los senadores iban a designar los dos patricios que marcharían a Sagunto como enviados de Roma.

Al abandonar el *Senaculum,* el más viejo de los senadores se dirigió a Acteón.

—Di a tus compañeros que se preparen a partir. Mañana al anochecer os embarcaréis los tres con nuestros legados en el puerto de Ostia.

Capítulo IX

LA CIUDAD HAMBRIENTA

Más de quince días llevaba navegando la trirreme de los enviados de Roma.

Había remontado las costas del mar Tirreno, cruzando después el mar de Liguria, de orillas abruptas, para pasar ante Massilia, la próspera colonia griega, aliada también de Roma. Después, atravesando audazmente el gran golfo, había puesto su proa hacia Emporión y seguido a lo largo de las costas de Iberia.

Los legados de Roma eran el patricio Valerio Flaco, uno de los que con palabras de prudencia quería mantener la paz, y Bebio Tamfilo, muy amado por la plebe romana a causa del interés con que defendía el remedio de sus miserias.

Acteón mostrábase impaciente por llegar a Sagunto. Quería hablar a sus amigos, evitar el sacrificio inútil de la ciudad, describirles el estado de ánimo de Roma, para que no persistieran en una defensa inútil. Siete meses llevaba Sagunto de empeñada resistencia. Aún no había empezado el otoño cuando el ejército de Hanníbal se presentó ante la ciudad, y ahora finalizaba el invierno.

El griego recordaba con tristeza las gratas ilusiones que le habían acompañado cuando se dirigía a Roma a través de tantos peligros y aventuras. Creía entonces que su presencia en la gran ciudad y el relato que hiciese de las penalidades del pueblo aliado y fiel indignaría a los romanos, levantando en masa las legiones... Y ahora volvía sin soldados, en una nave donde todos, fingiendo gran interés por Sagunto, no se conmovían gran cosa por sus desgracias, y llevando por todo auxilio las sonoras e imponentes palabras de los legados y la loba de bronce en lo alto de un palo como emblema de la majestad de la embajada.

¿Qué diría la muchedumbre entusiasta y crédula que se batía en las murallas, cubriendo la brecha con sus pechos, y para cobrar nuevos ánimos le bastaba suponer la llegada de los romanos...? Cambiando el pensamiento hacia sus afectos, se preguntó el griego muchas veces qué habría sido de Sónnica, aquella mujer amorosa que le había dejado partir sin una lágrima, para que salvase a la ciudad; cómo viviría, acostumbrada a una existencia muelle y dulce, en medio de las miserias y los horrores de un asedio que por su duración debía haber consumido los víveres de Sagunto y la energía de sus defensores.

Pasó la nave la embocadura del Ebro, y luchando con vientos contrarios, avistó al fin una mañana la Acrópolis de Sagunto. De la alta torre de Hércules se elevó una gran humareda. Habían reconocido la embarcación por el velamen a cuadros que usaban los barcos de guerra romanos.

Estaba el sol en el cenit cuando la nave, con la vela amainada y a impulsos de la triple fila de remos, fue a penetrar en el canal que conducía al puerto de Sagunto.

Tierra adentro, por encima de los cañaverales que cubrían las marismas, asomaban los mástiles de las naves cartaginesas ancladas en el triple puerto.

Los tripulantes de la nave romana vieron llegar a escape, por la playa, numerosos grupos de jinetes. Eran escuadrones de númidas y mauritanos, agitando sus lanzas y dando alaridos lo mismo que cuando cargaban en las batallas.

Un jinete con armadura de bronce y la cabeza descubierta les gritó para que se detuvieran. Luego, avanzando solo, metió su caballo en el canal, aproximándose a la nave, hasta que las aguas llegaron al vientre de su montura.

Acteón le reconoció.

—Es Hanníbal —dijo a los dos embajadores, que estaban junto a él, en la popa de la nave, contemplando asombrados el aparato belicoso con que les recibían antes de echar el ancla en el puerto de Sagunto.

Iban presentándose nuevos escuadrones, como si la noticia de la llegada de la nave hubiese puesto en alarma al campamento, agolpando todas las tropas hacia el puerto. Detrás de los grupos de jinetes llegaban a todo correr los fieros celtíberos, los honderos baleares, todos los peones de diversas razas que figuraban en el ejército sitiador.

Hanníbal, aun a riesgo de ahogarse, siguió entrando su caballo en las aguas del canal, para que le oyesen mejor desde la nave. Luego extendió una mano con imperio ordenando a la nave que se detuviese, y los remos acabaron por quedar inmóviles.

—¿Quién sois? ¿Qué queréis? —preguntó en griego.

Acteón empezó a servir de intérprete entre los romanos y el caudillo cartaginés.

—Son los legados de Roma, que vienen a verte en nombre de su República.

—¿Quién eres tú que me hablas, y cuya voz creo conocer?

Miró largo rato poniéndose una mano sobre los ojos, y al fin reconoció al griego.

—¿Eres tú, Acteón...? ¡Siempre tú, inquieto ateniense! Te creía dentro de la ciudad, y has logrado salir de ella para traerme a esos hombres. Pues bien; diles que es tarde; ¿para qué hablar? Un caudillo que sitia a una ciudad sólo admite embajadores cuando está dentro de ella.

El griego repitió a los romanos las palabras de Hanníbal, traduciendo después las respuestas de éstos.

—Escucha, africano —dijo Acteón a Hanníbal—. Los legados de Roma te recuerdan la alianza que tienen contraída con Sagunto. En nombre del Senado y del pueblo romano, te intiman a que levantes el sitio y respetes a la ciudad.

—Diles que Sagunto me ha ofendido y que ella fue la primera en declarar la guerra sacrificando a mis amigos y negándose a respetar a mis aliados los turdetanos.

—No es verdad, Hanníbal.

—Griego, repite a los romanos lo que te digo.

—Los legados necesitan bajar a tierra. Quieren hablarte en nombre de Roma.

—Es inútil: no me harán desistir de mi empeño. Además, el sitio dura mucho, las tropas están excitadas, y no es lugar seguro para los embajadores de Roma un campamento como el mío, compuesto de gentes feroces de diversos países, que sólo obedecen cuando están en mi presencia. Hace pocas horas hemos sostenido un combate, y aún dura en ellos la excitación.

Volvió al decir esto su cabeza hacia las tropas, y éstas, como si aceptasen el movimiento como una orden o adivinasen tal vez en los ojos del caudillo sus ocultos designios, empezaron a agitarse, avanzando hacia el canal cual si intentasen marchar a nado contra la nave. Los jinetes tremolaban sus lanzas, tintas aún en la sangre del reciente encuentro. Algunos africanos de los más salvajes habían colocado como trofeos en sus escudos las cabelleras de los saguntinos muertos en la última salida. Los baleares, sacando de sus zurrones las balas de arcilla, comenzaron a disparar con honda contra la nave romana.

—¿Lo veis? —gritó Hanníbal—. Resulta imposible que bajen a mi campo los legados. Es ya tarde para hablar. Sólo resta que Sagunto se entregue y sufra el castigo de sus faltas.

Los legados, despreciando los proyectiles de las hondas, se apoyaron en la borda de la nave y avanzaron el busto, cubierto por la toga, con una arrogancia que parecía desafiar a los guerreros salvajes.

La indignación que les causaba verse acogidos con tanto desprecio hizo palidecer sus mejillas.

—¡Africano! —gritó uno de los legados en latín, sin darse cuenta de que Hanníbal no podía entenderle—. Ya que no quieres recibir a los embajadores del pueblo romano, vamos a Cartago a pedir que nos entreguen tu persona, por traidor a los tratados de Hasdrúbal. Roma te castigará cuando seas nuestro prisionero.

—¿Qué dice? ¿Qué dice? —rugió Hanníbal, furioso por estas palabras incomprensibles, en las que adivinaba una amenaza.

Al explicárselo Acteón, el caudillo lanzó una carcajada de desprecio.

—¡Id, romanos! —gritó—. ¡Id allá! Los ricos me odian, y su deseo sería aceptar vuestra petición entregándome a los enemigos. Pero el pueblo me ama, y no hay en Cartago quien ose venir al seno de mi ejército para hacerme prisionero.

Llovían ahora las flechas en torno a la nave. Algunas balas de arcilla rebotaron en sus flancos, y el piloto romano dio la orden de retroceder. Moviéronse los remos, y la nave empezó a virar lentamente para alejarse del canal.

—¿Pero es que realmente vamos a Cartago? —preguntó el griego.

—Sí; en Cartago nos oirán mejor —dijo uno de los legados—. Después de lo ocurrido, o el Senado de allá nos entrega a Hanníbal, o Roma declarará la guerra a Cartago.

—Id vosotros, romanos. Mi deber está aquí.

Y antes de que pudieran evitarlo los dos senadores y los legados de Sagunto, que habían contemplado con asombro la anterior escena, el ateniense pasó una pierna sobre la borda y se arrojó de cabeza en la entrada del canal. Buceó un buen rato en las aguas profundas y salió a flote cerca de la orilla, a la que corrieron infantes y jinetes para hacerle prisionero.

Apenas pisó tierra firme, Acteón se vio rodeado por unos honderos que se habían metido en el agua hasta los pechos para apoderarse de sus ropas, sin partirlas con los camaradas. En un instante le arrebataron su espada celtíbera, la bolsa que llevaba al cinto y una cadena de oro, recuerdo de Sónnica. Iban también a quitarle su túnica de viaje, dejándolo desnudo, y empezaba a recibir golpes de aquella gente bárbara y cruel, cuando llegó al galope Hanníbal, reconociéndole.

—¡Has preferido quedarte...! Lo celebro. Después de haberme hecho tanto daño desde los muros de Sagunto, te arrepientes y vienes conmigo. Debía abandonarte en manos de estos bárbaros, que te harían pedazos; debía crucificarte fuera de mi campamento, para que te viese desde las murallas esa griega que amas... Pero recuerdo la promesa que te hice un día, y la cumplo acogiéndote como amigo.

Ordenó a uno de sus oficiales que cubriese las mojadas vestiduras del griego con un *endromis*, manto militar con capucha de largo pelo que usaban los soldados en invierno sobre su armadura. Después le hizo montar en el caballo de un númida.

Emprendieron la vuelta al campamento. Las tropas que habían corrido a la entrada del puerto se replegaron lentamente, mientras la nave se alejaba mar adentro, extendiendo de nuevo su velamen. En lo alto de la Acrópolis se había extinguido la humareda; sólo flotaban algunas nubecillas tenues. Adivinábase de lejos el desaliento producido en la ciudad por la inesperada fuga de la nave romana. Con ella parecía alejarse la última esperanza de los sitiados.

Los soldados de Hanníbal, al retirarse, comentaban el diálogo en la entrada del puerto entre su caudillo y los enviados de Roma. No comprendían las palabras que se habían cruzado entre ellos; pero el acento enérgico del romano al hablar a Hanníbal les parecía a todos una amenaza. Algunos, deseosos de hacer creer que habían entendido al embajador, repetían un discurso imaginario, en el cual amenazaban los romanos con pasar a cuchillo a todo el ejército y hacer morir a Hanníbal en una cruz. Repetían estas amenazas, aumentándolas cada cual con nuevas invenciones; y poco después, cuando las tropas se encontraron con otros destacamentos en el camino de la Sierpe, todos afirmaban ya haber visto las cadenas que enseñaban desde el buque los legados de Roma para llevarse prisionero a Hanníbal. Un rugido de indignación y de venganza se elevaba sobre el Ejército.

Hanníbal admiró satisfecho la marea de belicosa protesta que iba subiendo en torno de él. Los soldados le salían a su paso para aclamarle con nuevo entusiasmo. Oía en todas las lenguas voces de muerte contra Roma, llamamientos al caudillo para que diese el último asalto a la ciudad, apoderándose de ella antes que los embajadores llegasen a Cartago, fraguando la ruina del joven héroe.

—¡Guárdate, Hanníbal! —dijo un viejo celtíbero colocándose ante su corcel—. Tus enemigos de Cartago, los de Hanón, se unirán a Roma para perderte.

—El pueblo me ama —dijo el caudillo con arrogancia—. Antes que el Senado cartaginés escuche a los romanos, Sagunto será nuestra y los cartagineses aclamarán nuestro triunfo.

Contemplaba Acteón con tristeza el aspecto desolado del paisaje, antes tan risueño y fértil. En el puerto no había otras embarcaciones que algunas naves de guerra de Cartago-Nova. La marinería dormía en el Fano de Afrodita después de haberse llevado lo mejor del templo. Los almacenes del puerto habían sido robados y destruidos, los muelles estaban cubiertos de inmundicias. En el campo no se encontraba ni los rastros de las antiguas quintas. La ferocidad de las tribus bárbaras llegadas del interior, su odio a los griegos de la costa, las había impulsado a arrancar los pavimentos multicolores, esparciendo sus piezas. Todo el valle era una inmensa y desolada llanura. No quedaba un árbol en pie. Para combatir el frío del invierno, habían arrancado los bosques de higueras, las dilatadas plantaciones de olivos, las cepas de los viñedos, destruyendo hasta las casas para calentarse con las maderas de las techumbres. Sólo quedaban de pie muros en ruinas y matorrales bajos. Una vegetación parásita, que crecía rápidamente, fecundada por cadáveres de hombres y bestias, extendíase por todo el valle, borrando los antiguos caminos escalando las ruinas, cubriendo los riachuelos, que, con los cauces rotos, esparcían sus aguas, hasta convertir en charcas los campos hondos.

Era la obra de devastación de un ejército continuamente engrosado, compuesto de ciento ochenta mil hombres y muchos millares de caballos. Habían devorado en poco tiempo todo el agro saguntino.

Los soldados, después de destrozar lo que no era de uso inmediato, extendían su rapacidad a las zonas próximas, esparciendo cada vez más el radio de la destrucción según se prolongaba el sitio.

Había que traer ya los víveres de muchas jornadas de distancia. Los enviaban remotas tribus a cambio de la esperanza del botín que sabía infundirles Hanníbal hablando de las riquezas de Sagunto. Los elefantes habían sido enviados a Cartago-Nova, por no ser de utilidad en el asedio y resultar difícil su mantenimiento en esta campiña asolada.

Sobre el agro aleteaban los cuervos en ondulantes líneas negras. De los matorrales surgía un hedor de caballos y mulos pudriéndose abandonados. Al borde de los caminos, con los miembros sujetos al suelo por pedruscos, veíanse los cadáveres de los bárbaros muertos a consecuencia de sus heridas y que sus compatriotas, con arreglo a las costumbres de raza, dejaban abandonados a las aves de rapiña. La enorme aglomeración de combatientes había infestado el ambiente del valle. Vivían al aire libre, y sin embargo, la suciedad del hacinamiento y el hábito de la muerte parecían esparcir entre las montañas y el mar una atmósfera de mazmorra repleta de carne enferma.

Acteón, por venir de lejos, percibió inmediatamente la hediondez del campamento, y esto le hizo pensar con tristeza en los sitiados. Mirando hacia la ciudad, creyó adivinar los horrores que ocultaban sus murallas rojizas después de una resistencia de siete meses.

Cuando se aproximaba al campamento, vio el griego que esta aglomeración militar había tomado el aspecto de una ciudad permanente. Quedaban pocas tiendas de lienzo y de pieles. El invierno, que ya tocaba a su fin, había obligado a los sitiadores a construir chozas de piedras con techos de ramaje. Había también casas de madera que parecían torres y servían de apoyo a los baluartes que circunvalaban el campamento.

Hanníbal, como si adivinase los pensamientos del griego, sonreía fieramente contemplando la obra de destrucción realizada por su ejército.

—Encuentras muy cambiada esta tierra, ¿verdad, Acteón?

—Veo que tus tropas no han descansado mientras tú te alejaste para castigar a los rebeldes de la Celtiberia.

—Marbahal, el jefe de mi caballería, es un excelente auxiliar. Cuando volví me mostró dos murallas de Sagunto destruidas y una parte de la ciudad en nuestro poder. ¿Ves aquella altura cerca de la Acrópolis, dentro del recinto amurallado...? Ya es nuestra. Las catapultas que tengo allí disparan sobre Sagunto, que ha quedado reducida a una mitad de sus antiguos límites. ¡Y aún sueñan en defenderse! ¡Aún esperan auxilios de Roma...! ¡Testarudos! Han construido por tercera vez una línea de murallas, y así se van estrechando y defendiendo, hasta que únicamente les quede el Foro, donde acuchillaré a los que sobrevivan... ¡Ah, ciudad orgullosa e indomable, yo te haré mi esclava...!

El africano cambió de conversación, fijándose en su antiguo compañero.

—Al fin has visto claro y vienes conmigo. ¿Piensas seguirme con entusiasmo? ¿Vendrás tras de mí en esas empresas de que te hablé un día, al amanecer, en este mismo campo...? Tal vez seas rey por haber seguido a Hanníbal, como Ptolomeo lo fue por acompañar a Alejandro. ¿Estás resuelto...?

Acteón se detuvo un momento antes de contestar, y

Hanníbal leyó en sus ojos la indecisión, el deseo de engañarle.

—No mientas, griego; la mentira es para el enemigo o para conservar la existencia. Yo soy tu amigo y he prometido respetar tu vida. ¿Es que no quieres seguirme...?

—Pues bien; no —dijo con resolución el griego—. Mi deseo es volver a la ciudad, y si realmente guardas algún afecto al compañero de tu infancia, déjame partir.

—¡Pero vas a perecer ahí dentro...! No esperes misericordia si entramos a viva fuerza por la brecha.

—Moriré —dijo sencillamente el ateniense—. Ahí dentro hay hombres que me acogieron como un compatriota cuando yo erraba hambriento por el mundo; hay una mujer que me amparó viéndome miserable, y me dio su amor y sus riquezas. Ellos me enviaron a Roma para que les trajese una palabra de esperanza, y debo volver aunque sea para infundirles la tristeza y el dolor. ¿Qué te importa dejarme libre...? Muy pronto podrás matarme. Dentro de Sagunto seré una boca más, y en ella debe reinar el hambre. Tal vez al decir yo la verdad, al verme que vuelvo sin auxilio alguno, decaigan sus ánimos y te entreguen la plaza. Déjame partir, Hanníbal. Con esto, sin quererlo, tal vez ayudo tus planes.

Hanníbal le miró con asombro.

—¡Loco! Nunca creí que un ateniense fuese capaz de tal sacrificio. ¡Vosotros, tan ligeros, tan dados a la mentira, tan falsos para satisfacer vuestro egoísmo...! Eres el primer griego que veo fiel a la ciudad que le prohijó. Cartago tuvo peor suerte con los mercenarios de tus país... Es imposible hacer nada de ti; eres un hombre incompleto: te domina el amor. No te satisfaces, como yo, con la hembra que ronda en torno del campamento o con la que se toma al asaltar una ciudad para regalarla luego a la soldadesca. Te ligas a la mujer, eres su esclavo, y buscas morir sin gloria en un rincón oscuro, como mercenario al servicio de unos mercaderes, sólo por volver a verla. ¡Aléjate, loco!

¡Vete, te dejo en libertad...! Nada quiero saber de ti. He deseado hacerte héroe, y me contestas como un esclavo. Marcha a Sagunto, pero sabe que la protección de Hanníbal te abandona desde este instante. Si caes en mis manos dentro de la ciudad, serás mi prisionero; jamás mi amigo.

Hanníbal, golpeando con los talones los ijares de su corcel, se metió en el campamento, volviendo la espalda al griego. Éste vio llegar al poco rato un joven cartaginés, que, sin decir una palabra ni mirarle siquiera, cogió las riendas de su caballo y empezó a caminar hacia Sagunto.

Al llegar a los puntos avanzados del ejército sitiador, decía el cartaginés una palabra y Acteón pasaba adelante, entre las miradas hostiles de los soldados, que conocían la escena del puerto y bramaban de coraje al pensar en las cadenas que los legados de Roma habían tenido la insolencia de enseñar a su caudillo. Aquel griego que iba a entrar en la ciudad sitiada debía ser un acompañante de los legados. Muchos pusieron una flecha en el arco para disparar contra él, deteniéndose únicamente al ver los ojos fríos y altaneros del joven cartaginés que hablaba en nombre de Hanníbal.

Llegaron a la ruinas del primer recinto amurallado. Al abrigo de ellas estaban las avanzadas del ejército sitiador. Allí echó pie a tierra el griego, y arrancando de un matorral una rama espinosa, avanzó llevándola en alto como signo de paz.

Encontró a los pocos pasos aquel muro que bajo su dirección había sido elevado en una noche para contener al invasor. Sobre su cresta sólo se veían los cascos de unos cuantos defensores. El sitiador dirigía todos sus ataques a la parte alta. El lado de la ciudad donde se habían desarrollado los primeros combates estaba ahora casi abandonado.

Los guardianes de la muralla, al reconocer a Acteón, lanzaron grandes exclamaciones de sorpresa y alegría. Luego le arrojaron una cuerda de esparto para ayudarle a subir por las asperezas del muro. Todos rodearon con ansiedad al griego. Éste creyó ver en torno de él un grupo de espectros. Sus cuerpos parecían próximos a escaparse de las armaduras, demasiado anchas. Los rostros, amarillentos, tristes, apergaminados, desaparecían bajo la visera de los cascos. Las manos, descarnadas y con la piel rugosa, apenas si podían sostener las armas. Un fulgor extraño y amarillento brillaba en sus ojos.

Se defendió Acteón con bondad de las incesantes preguntas. Ya hablaría oportunamente. Debía antes dar cuenta de su viaje a los Ancianos del Senado. Y lleno de conmiseración por la miseria de aquellos héroes, empezó a mentir, asegurando que Roma no olvidaba a Sagunto y él era como una avanzada de las legiones que iban a enviar los aliados.

De las casas inmediatas, de las callejuelas vecinas al muro, empezaron a salir hombres y mujeres, atraídos por la noticia de la llegada del griego. Le rodeaban, queriendo ser los primeros en recibir noticias para esparcirlas luego por la ciudad. Acteón, mientras se defendía de ellos, contemplaba con terror sus caras amarillentas y enjutas, su piel terrosa marcando las aristas salientes del cráneo, sus ojos hundidos en unas órbitas negras, brillando con extraño fulgor, como estrellas moribundas reflejándose en el fondo de un pozo, y los brazos descarnados, que crujían como cañas al moverse con la nerviosidad de la emoción.

Púsose en marcha, escoltado por esta multitud, precedido de muchachos horribles, completamente desnudos, cuya piel parecía próxima a rasgarse bajo la cortante presión de las costillas, que se marcaban una a una, y balanceándose su cabeza enormemente abultada sobre el cuello descarnado. Andaban trabajosamente sobre unas piernas exageradamente enjutas, como si éstas no pudieran soportar el peso del tronco. Algunos se arrastraban por el suelo, faltos de fuerza para sostenerse.

Acteón vio en una esquina un cadáver abandonado. Tenía el rostro cubierto de extrañas moscas que brillaban al sol con reflejos metálicos. Más allá, en una encrucijada, varias mujeres pugnaban por incorporar a un joven desnudo que tenía un arco caído a sus pies. El griego vio con horror su vientre hundido, cóncavo, como un remolino de pieles entre los dos huesos de las caderas, que parecían salirse de su cuerpo. Era una momia que aún conservaba una chispa de vida en los ojos y abría los labios negros y resquebrajados como si quisiera mascar el aire.

Atravesó calles enteras sin que nuevas gentes se uniesen a su comitiva. Muchas casas permanecían con las puertas cerradas, a pesar del rumor del gentío, y Acteón comparó esta soledad con la aglomeración de los primeros días del sitio. Perros muertos tendidos en el arroyo, y tan descarnados como las personas, infectaban el ambiente. En las encrucijadas veíanse esqueletos de caballos y mulos. Estaban limpios y blancos, sin la más leve piltrafa a que pudieran agarrarse los insectos repugnantes que zumbaban en esta atmósfera de ciudad moribunda.

Con su rápido instinto de observación, se fijó el griego en las armas de los defensores. Sólo veía corazas de metal; las de cuero habían desaparecido. Los escudos mostraban al descubierto sus tejidos de juncos o nervios de toro. Todos habían sido despojados de su envoltura de piel. En una esquina vio a dos viejos que se peleaban por una piltrafa negruzca y correosa: era un pedazo de cuero reblandecido en agua caliente. Muchas casas de varios pisos habían sido demolidas para llevar sus piedras a las nuevas murallas que cortaban los avances del enemigo dentro de la ciudad.

Un hambre cruel y asoladora lo había barrido todo. Se aprovechaban las materias más fétidas y repugnantes. Parecía que los sitiadores hubieran entrado ya en la ciudad, arrebatándolo todo, no dejando más que los edificios en pie, para dar testimonio de su rapiña. El hambre y la muerte acompañaban a todas horas a los sitiados.

Cerca del Foro vio el griego que una mujer se abría paso entre la multitud y le echaba los brazos al cuello, oprimiéndole amorosamente: era Sónnica. También las privaciones del sitio habían dejado en ella profundos rastros. No presentaba el aspecto de extrema miseria de la multitud, pero estaba más delgada, más pálida. Su nariz se había afilado, sus mejillas parecían transparentar una luz interior, y los brazos con que le oprimía eran flacos y tenían el ardor de la fiebre. Una aureola amoratada rodeaba sus ojos, y su túnica de gran riqueza caía con abandono en innumerables pliegues a lo largo de su cuerpo, que por haber enflaquecido parecía más alto.

—¡Acteón...! ¡Creí no verte más! ¡Gracias, gracias por haber vuelto!

Y apoyando en sus hombros uno de sus brazos, marchó junto a él. La multitud miraba a Sónnica con veneración. Era la única en la ciudad que se sacrificaba por los miserables, repartiendo los últimos víveres de sus almacenes.

Acteón creyó ver confundido en esta muchedumbre al filósofo Eufobias. Llevaba las vestiduras más rotas que nunca, casi iba desnudo, pero su aspecto de relativo vigor contrastaba con la famélica miseria de los demás. En el Foro le saludaron de lejos, con desmayada expresión, Lacaro y todos los elegantes amigotes de Sónnica. Tenían aspecto de hambrientos; pero ocultaban su palidez bajo el color y toda clase de afeites, ostentando sus más ricas vestiduras para consolarse de las privaciones con la pompa de un lujo inútil. Los pequeños esclavos que les acompañaban movían sus miembros descarnados dentro de las túnicas bordadas de oro, y al mirar sus pendientes de perlas, bostezaban dolorosamente. La multitud se detuvo en el Foro. Los Ancianos se reunían ahora en el templo inmediato a la plaza. Arriba, en la Acrópolis, era continuo el combate con los sitiadores que ocupaban una parte de la altura, y caían en ella con frecuencia las piedras de las catapultas. Algunas de éstas llegaban también al Foro, y muchas casas tenían desfondado el techo y desmoronadas las paredes por el choque de los enormes proyectiles.

Acteón entró solo en el templo. El número de los Ancianos estaba reducido. Unos habían muerto, víctimas del hambre y la peste; otros, con ardor juvenil, habían corrido a las murallas para caer luchando. El prudente Alco figuraba ahora a la cabeza de la asamblea. Muchos recordaban sus declamaciones de otro tiempo contra las empresas belicosas de la ciudad y su afición a las alianzas.

—Habla, Acteón —dijo Alco—. Dinos la verdad, toda la verdad. Después de las desgracias que los dioses nos han enviado, estamos dispuestos a resistirlas aún mayores.

Miró el griego a aquellos ciudadanos envueltos en sus mantos y con altos bastones de reyes. Todos ellos esperaban sus palabras con una ansiedad que pretendían ocultar fingiendo majestuosa calma.

Relató su entrevista con el Senado de Roma: la prudencia de éste, que le había impulsado a buscar términos conciliadores; la llegada de los legados ante Sagunto; la extraña manera de recibirlos usada por Hanníbal, y la marcha de los legados hacia Cartago para pedir el castigo del caudillo y la libertad de Sagunto.

Este relato triste hizo desaparecer gradualmente la calma de los Ancianos. Algunos más violentos se pusieron de pie y desgarraron sus mantos, dando alaridos de pena. Otros, en su exaltación, se golpeaban la frente con los puños, rugiendo de ira al saber que Roma no enviaba sus legiones. Los más viejos, sin perder su actitud majestuosa, lloraban, dejando que sus lágrimas rodasen por las descarnadas mejillas, hasta perderse en sus barbas de nieve.

—¡Nos abandonan!

—¡Será ya tarde cuando envíen el auxilio!

—¡Perecerá Sagunto antes de que los romanos lleguen a Cartago!

Parecía que Hanníbal estuviese ya a las puertas del templo.

—¡Calma, Ancianos! —gritó Alco—. Pensad que el pueblo saguntino está al otro lado de esos muros. Si conoce vuestro dolor, cundirá el desaliento, y esta misma noche seremos esclavos de Hanníbal.

Recobraron su calma lentamente los Ancianos, y se

hizo el silencio. Todos esperaban los consejos de Alco *el Prudente*. Éste habló:

—Nadie pensaba en la entrega inmediata de la ciudad: ¿no era así?

Un rugido de indignación de toda la asamblea fue la respuesta:

—¡Nunca, nunca!

En tal caso, para mantener excitados los ánimos y prolongar la defensa algunos días más, había que mentir, inspirar una esperanza engañosa a los saguntinos. No quedaban víveres. Los que estaban en las murallas con las armas en la mano comían la carne de los últimos caballos guardados en la ciudad. La plebe perecía de miseria. Todas las noches se recogían centenares de cadáveres para quemarlos inmediatamente en la Acrópolis, por miedo a que los devorasen los perros vagabundos, que, aguijoneados por el hambre, se habían convertido en verdaderas fieras y atacaban a los vivos. Algunos afirmaban que muchos extranjeros refugiados en la ciudad, en unión de esclavos y mercenarios, iban por la noche cerca de las murallas a alimentarse con los cadáveres que podían arrebatar. Las cisternas de la ciudad estaban próximas a secarse; sólo se extraía de ellas el agua del fondo, revuelta con el barro que había precipitado la destilación. Pero a pesar de esto, nadie hablaba en Sagunto de rendirse. Todos sabían lo que les esperaba al caer en manos de Hanníbal.

—He hablado con él —dijo Acteón— y se muestra inexorable. Si entra en Sagunto, todos seremos sus esclavos.

Volvió a agitarse la asamblea con un movimiento de indignación.

—¡Moriremos antes! —gritaron los Ancianos.

Y rápidamente se acordó lo que debían decir al pueblo. Juraron todos por los dioses ocultar la verdad. Prolongarían el sacrificio, con la esperanza de que llegase a tiempo el auxilio de Roma. Y componiendo el gesto para que nadie adivinase su desesperación, salieron los Ancianos del templo.

Pronto circuló entre la muchedumbre la gran noticia.

Los legados se habían dirigido a Cartago para no perder tiempo en el campamento, y allá pedirían el castigo de Hanníbal. De un momento a otro iban a llegar las legiones que enviaba Roma para apoyar a los saguntinos.

Pero la muchedumbre acogió estas halagüeñas noticias con un entusiasmo silencioso. Las penalidades del sitio amortiguaban su vehemencia. Además, se había enardecido tantas veces con la esperanza de los romanos, que ya dudaba de este auxilio. Sólo creería cuando viese llegar la flota.

Acteón buscó a Sónnica en la muchedumbre hambrienta. La vio rodeada de Lacaro y los jóvenes elegantes. Cerca de ellos, Eufobias sonreía a la griega, sin osar aproximarse.

—Los dioses te han guardado en tu viaje, Acteón —dijo *el Parásito*—. Tienes mejor aspecto que los que hemos permanecido en la ciudad. Bien se ve que comiste.

—Pues tú, filósofo —dijo el griego—, no estás tan macilento y descarnado como los demás. ¿Quién te mantiene...?

—Mi pobreza. Estaba tan acostumbrado al hambre en tiempos de abundancia, que ahora apenas si noto la carestía. ¡Ventajas de ser filósofo y mendigo!

—No creas a ese monstruo —dijo Lacaro con repugnancia—. Es tan bárbaro como un celtíbero. Todos los días come; pero debían crucificarlo en medio del Foro, para que sirviese de escarmiento. Le han visto rondar por la noche cerca de las murallas con una turba de esclavos en busca de los cuerpos agonizantes.

El griego se separó con repugnancia de *El Parásito*.

—No lo creas, Acteón —dijo Eufobias—. Envidian ahora mi parquedad de mendigo, así como en otro tiempo la insultaban. El hambre es para mí una amiga antigua y me respeta.

Acteón siguió a Sónnica a su casa. La hermosa griega vivía casi sola. Muchos de sus servidores habían muerto en las murallas; otros habían perecido víctimas de la peste. Algunos esclavos, no pudiendo resistir el tormen-

to del hambre, se fugaban al campo sitiador. Dos esclavas viejas gemían en un rincón, entre el amontona-
miento de ricos cofres y muebles lujosos. Los almacenes
del piso bajo estaban vacíos. Una banda de chicuelos
se había establecido allí, y pasaban las horas inmóviles
y al acecho, esperando que de los rincones saliese alguna rata, para cazarla como una bestia de inestimable
valor.

—¿Y Ranto? —preguntó el griego a su amada.

—¡Pobrecilla! La veo de tarde en tarde. No quiere
vivir aquí; se escapa. Ha perdido la razón desde que
vio el cadáver de su amante. Vaga día y noche por las
murallas. Se presenta en los sitios de mayor peligro,
pasando insensible entre los dardos, como si no los
viese. De noche se oyen a lo lejos las canciones que
entona llamando a Eroción. Muchas veces se presenta
coronada con una guirnalda de hierbas de las que cre-
cen en las murallas y pregunta por el hijo de Mopso,
como si éste se ocultase entre los defensores. El populacho cree que está en comunicación con los dioses,
y la mira con respeto, preguntándole cuál va a ser la
suerte de Sagunto.

Pasaron la noche los dos amantes entre el amonto-
namiento de riquezas del almacén, tendidos sobre unos
tapices, estrechándose amorosamente, insensibles a todo
cuanto les rodeaba, como si estuvieran aún en la quinta
del agro, al final de uno de aquellos banquetes que
escandalizaban a los viejos saguntinos.

Transcurrieron algunos días. La ciudad había vuelto
a caer en el marasmo, y tenaz en su resolución, continuaba defendiéndose, con el estómago desfallecido por el
hambre. Los cartagineses no extremaban su ataque.
Hanníbal adivinaba sin duda el estado de los sitiados,
y deseoso de evitar a sus tropas nuevos sacrificios, dejaba que transcurriese el tiempo y mantenía el apretado
cerco, esperando que el hambre y la peste completasen
su triunfo.

Aumentaba la mortalidad en las calles. Ya no había
quien recogiese los muertos; la hoguera que los consumía en lo alto de la Acrópolis se había apagado. Los ca-

dáveres, abandonados a las puertas de las casas, se cubrían de insectos, hasta que las aves de rapiña bajaban audazmente por la noche al centro de la ciudad, disputando su presa a los perros vagabundos, de retorcida lengua y ojos de ascua, convertidos en bestias feroces.

Gentes hediondas, de aspecto salvaje, trastornadas por la demencia del hambre, se arrastraban cautelosamente, armadas con palos, piedras y dardos. Iban de caza así que cerraba la noche. Eufobias las guiaba, dándoles consejos con majestuoso énfasis, como si fuese un gran capitán dirigiendo a su ejército. Si conseguían matar un cuervo o un perro salvaje, lo llevaban al Foro, chamuscándolo en una hoguera. Luego se disputaban a golpes los hediondos trozos, mientras los ciudadanos ricos se alejaban, sintiendo a la vez tentaciones de intervenir en este horrible banquete y náuseas de repugnancia.

Comenzó la primavera. Fue una primavera triste que únicamente se manifestaba a los sitiados en las florecillas de la hierba que cubría los torreones y los tejados de las casas. Había acabado el invierno, y sin embargo hacía frío en Sagunto; un frío de tumba, que penetraba hasta los huesos. Brillaba el sol, pero la ciudad parecía oscurecida por una bruma fétida, que daba a las casas y los seres un tinte plomizo.

Al dirigirse una mañana Acteón a la parte más alta del monte, donde seguía el combate, encontró en el Foro al prudente Alco. El buen ciudadano revelaba en su aspecto tristeza y desaliento.

—Griego —le dijo con voz misteriosa—, estoy resuelto a que esto acabe. La ciudad no puede resistir más. Bastante ha esperado el auxilio de los romanos. ¡Que caiga Sagunto y se avergüence Roma de su infidelidad con los aliados! Hoy mismo iré al campamento de Hanníbal a pedirle la paz.

—¿Lo has pensado bien? —exclamó el ateniense—. ¿No temes la indignación de tu pueblo al verte en tratos con el enemigo?

—Amo mucho a mi ciudad y no puedo presenciar impasible su sacrificio, su agonía interminable. Pocos lo saben; pero a ti te lo digo, Acteón, porque eres discreto. Estamos mucho peor que el pueblo se imagina. Ya no queda un pedazo de carne para los que defienden las murallas. Esta mañana, de las cisternas sólo hemos podido sacar barro. Se agotó el agua. Unos cuantos días más de resistencia, y tendremos que comernos los cadáveres, como esas turbas de desalmados que buscan su alimento por la noche. Habrá que matar a los pequeñuelos para apagar nuestra sed con su sangre.

Calló Alco, y se pasó una mano por la frente, como si quisiera arrojar lejos de él penosos recuerdos.

—Nadie sabe mejor que los Ancianos —continuó— lo que ocurre en nuestra ciudad. Los dioses deben temblar de horror contemplando lo que hace Sagunto al verse abandonada de ellos. Oye y olvida, Acteón —dijo en voz más baja—. Ayer, dos mujeres enloquecidas por el hambre, echaron suertes para decidir cuál de sus pequeños debía ser devorado. Los Ancianos hemos cerrado ojos y oídos; no queremos ver ni escuchar, pues el castigo sólo serviría para difundir más tales horrores. Los ciudadanos que pelean en las murallas tragan el cuero de sus armas para engañar el hambre. La carne se despega de sus huesos; enflaquecen, y caen como heridos por el rayo invisible de los dioses. Llevamos ocho meses de resistencia; dos terceras partes de la ciudad ya no existen. Hemos hecho bastante ante el cielo y ante los hombres para demostrar cómo cumple Sagunto sus juramentos.

El griego bajaba la cabeza, convencido de las razones de Alco.

—Además —continuó éste—, el ánimo de la ciudad decae: se extingue la fe. Los presagios son todos desfavorables para nosotros. Hay gentes que durante la noche han visto globos de fuego elevarse de la Acrópolis y huir hacia el mar, sumergiéndose en las aguas, como esas estrellas veloces que cortan con una raya de luz el azul del cielo. La muchedumbre cree que son los Penates de la ciudad, que, adivinando la próxima ruina de Sagunto, la abandonan para ir a establecerse al otro lado del mar en la costa, de donde vinieron. Anoche, los que velan arriba, en el templo de Hércules, vieron salir de la tumba de Zazintho una serpiente que silbaba como si estuviese herida. Era azul, con estrellas de oro: indudablemente el reptil que mordió a Zazintho y fue causa de la fundación de la ciudad en torno a la tumba del héroe. Pasó entre las piernas de los asombrados guardianes, huyó monte abajo y se alejó por la llanura con dirección al mar. También ése nos abandona; el animal sagrado, que era como un dios tutelar de Sagunto.

—Tal vez no sea verdad —dijo el griego—. Alucinaciones de la gente, atormentada por el hambre.

—Puede que así sea; pero acércate a las mujeres, y verás cómo lloran, a pesar de su miseria, lamentando la fuga de la serpiente de Zazintho. Creen a la ciudad sin defensa, y muchos hombres se sentirán hoy más débiles en las murallas al conocer esta desaparición. La fe es el mejor sostén de los pueblos.

Permanecieron silenciosos los dos hombres un buen rato.

—Ve, Alco —dijo al fin el griego—, habla con Haníbal, y que los dioses le inspiren clemencia.

—¿Por qué no vienes conmigo? Tú que tanto has viajado y posees la elocuencia de la convicción, podrías ayudarme.

—Hanníbal me conoce. He despreciado su amistad y me odia. Ve y salva a la ciudad... Mi suerte está echada... Ese africano no retrocede en su cólera. Perdonará a todos menos a mí... Y yo moriré antes que verme esclavo o agonizante en una cruz.

Capítulo X

LA ÚLTIMA NOCHE

Era más de media tarde cuando Acteón, que estaba entre los defensores de la parte alta de la ciudad, vio aproximarse a Ranto por una callejuela inmediata a la muralla.

No había encontrado a la pastorcilla desde su regreso a Sagunto, y al verla reconoció en ella los estragos causados por las penalidades del sitio y el dolor que quebrantaba su razón.

Caminaba absorta, con la cabeza baja, y en su enmarañada cabellera asomaban algunas florecillas mustias, que soltaban a cada paso sus pétalos muertos. La túnica desgarrada, dejaba ver su cuerpo enflaquecido, que aún conservaba la esbeltez admirada por el griego. El pecho se había desarrollado un tanto, como si el dolor madurase sus globos, que apuntaban antes como capullos. Sus ojos, dilatados por la demencia, parecían llenar todo su rostro, esparciendo en torno de él una luz misteriosa, una aureola de fiebre.

Avanzaba lentamente. Varias veces levantó la cabeza, mirando a los hombres que estaban en lo alto de la muralla, y al fin, deteniéndose al pie de la escalera de piedra, murmuró con voz suplicante:

—¡Eroción...! ¡Eroción...!

Detrás de los manteletes de los sitiadores se notaba cierto rebullicio, como si éstos preparasen un nuevo ataque contra la ciudad; pero a pesar de esto, el griego descendió la escalera con el deseo de ver de cerca a la joven.

—Ranto... pastorcilla, ¿me conoces?

Le hablaba con tono cariñoso, cogiendo sus manos; pero ella se agitó, intentando desasirse, como si despertase sobresaltada. Después de este esfuerzo quedó inmóvil, fijando sus ojos enormes y asustados en el griego.

—¡Tú...! ¡Eres tú!

—¿Me conoces?

—Sí; eres el ateniense, eres mi señor: el amado de Sónnica *la Rica*... Di: ¿dónde está Eroción?

El griego no supo qué contestar; pero Ranto siguió hablando sin esperar la respuesta.

—Me dijeron que ha muerto. Yo misma creí verlo tendido al pie de la muralla; pero no es verdad: fue un mal sueño. El muerto era su padre, Mopso el arquero. Desde entonces que huye de mí, como si quisiera llorar a solas la pérdida de su padre. De día se oculta. Le veo de lejos sobre la muralla, entre los combatientes, y cuando subo en su busca, encuentro hombres armados y Eroción desaparece. Sólo me es fiel por la noche; entonces me busca, viene a mí. Apenas me agazapo al pie del muro y apoyo mi cabeza en las rodillas, le veo venir, buscándome en la oscuridad, arrogante y amoroso, con el carcaj sobre la cadera y el arco cruzado en la espalda. Por él huyen los perros feroces que se arrastran en la sombra y me husmean la cara, mirándome con ojos como brasas. Viene a mí... se sienta a mi lado, sonríe... pero siempre está mudo. Le hablo, y me contesta su sonrisa: nunca su boca. Busco su hombro, como en otros tiempos, para descansar mi cabeza, y huye, desaparece como si lo tragasen las sombras. ¿Qué es esto, griego...? Si le ves, pregúntale por qué se oculta; dile que no huya... Él te quiere tanto, ¡tanto...! ¡Me ha hablado tantas veces con entusiasmo de ti y de tu país...!

Calló un momento, como si estas palabras hubiesen despertado en su memoria todo un pasado de recuerdos. Los agrupaba, con un esfuerzo penoso reflejado en su rostro, y lentamente surgía en su memoria la imagen de aquellos días felices anteriores al sitio, cuando ella y Eroción correteaban por el valle y tenían por casa todos los bosquecillos del agro.

Después sonrió a Acteón, recordándole sus diversos encuentros: la primera entrevista, en el camino de la Sierpe, cuando acababa él de desembarcar, pobre y desconocido; el gesto de bondadosa protección con que les saludaba al encontrarlos en los campos, o subidos en los cerezos, disputándose entre risas el rojo fruto con los labios; y aquella sorpresa bajo las frondosas higueras, cuando ella, totalmente desnuda, servía de modelo al escultor. ¿Se acordaba? ¿No había olvidado el griego aquellos días de paz y felicidad...?

Acteón los tenía presentes. Duraba aún en su memoria la impresión causada por la desnudez de la pastorcilla, y en aquel mismo momento sus ojos sondeaban los rasguños de la vieja túnica, buscando con deleite de artista los contornos del cuerpo algo enflaquecido, pero fresco y juvenil, con su piel color de ámbar.

Pero Ranto, después de evocar estos recuerdos, volvía a caer en su desvarío. ¿Dónde encontrar a Eroción? ¿Le había visto? ¿Estaba arriba entre los defensores? Y el griego tornaba a contenerla, cogiendo sus manos para evitar que subiese a muro.

Arriba, los defensores gritaban, disparando sus arcos, arrojando dardos y piedras. Había empezado el ataque de los sitiadores. Pasaban por encima de las almenas, como pájaros oscuros, los proyectiles cruzados de afuera. El muro se conmovía bajo sordos choques, como si los africanos lo atacasen con sus arietes y picos para abrir brecha.

El griego, que desde su regreso a Sagunto era el principal director de la defensa, necesitaba subir al muro.

—Márchate, Ranto —dijo apresuradamente—. Aquí van a matarte... Vuelve a casa de Sónnica... Yo te llevaré a Eroción... ¡Pero huye! ¡Ocúltate...! Mira cómo caen los dardos cerca de nosotros.

Y la empujó rudamente, acabando por arrojarla lejos de la escalera con un impulso brutal que la hizo doblar sus rodillas.

Subió Acteón apresuradamente los peldaños, oyendo sin inmutarse los primeros silbidos mortales que rasgaron el aire cerca de su cabeza. Antes de llegar a las almenas sonó a su espalda un gemido débil, un grito tierno que le recordó el balido de los cervatillos al recibir un saetazo en las cacerías. Al volverse, vio en mitad de la escalera a Ranto, que se doblaba hacia atrás, con el pecho cubierto de sangre. Tenía clavado en él una larga vara con remate de plumas, temblorosa aún por los estremecimientos de la velocidad.

Había querido seguirle a lo alto de la muralla, y en la escalera la alcanzó una flecha de los sitiadores.

—¡Ranto...! ¡Pobrecita...!

Obedeciendo a un dolor que él mismo no podía explicarse, pero resultaba más fuerte que su voluntad, el griego olvidó la defensa del muro, el ataque de los enemigos, todo, para correr hacia la joven, que se desplomaba con el tímido desmayo de un ave herida.

La bajó en sus brazos para tenderla al pie de la escalera. Ranto suspiraba y movía la cabeza, como si con esto pretendiese alejar a la muerte que se iba apoderando de su cuerpo.

El griego repetía su nombre con voz cariñosa:

—¡Ranto... Ranto...!

En los ojos de ella, agrandados por el dolor, parecía condensarse la luz. Su mirada era ahora humana: había perdido la vaguedad de la demencia.

—No mueras, Ranto —murmuró el griego sin darse cuenta de lo que decía—. Aguarda: te arrancaré ese hierro. Te llevaré al Foro sobre mis espaldas para que te curen.

Pero la joven movía tristemente a cabeza. No; deseaba morir; quería reunirse con Eroción cerca de los dioses, entre las nubes de rosa y oro, por donde pasea la madre del Amor, seguida de los que en la tierra se amaron mucho. Había vagado como una sombra, entre los horrores de la ciudad sitiada, creyendo que Eroción vivía, buscándolo por todas partes. Y Eroción había muerto, lo recordaba bien ahora; ella misma había contemplado su cadáver... Muerto él, ¿para qué vivir?

—¡Vivirás para mí! —dijo Acteón, exasperado por su propia emoción, sin ver lo que le rodeaba, sin oír los gritos de los defensores sobre el muro y los pasos que sonaban a sus espaldas en una callejuela cercana—. ¡Ranto, pastorcilla, escúchame! Ahora comprendo por qué deseaba verte, por qué tu recuerdo me asaltó muchas veces allá en Roma siempre que pensaba en Sagunto. Vive, y serás para Acteón la última primavera. Te amo, Ranto; te amo desde el día en que te vi desnuda como una diosa. Vive, y seré tu Eroción.

La joven, con el rostro empañado ya por la sombra de la muerte, sonrió, murmurando:

—Acteón... buen griego... ¡Gracias, gracias...!

Y su cabeza resbaló entre las manos del ateniense para caer en el suelo. El hombre se mantuvo inmóvil largo rato, contemplando con estúpida fijeza el cuerpo de la joven. El silencio que se hizo de pronto en la muralla le sacó de su doloroso sopor. Los sitiadores habían suspendido su ataque. Se arrodilló el griego para besar repetidas veces la boca todavía caliente de la pastorilla y sus ojos inmóviles, desmesuradamente abiertos, en los cuales se reflejaban, como en un agua muerta, los resplandores de la puesta del sol.

Al levantarse vio a Sónnica frente a él, inmóvil, rígida, mirándolo con ojos fríos.

—¡Sónnica...! ¡Tú!

—He venido para decirte que corras al Foro. Un mensajero del campo enemigo se ha presentado en las puertas de la ciudad pidiendo hablar a los Ancianos. El pueblo está convocado en el Foro.

A pesar de la importancia de esta noticia, Acteón no se

conmovió. Le preocupaba la rigidez altanera de Sónnica.

—¿Desde cuándo estás aquí?

—Llegué a tiempo para ver cómo te despedías para siempre de mi esclava.

Calló unos instantes; pero luego, por un sentimiento superior a su voluntad, avanzó hacia él con los ojos agresivos.

—La amabas, ¿verdad? —dijo con amargura.

—Sí —contestó él en voz baja, como avergonzado de su confesión—. Conozco ahora que la amaba... Pero también te amo a ti.

Quedaron inmóviles largo rato, con la vista fija en aquel cadáver. Era como un muro frío que se levantaría siempre entre los dos, separándolos sin remedio.

Acteón sintió vergüenza por el dolor que sus palabras causaban en aquella mujer que tanto le había amado. Sónnica parecía anonadada por su inmensa decepción. Sus ojos contemplaron fijamente el cadáver de la esclava.

—Aléjate, Acteón —dijo la griega—. Te esperan en el Foro. Los Ancianos reclaman tu presencia para que sirvas de intérprete al mensajero de Hanníbal.

Dio algunos pasos el ateniense, pero se detuvo, implorando misericordia para la muerta.

—Va a quedar abandonada... Pronto cerrará la noche, y los perros hambrientos, los desalmados que buscan los cadáveres...

Se estremecía al pensar que aquel cuerpo admirable fuese devorado por la bestias.

La griega le contestó con un gesto. Podía alejarse: ella permanecería allí. Y Acteón, dominado por la fría altivez de su amante, no osó decir más, corriendo inmediatamente hacia el Foro.

Cuando llegó a la plaza empezaba a anochecer. Ardía en su centro la gran fogata que se encendía todas las noches para combatir el frío extraordinario de la ciudad en plena primavera.

Los Ancianos sacaban sus sillas de marfil a las gradas del templo, para esperar en presencia de la muchedumbre al mensajero de Hanníbal. La noticia había circulado por toda la ciudad, y la gente se agolpaba en el Foro, ansiosa de escuchar las proposiciones del sitiador. Nuevos grupos desembocaban a cada momento por todas las callejuelas afluyentes a la gran plaza.

Acteón fue a colocarse junto a los Ancianos, y no vio a Alco. Estaba aún en el campo sitiador, y la llegada de aquel emisario debía ser una consecuencia de su entrevista con Hanníbal.

Los senadores le explicaron el suceso. Se había presentado ante los muros un enemigo sin armas y tremolando una rama de olivo. Pedía hablar al Senado en nombre del caudillo sitiador, y la asamblea de los Ancianos consideraba prudente reunir a toda la ciudad, para que tomase parte en la suprema deliberación.

Habían dado orden de introducir al mensajero, y al poco rato se vio avanzar, rompienzo la aglomeración de la muchedumbre, un grupo armado, en el centro del cual marchaba un hombre con la cabeza descubierta, sin armas y levantando en la diestra una rama de olivo, símbolo de paz.

Al pasar junto a la hoguera dio de lleno en su rostro el resplandor de las llamas, y esto hizo que se levantase en el Foro un clamoreo de indignación.

—¡Alorco...! ¡Es Alorco!

—¡Traidor!

—¡Ingrato!

Muchas manos buscaron la espada para caer sobre él y por encima de las cabezas de la muchedumbre se agitaron algunos brazos empuñando dardos. Pero la presencia de los Ancianos y la triste sonrisa del celtíbero calmaron esta exaltación. Además, el pueblo sentía la debilidad de su miseria, no tenía fuerzas para indignarse largamente, y ansiaba oír pronto al mensajero, conocer la suerte que le reservaba el enemigo.

Avanzó Alorco hasta colocarse frente a los Ancianos, y la gran plaza quedó en silencio profundo, interrumpido solamente por el chisporroteo de la hoguera. Todos los ojos estaban fijos en el celtíbero.

—¿Alco *el Prudente* no está entre vosotros? —empezó por preguntar.

Todos miraron en torno con sorpresa. Era verdad; hasta entonces nadie había notado la ausencia de este hombre, que era el primero en los actos públicos.

—No lo busquéis —continuó el celtíbero—. Alco está en el campamento de Hanníbal. Dolido del estado de la ciudad, comprendiendo que es imposible prolongar la defensa por más tiempo, se ha sacrificado por vosotros, y a riesgo de morir llegó hace algunas horas a la tienda de Hanníbal para suplicarle con lágrimas que tuviese compasión de todos vosotros.

—¿Y por qué no vino contigo? —preguntó uno de los Ancianos.

—Tuvo miedo y vergüenza de repetiros las palabras de Hanníbal, las condiciones que impone para la rendición de la ciudad.

Se hizo aún más intenso el silencio. La muchedumbre adivinaba en el terror del ausente Alco las espantosas exigencias del vencedor. Éstas hacían latir apresuradamente el corazón de todos antes de ser conocidas.

Iban llegando al Foro nuevos grupos. Hasta los defensores abandonaban las murallas, atraídos por el suceso, y estaban allí, en las desembocaduras de las calles, centelleando bajo el resplandor de la hoguera sus cascos de bronce y sus escudos de varias formas, redondos, estrangulados o de media luna. Acteón vio llegar también a Sónnica, que se abrió paso entre el gentío, yendo a colocarse junto al grupo formado por los jóvenes elegantes.

Alorco siguió hablando.

—Sabéis quién soy. Hace un momento escuché amenazas y vi gestos de muerte al reconocerme. Comprendo vuestra indignación. Me consideráis un ingrato; pero pensad que nací en otras tierras, y la muerte de mi padre me puso al frente de un pueblo al que tengo que obedecer y seguir en sus alianzas. Nunca he olvidado que fui huésped de Sagunto. Guardo el recuerdo de vuestra hospitalidad, y me intereso por la suerte de este pueblo como si fuese la de mi patria. Pensad bien en vuestra situación, saguntinos. El valor tiene sus límites, y por más que os esforcéis, los dioses han decretado la ruina de esta valerosa ciudad. Lo demuestran con su abandono, y vuestro arrojo se estrella ante su voluntad inmutable.

Estas palabras de Alorco aumentaron la incertidumbre del pueblo. Todos temían las condiciones de Hanníbal, por lo mismo que el celtíbero iba retardando el momento de exponerlas.

—¡Las condiciones...! ¡Dinos las condiciones! —gritaron desde varios puntos del Foro.

—La prueba de que he venido por interés vuestro —continuó Alorco, como si no oyese tales gritos— la tenéis en el hecho de que mientras pudisteis resistir con vuestras propias fuerzas o esperar un socorro de los romanos no me presenté a aconsejaros la sumisión. Pero vuestras murallas no pueden defenderos más; todos los días perecen de hambre centenares de saguntinos; los romanos no vendrán, están muy lejos y ocupados en otras guerras; en vez de enviaros legionarios, os envían legados; y por eso yo, viendo que Alco titubeaba en volver, arrostro vuestra indignación para traeros una paz que no es ventajosa, pero resulta necesaria.

—¡Las condiciones! ¡Las condiciones! —gritó la muchedumbre con un formidable aullido que hizo temblar al Foro.

—Pensad —dijo Alorco— que lo que quiera concederos el vencedor es un regalo que os hace, pues hoy dispone de todo lo vuestro: vidas y haciendas.

Esta verdad terrible produjo otra vez el silencio.

—Sagunto, que está en gran parte destruida y cuyos extremos ocupan ya sus tropas, os la toma Hanníbal para siempre como un castigo; pero permitirá que construyáis una ciudad nueva en el punto que él designe. Todas las riquezas que guardéis, tanto en el Tesoro público como en vuestras casas, serán entregadas al vencedor. Hanníbal respetará vuestras vidas, las de vuestras esposas e hijos, pero tendréis que salir para el lugar que os señale sin armas y con sólo dos vestidos. Comprendo que las condiciones son crueles, pero la desgracia os obliga a soportarlas. Peor es morir y que vuestras familias caigan como botín de guerra en manos de la soldadesca triunfante.

Terminó de hablar Alorco, y sin embargo no se alteró el silencio del Foro; un silencio profundo, amenazante, igual a la plomiza calma que precede a una tempestad.

—¡No, saguntinos, no! —gritó una voz de mujer.

Acteón reconoció a Sónnica en esta voz.

—¡No, no! —contestó la muchedumbre, como un eco atronador.

Corrían de un lado a otro los grupos, empujándose, poseídos de furia, como si quisieran despedazarse, desahogando de este modo la rabia que despertaba en ellos las condiciones del vencedor.

Sónnica había desaparecido; pero Acteón la vio volver al Foro seguida de un cordón de gente: esclavos, mujeres, soldados, llevando todos sobre sus hombros los ricos muebles de la quinta amontonados en el almacén, arquillas de joyas, suntuosos tapices, lingotes de plata, cajas de polvos de oro. La muchedumbre contempló este desfile de riquezas, sin adivinar el propósito de Sónnica.

—¡No, no! —dijo otra vez la griega, como si hablase con ella misma.

Estaba indignada por las proposiciones del vencedor. Se veía saliendo de la ciudad sin más fortuna que una túnica puesta y otra en el brazo, teniendo que mendigar por los caminos o trabajar en los campos lo mismo que una esclava, perseguida por aquella soldadesca feroz de diversas sangres.

—¡No, no! —repitió enérgicamente, abriéndose paso en la muchedumbre para llegar a la hoguera en el centro del Foro.

Todos la vieron, con la rubia cabellera en desorden, la túnica rota por los empellones del gentío, los ojos relampagueantes. Parecía una Furia agitada por la amarga voluptuosidad de la destrucción. ¿Para qué las riquezas...? ¿Para qué vivir...? En su desesperada resolución entraba por mucho la amarga sorpresa sufrida una hora antes ante el cadáver de su esclava.

Ella dio la señal arrojando en la hoguera una imagen de Venus de jaspe y plata que llevaba en sus brazos. La estatua desapareció entre las llamas como si fuera un pedrusco. Los que la seguían, gente miserable y hambrienta, la imitaron con placer. La destrucción de tantas riquezas hizo rugir y dar saltos de gozo a hombres y mujeres, que habían pasado su existencia en las escaseces de la esclavitud.

Caían en las llamas cofrecillos de marfil, de cedro y de ébano, y al chocar con los leños se abrían, derramando los tesoros de su vientre: collares de perlas, guirnaldas de topacios y esmeraldas, arracadas de diamantes, toda la gama de las piedras preciosas. Centelleaban un instante entre los tizones como maravillosas salamandras antes de desaparecer. Después iban cayendo los tapices, los vuelos bordados de plata, las túnicas floreadas, las sandalias de oro, las sillas rematadas por garras de león, los lechos con clavijas de metal, los peines de marfil, espejos, lámparas, liras, frascos de perfumes, mesillas de ricos mármoles incrustados, todas las magnificencias de Sónnica *la Rica*.

Y la muchedumbre, entusiasmada por tal destrucción, aplaudía con rugidos al ver cómo aumentaba la hoguera su intensidad, hasta arrojar chispas y cenizas sobre los tejados de las casas.

—¡Hanníbal exige riquezas! —gritaba Sónnica con una voz ronca semejante a un aullido—. ¡Venid, arrojad aquí todo lo vuestro! ¡Que el africano se lo dispute al fuego!

Pero no necesitaba extremar sus voces para que la imitasen. Muchos de los Ancianos, que habían desaparecido en el primer instante de confusión, volvieron al Foro llevando un cofrecillo bajo su blanco manto y lo arrojaron en la hoguera. Eran las riquezas que habían tomado en sus casas.

Sobre las cabezas de la multitud pasaban muebles y telas de brazo en brazo, hasta caer en el inmenso brasero, que cada vez elevaba más altas sus llamas, coronado por un humo luminoso.

Era como un sacrificio supremo en honor de los dioses mudos y sordos que estaban en la Acrópolis. Las casas parecían vaciarse para arrojar todos sus adornos y riquezas en la hoguera. Cumplían los hombres, silenciosos y sombríos, su anhelo de destrucción; pero las mujeres parecían locas, y desgreñadas, rugientes, con los ojos saltando de sus órbitas, danzaban en torno a la inmensa hoguera. Atraídas por las llamas, las rozaban con sus vestiduras. Ebrias por el fuego, se arañaban el rostro sin darse cuenta de lo que hacían y lanzaban maldiciones con la boca espumeante de rabia.

Una de ellas, enloquecida por la ronda infernal, no pudiendo resistir la seducción del fuego, dio un salto para caer en las llamas. Ardieron instantáneamente sus ropas; su cabellera flameó breves momentos como una antorcha, y se desplomó sobre los tizones. Otra mujer arrojó en el brasero, como si fuese una pelota, al niño que llevaba agarrado a su fláccido pecho, y a continuación saltó en medio de la fogata, cual si, arrepentida del crimen, quisiera seguir a su hijo.

El fuego se había comunicado a las techumbres de madera de los edificios del Foro. El humo y el calor asfixiaban a la muchedumbre. En esta atmósfera densa y negruzca, los muebles parecían andar solos camino de la hoguera, arrastrándose por encima de la multitud.

Lacaro y sus amigos elegantes hablaban de morir. Aquellos seres afeminados discutían con tranquilidad el modo de caer. No querían seguir a Sónnica, que acababa de armarse con una espada y un escudo para salir contra el campamento sitiador y morir matando. Les repugnaba luchar con un soldado rudo y casi salvaje, percibir su hedor de fiera, caer con el pintado rostro partido de un golpe, cubierto de sangre y revolcándose en el fango lo mismo que una res degollada. Tampoco les placía darse de puñaladas: era un medio gastado por los héroes. Perecer en el brasero resultaba más elegante; les hacía recordar el sacrificio de las reinas asiáticas extinguiéndose en una hoguera de maderas perfumadas... ¡Lástima que aquella fogata oliese tan mal! Pero el instante presente no era propicio a los refinamientos... Y echándose el manto sobre los ojos, empujando con el brazo depilado y perfumado a sus pequeños esclavos, uno tras otro los jóvenes elegantes entraron en la hoguera con tranquilo paso, como si aún estuvieran en los días de paz, cuando paseaban por el Foro satisfechos del escándalo que producían sus adornos femeniles.

Sónnica se recogió la túnica en torno del talle, dejando al descubierto la adorable blancura de sus piernas, para correr con más desembarazo.

—Vamos a morir, Eufobias —dijo al filósofo, que contemplaba absorto esta destrucción.

Por primera vez, el parásito no mostraba su gesto insolente e irónico. Permanecía grave, frunciendo el ceño al ver cómo morían aquellas gentes de las que tanto se había burlado.

—¡Morir! —dijo—. ¿Es preciso morir...? ¿Lo crees tú, Sónnica...?

—Sí; el que no quiera ser esclavo, debe morir. Coge una espada y ven conmigo.

—No necesito tanto. Si he de morir, quiero evitarme la fatiga de correr y el trabajo de dar golpes. Moriré tranquilo, con la dulce pereza que embelleció mi vida.

Y lentamente, sin apresurarse, dio algunos pasos y se acostó en las llamas con la cara cubierta por su manto remendado, lo mismo que se tendía bajo los pórticos del Foro en los días de paz.

Sobre las gradas del templo, los Ancianos se herían el pecho con un puñal. Agonizantes, prestaban su arma al compañero más inmediato, y morían haciendo esfuerzos por mantenerse erguidos en sus sillas. Grupos de mujeres arrebataban maderos encendidos a la gran hoguera, para esparcirse como bacantes furiosas por todo Sagunto, quemando las puertas y arrojando tizones sobre los techos de tablas.

Repentinamente, en la parte alta de la ciudad, allí donde se concentraban los ataques de los sitiadores, sonó un estrépito horrible, como si media montaña se viniera abajo. Los muros estaban abandonados por los defensores, reunidos en el Foro, y una torre que los cartagineses minaban desde algunos días antes acababa de derrumbarse. Viendo libre la entrada de la ciudad una cohorte de Hanníbal se lanzó dentro de ella, dando aviso al caudillo para que acudiese con todas sus fuerzas.

—¡A mí, a mí! —gritó Sónnica con su voz ronca—. Ésta es nuestra noche. Yo no muero en la hoguera: quiero morir matando... ¡Deseo sangre!

Salió del Foro como una divinidad infernal, seguida de Acteón, que la llamaba inútilmente. La hermosa griega le miró repetidas veces, cual si fuese un desconocido.

Les siguieron en revuelto tropel todos los que estaban en el Foro: ciudadanos armados, mujeres que esgrimían cuchillos y dardos, adolescentes desnudos, sin otra defensa que un leño ardiente. A la luz de los incendios pasaban como un rebaño enloquecido. Centelleaban los coseletes de bronce, los cascos de rota cimera, las armas manchadas de sangre, y por los jirones de las ropas se veían los músculos enflaquecidos, que parecían danzar dentro de su envoltura de piel, apergaminada por el hambre.

Salieron de Sagunto por su parte llana, marchando, bajo el resplandor de la ciudad ardiente, contra el campamento de los sitiadores.

Una cohorte de celtíberos que iba hacia el combate fue arrollada, pateada, deshecha por esta tromba de desesperados. Todos corrían con la cabeza baja, hiriendo cuanto encontraban por delante. Pero más allá tropezaron con nuevas tropas que avanzaban advertidas de esta salida, y se estrellaron contra la fila de escudos, siéndoles imposible soportar una lucha cuerpo a cuerpo.

Los saguntinos, debilitados por el largo sitio, perdidas sus fuerzas por las enfermedades y el hambre, no pudieron resistir el choque. Los celtíberos, con sus espadas de dos filos, herían sin misericordia, y bajo sus golpes fue cayendo rápidamente aquella aglomeración de hombres enfermos, mujeres y niños.

El griego, con el escudo ante el rostro y la espada en alto, atacó a dos vigorosos soldados, pero en el mismo instante vio cómo Sónnica recibía una cuchillada en el cráneo y soltaba sus armas, doblándose antes de caer.

—¡Acteón! ¡A mí! —gritó, olvidando su odio, sintiendo que con la muerte volvía a ella todo su antiguo amor.

Cayó de bruces en el suelo. El ateniense quiso correr hacia ella, pero en el mismo instante le zumbaron los oídos como si su cráneo se partiese. Sintió en un costado el frío del hierro perforando sus carnes... Luego lo vio todo negro, y creyó despeñarse por una sima lóbrega a cuyo fin no había de llegar nunca.

El griego despertó. Sobre su pecho pesaba una mole abrumadora como una montaña. No tenía la certeza de existir realmente. Su cuerpo se negaba a obedecerle. Poco a poco, con un doloroso esfuerzo, pudo abrir los ojos y recordar confusamente por qué estaba allí.

Vio que lo que oprimía su pecho era el cadáver de un soldado gigantesco. Acteón creyó recordar que había hundido su espada en el cuerpo de este guerrero al mismo tiempo que se sentía caer en la noche densa y misteriosa.

Miró en torno de él. Un resplandor rojizo, como el de una aurora sin fin, hacía centellear en el suelo las armas abandonadas, marcando las siluetas de los cadáveres amontonados o dispersos, en extrañas posturas, contraídos por las últimas convulsiones.

En el fondo ardía una ciudad. Los edificios, negruzcos y deformes, se destacaban sobre una cortina de llamas.

Acteón lo recordó todo. Aquella ciudad era Sagunto. Se oían los aullidos de los vencedores. Corrían las calles cubiertos de sangre, acabando de incendiar las casas que aún permanecían intactas, rabiosos contra una población que únicamente se entregaba después de consumir sus riquezas, matando en su furia a cuantos seres encontraban al paso y rematando a los heridos.

Al darse cuenta de lo que le rodeaba pudo convencerse de que no había muerto; pero iba a morir. Lo reconoció en la debilidad que se apoderaba de él, en el frío mortal que subía a lo largo de su cuerpo, en el pensamiento que se extinguía y no era más que una lucecilla débil.

¿Y Sónnica...? ¿Dónde encontrar a Sónnica...? Su último deseo era llegar hasta su cadáver, que debía estar próximo. Quería besarla como a su esclava Ranto; rendirle este tributo antes de morir. Pero al intentar un esfuerzo supremo, separando su cabeza de la tierra, una

270

oleada de líquido caliente y pegajoso le cubrió el rostro: era la última sangre.

Le pareció ver entonces, con la vaguedad de un ensueño que se extingue, una especie de centauro negro que galopaba sobre los cadáveres y al mirar la iluminada ciudad reía con diabólico gozo.

Pasó junto a él. Los cascos de su caballo se hundieron en el cuerpo del celtíbero tendido sobre su pecho. El griego, agonizante, creyó reconocer el jinete a la luz del incendio.

Era Hanníbal, con la cabeza descubierta, poseído de la furia del triunfo, galopando en un caballo negro, que parecía contagiado del furor del jinete, y relinchaba, coceando los cadáveres, agitando su cola sobre los restos del combate. Al griego le pareció una Furia infernal que venía por su alma.

Vio débilmente, como una imagen borrosa, la cara de Hanníbal animada por una sonrisa de soberbia, de cruel satisfacción; el gesto majestuoso y feroz a la vez de uno de aquellos dioses de Cartago que sólo se mostraban clementes cuando humeaban en su altar los seres humanos.

Reía viendo que ya era suya la ciudad que le había detenido ocho meses ante sus muros. Llegaba la hora de realizar sus ensueños audaces.

El griego no vio más. Volvió a caer en la eterna noche.

Hanníbal galopó hacia el mar, y al darse cuenta de que sobre su línea terminal apuntaban los resplandores cárdenos del amanecer, detuvo su caballo, miró a Oriente, y extendiendo el brazo cual si quisiera prolongarlo por encima de la extensión azul, gritó amenazante, retando a un enemigo invisible antes de caer sobre él:

—¡Roma...! ¡Roma...!

Playa de la Malvarrosa (Valencia).
Julio-Septiembre 1901.

ÍNDICE